De gelukkige
boerderij

Emma Hamberg

De gelukkige boerderij

SIJTHOFF

© 2007 Emma Hamberg

Published by arrangement with

Bonnier Group Agency, Stockholm, Sweden

All rights reserved

© 2008 Nederlandse vertaling

Uitgeverij Luitingh ~ Sijthoff B.V., Amsterdam

Alle rechten voorbehouden

Oorspronkelijke titel: *Brunstkalendern*

Vertaling: Neeltje Wiersma

Omslagontwerp: Linda Öberg / Annemarie van Pruyssen

Foto auteur: Jenny Dozai

ISBN 978 90 218 0184 1

NUR 343

www.boekenwereld.com

Voor Agi, mijn dapperste strijder ter wereld. En uiteraard voor onze drie betoverende dochters: Ditte, Nåmi en Saga. Ik hoop en denk dat jullie mooie, warme zusterschap voor altijd zal blijven bestaan.
Ik hou van jullie, van de hele mooie boel!

1

'Waar kijken jullie naar?'

'Weet niet. Er was een monster – kijk daar is-ie, met bloed in zijn ogen. En dat monster gaat de kinderen opeten, denk ik...'

'Nee, helemaal niet. Hij zit alleen maar achter ze aan, want hij wil die fonkelende diamant. De diamant lag eerst helemaal op de bodem van de zee en...'

'Stil! Ik hoor niets! Mama, ik heb honger!'

Mama Lena is net wakker. Het is zaterdagmorgen vijf over negen en ze is net wakker! Wat een sensatie. En wacht eens... Ja, uitgerust ook! Met dank aan de kabel-tv! Wat doet het ertoe of de kinderen naar monsters met bloeddoorlopen ogen kijken, als zíj maar kan slapen. Ook al worden ze mediagestoord in hun hoofd. Hoewel ze natuurlijk geen gestoorde freaks worden van het kijken naar een beetje enge tekenfilm, dat is gewoon overdreven. Kinderen snappen heus wel dat het niet echt is. Daarentegen kunnen moeders die niet mogen slapen monsters met rode ogen worden die voor hun kinderen de rest van hun leven onderwerp van hun tekeningen worden. Zo is het. Echt.

Lena kijkt naar haar drie jongsten. Hampus, die morgen drie jaar wordt, Wilda die net in groep drie is begonnen en Engla die denkt dat ze in groep drie is begonnen, hoewel ze nog een jaar naar de kleuterklas moet. Ze moet hen een beetje knuffelen.

Zoals ze daar zitten, in hun pyjama's, dicht tegen elkaar aan onder een deken, naar de televisie kijkend, zijn ze op hun best.

Rustig, lief en stil. Bah, zo mag je niet denken. Maar dat doe je toch. Televisie werkt ongeveer duizend keer beter om kinderen rustig en lief te krijgen dan zij: hun moeder.

Lena ruikt aan ze. Ruikt aan Hampus' vochtige nek, kruipt met haar neus lekker tegen Engla's nog steeds babyzachte wangen aan, zoent Wilda's ernstige voorhoofd. Wilda. Dat was een foutje. Een kind dat helemaal niets wilds heeft. Dat je naar buiten moet slepen, ook al is het 30 graden en ligt de zee voor de deur. Een kind dat nooit in deurposten klimt of lachend een wind laat tijdens het eten. Engla, daarentegen, had niet Engla moeten heten. Zij had Wilda moeten heten.

Maar het is te laat om het nu nog te veranderen.

'Pas op, je trapt op Skutt!'

'Verdomme. Hebben jullie de konijnen nu weer binnengelaten? En waar is Vincent? Waarom hebben jullie de konijnen naar binnen gehaald?'

'Ze waren zo alleen, zo verschrikkelijk alleen. Nina huilde gewoon. Ze huilde stilletjes.'

Lena kijkt door het raam. Het konijnenhok is leeg. Dat betekent vijf konijnen in huis. En is dat daarbuiten niet een sintbernardshond? Ja, Vincent is in de moestuin in slaap gevallen. Prima. Oké. Dat betekent goed uitkijken dat ze niet in de konijnenkeutels stapt. Waar is Robert trouwens, zou hij vandaag niet thuis zijn?

'Waar is papa?' Lena kijkt naar haar kinderen.

'Hij is naar de garage. Iemand had een smerige vrachtwagen. Honger!'

Juist ja, oké. Al die verrekte vrachtauto's. Roberts bedrijf is niet Roberts bedrijf, het is Roberts gezin. Wij hier thuis zijn Roberts bedrijf. Of nee, we zijn niet Roberts bedrijf. We zijn Roberts... Roberts Poolse zwartwerkers. Onderbetaald, ongezien, zonder vakbondsrechten, die vooral dankbaar moeten zijn. Nee, nu ben ik rechtvaardig! Eh, onrechtvaardig bedoel ik. Robert doet dat immers allemaal zodat we zoveel kinderen kunnen hebben en het huis en de dieren en... Maar ik moet toch ook werken. Om het weekend in de ICA-supermarkt, zo nu en dan invallen op de crèche, daartussendoor in de keuken op school plus al deze kinderen, de dieren, de was, de afwas, het vouwen van de was, de vaat weer opbergen, alle spulletjes opruimen, sorteren, maar verdomme, wat nu weer!

Konijnenkeutels. Vijf kleine, nu platte keutels, onder haar voet. Lena vloekt stilletjes, schraapt haar voet af aan de rand van de afvalemmer. Een sliert spaghetti en een stukje sla zaten blijkbaar ook aan haar voetzool gekleefd. Ze leegt de etensbakjes van de katten en Vincent, vult ze opnieuw met brokjes en water, aait de konijnen die voorbijhuppelen, stopt de verzamel-cd van Peter Jöback in de stereo in de keuken.

'Toen het goud zaaaaaand werd...' Hier met de leverworst, komkommer, melk, cornflakes, brood... verdomme, er is geen brood meer. Dat wil zeggen er zijn nog twee kapjes over. Lena haalt de steekvormen voor de minikoekjes tevoorschijn en drukt ze in de kapjes. Minihartjes uit brood. Misschien compenseert dat het feit dat er bijna geen brood is? Een list van een moeder.

Lena is al lang moeder. Zeventien jaar. Sinds ze zelf zeventien jaar was.

Zeventien en zeventien is vierendertig. Vierendertig jaar is ze nu.

Josefin was niet echt de bedoeling. Of ja...

Al vroeg had Lena het geweten: dat ze veel kinderen zou krijgen. En jong. Waarom wachten? Waarom wachten op iets goeds? Iets wat niet eens nutteloos of duur is, alleen maar goed.

Rille en zij waren verliefd. Echt smoorverliefd. Zestien jaar oud en zo verliefd dat je niet denkt. Je hebt alleen maar seks. En als die zestienjarigen al 'denken', dan 'denken' ze dat het zo bedoeld is als ze zwanger raken. En dan fantaseren ze over dat kleine kind. Maar ze fantaseren alleen maar over de mooie momenten. Over die zachte, mollige beentjes. Over het warme dekentje waar de baby in gewikkeld zal zijn. De liefde. Die zich verspreidt en voor nieuw leven zorgt. Het toppunt van romantiek. En ze werd zwanger, natuurlijk. Twee jonge, gezonde kinderen die voortdurend lagen te vrijen... dan begint er gemakkelijk iets te groeien. Maar toen het meisje kwam, was Rille al ver weg. De innige liefde ook. Maar Lena was er nog. En het kleine meisje.

Josefin was niet de bedoeling. Maar ze werd de bedoeling. Van Lena's leven.

Lena en Josefin trokken in een van de kleine arbeidershuisjes die op het erf van de boerderij stonden. Mama en papa woonden vijfentwintig meter verderop in het grote huis. Het was zo dichtbij. Dicht bij de liefde. Josefin en Lena waren altijd bij elkaar. Wanneer Lena de koeien molk, droeg ze Josefin in een draagzak op haar buik. Wanneer ze de stal uitmestte, zat haar mooie kleine dochtertje in de wagen toe te kijken. Soms mocht ze in een van de koeienboxen zitten; wat een zeer praktische speelplek was. Net als Lena toen die klein was. Dezelfde box zelfs.

Ontbijt, lunch en avondeten in het grote huis van Het Zonneroosje. Papa, mama, Josefin en Lena. Samen. Lena hoefde niet te betalen voor kost en inwoning. Er werd niet eens over gesproken. Helpen op de boerderij hoorde erbij. Zoals altijd. Maar ze was het gewend. Om niet alleen haar klusjes te doen, maar ook die van haar zusjes, dus een baby meer of minder maakte geen verschil. Poep opruimen moest ze als het ware toch.

En nu is het tijd om de keuken te ontdoen van de konijnenkeutels. De keuken in het huis van haar en Robert in Braby. Dertig kilometer van de ouderlijke boerderij Het Zonneroosje. Geen koeien, maar konijnen, honden, katten en een cavia.

Zo, ontbijttafel is gedekt, of nou ja, iets wat op ontbijt lijkt in elk geval. Het is halftien, durft ze Josefin wakker te maken? Nee, dat kan ze beter niet doen. Maar ze kan toch niet de hele dag slapen. Ach, waarom ook niet...

Vanaf de bovenverdieping klinkt gebrul. Josefin wordt blijkbaar uit zichzelf wakker.

'Wie heeft er godverdomme de konijnen in mijn kamer gelaten? Mamaaaaa!'

Josefins stem weergalmt door het huis. Nu dendert ze de trap af. Gaat trillend van woede in de keuken staan, in slechts een slipje en een heel kort nachthemdje met een print van Snoopy. Haar lichaam. Lena kan maar niet geloven dat haar kleine hummel een vrouwenlichaam heeft gekregen. Brede heupen, borsten, een ietwat vooruitstekende buik, een taille. Zo mooi. Zo perfect.

'Kut! Ik heb wel duizend keer gezegd dat ik de konijnen verdomme niet in mijn kamer wil hebben, ze schijten overal. Nu hebben ze verdomme precies in mijn sporttas gescheten en ik moet vanmiddag handballen en ik ga verdomme niet handballen in poepkleren. Englaaaa!'

'Jossan, wacht even. Nee, stoor de kinderen nu maar niet, ze zijn tv aan het kijken. Rustig maar – ik kan die sportkleren wel wassen. Ik praat wel met de kinderen over de konijnen en...'

'Ja, dat hebben we eerder gehoord.'

'Ja, maar ik zal met ze praten. Ik zal het slot vervangen! Van het konijnenhok. Waar alleen ík dan de sleutel van heb. Jossan...?'

'Maar, shit, die sportkleren moeten voor twee uur schoon én droog zijn. Ik ga verdomme nog liever dood dan dat ik handbal in poepkleren.'

'Tuurlijk, schatje, wil je ontbijt?'

'Zijn er geen boterhammen, soms?'

'Ja, boterhamhartjes...'

'Je kunt toch geen vier kinderen hebben en vergeten brood te kopen, dat kan gewoon niet. Ik ga weer naar bed.'

'Doe dat lieverd, leg je sportkleren maar voor de deur, dan pak ik die later wel.'

Juist ja. De eerste uitbarsting van die dag. Nog vrij mild. Dan is het nu tijd voor het voeden van het jongvee.

'Kinders – ontbijt!'

2

'Daar komen de Hells Angels. Mooi.'

Marie neemt een diepe trek van haar sigaret en tuurt door de rook naar de motoren die naar de stoeprand draaien. Met een routineus gebaar gooit ze haar lange haar naar achteren en neemt een allerlaatste trek van haar sigaret zodat het helemaal onder in haar longen knettert. Er moet daar diep beneden geen leven meer zijn.

Knetter, knetter. Uit die sigaret. Geen gehoest. Hier is iemand die meer dan de helft van haar leven over de longen heeft gerookt, sinds haar twaalfde. Misschien niet de grootste verdienste van de wereld, maar toch een teken van doorzettingsvermogen. Iets om op je cv te zetten, dat je iets kunt volhouden hoewel de hele wereld schreeuwt dat het fout is. Dan ben je sterk. Of stom.

Sloom zwaait Marie naar de Angels wanneer ze, geheel vanzelfsprekend langs de rij, de club in glijden. Zo'n jack zou je misschien op eBay kunnen kopen. Werkt beter dan alle vipkaarten in de wereld. In elk geval in deze wereld. In de wereld van Marie.

Haar rookpauze is voorbij. Shit. Hoezo trouwens, als barmanager kun je een rookpauze nemen wanneer je maar wilt. Dat is je recht, verdomme.

Vooral Maries recht. Als je sinds maart 1989 in dezelfde club werkt, mag je verdomme toch wel even roken. Met een lusteloos gebaar schiet Marie haar sigaret weg, rekt zich uit, beweegt haar schouders een beetje heen en weer – au, ze zijn stijf – en loopt de club weer in.

De Hells Angels haasten zich met brede ruggen en overdreven coole gezichtsuitdrukkingen naar de bar, en ja, het werkt. De enorme drukte voor de bar neemt af. Alsof Jezus met zijn volgelingen in leren vest met paardenstaart daar aan komt glijden. Water, wijn en dieren openen de weg voor hen. Halleluja.

De andere gasten, die met hun handen als propellers heen en weer zwaaiden om een borrel of een halve liter te bestellen, stoppen die haastig in hun broekzakken.

Nee, nee, plotseling heeft niemand meer zo'n verschrikkelijke haast met zijn bestelling. Nee, toe maar, laat deze mooie jongens maar eerst.

De Rock 'n' chock wordt altijd zo rustig als een nazomerbriesje zodra de Angels opduiken. Totaal geen trammelant, gerotzooi met vrouwen of gezeur. Keurige rijen en geen overdreven geheadbang. Je kunt van die criminele motorgekken vinden wat je wilt, maar als gratis uitsmijter in een hardrockclub zijn ze zo gek nog niet. Maar dat wil nog niet zeggen dat je ze in je eigen woonkamer zou willen hebben...

Sinds maart 1989 staat Marie dus in het hardste hardrockcafé van Stockholm: de Rock 'n' chock.

'Staan' is eigenlijk niet het juiste woord. 'Rennen als een rat' is een betere omschrijving. Zware kratten de kelder in en uit sjouwen, als een Duracell-konijn citroenen snijden, milkshakes mixen (ja, hardrockers hebben een zwak voor milkshakes), tafels afvegen, tafels en stoelen optillen, dronkenlappen omhooghijsen, heel veel drinken, nog meer roken en nog meer kratjes halen.

Marie. Marie Andersson. De vrouw met de gewone naam en de ongewoon heftige jeans. Strak als een tweede huid en met ruige strepen als vlammende stroken over haar bovenbenen. Met een wit topje, zo mogelijk nog strakker dan de jeans... Nee, dat kan niet. Het logo van Rock 'n' chock als een tong over haar borsten en met een klein, kort kanten schortje. Grote borsten. Ja, een paar maten groter dan de maat die ze toebedeeld had gekregen. Haar verjaardagscadeau voor haar veertigste verjaardag. Van Marie voor Marie. Maar zoals ze zelf altijd zegt: 'Niet ik, maar de rest van de wereld is gelukkiger geworden.' Ja, en misschien is Marie ook een tikkeltje gelukkiger geworden, of in elk geval rijker. Sinds dat cadeau voor haar veertigste verjaardag lopen de fooien hoger op. Want wanneer zij haar tieten op de bar legt, wordt daar door de hardrockers een extra briefje van twintig recht tegenover gelegd.

'Hoi Marre! Alles goed?' Een van de kerels knikt naar Marie.

Marie knikt terug, glimlacht en zwaait nonchalant met haar lange, gebleekte manen. 'Rustig. Een large cola, of wat?'

'Doe maar drie.'

Die Angels drinken nooit alcohol, hebben het misschien te druk met andere drugs, ach, wat kan het haar ook schelen, ze geven altijd dikke fooien. Met morele overpeinzingen hou je je maar in je vrije tijd bezig, als je die hebt. Vrije tijd dus. Of moraal. Marie vult drie grote glazen met cola, gooit er een paar citroenschijfjes en ijs in en geeft er servetjes bij.

'Wat ga jij dit weekend doen?' De kerel neemt een grote slok cola en glimlacht vragend naar Marie. Hij veegt zijn snor af met de bovenkant van zijn hand.

'Gewoon. Werken, slapen, de hond uitlaten, trainen. Mijn haar bleken, moet je eens kijken, helemaal uitgegroeid. Ik lijk wel een junk.'

Marie buigt over de bar heen (ze komt niet zo ver vanwege haar tieten, die in de weg zitten) en laat haar hoofdhuid zien.

'Nee, je bent mooi. Verdomme, kun je zaterdag niet naar de garage komen, we hebben dan een feest.'

'Moet werken.'

'Marre... je moet niet zoveel werken. Heb je geen vent?'

'Ha, ha, nee, dank je wel.'

'Toe nou. Tuurlijk heb je een vent. Met jouw lijf, verdomme, dat is toch een *fucking waste*. Hoezo, het hele weekend alleen maar slapen, werken en fikkie uitlaten?'

Marie neemt een slok van haar eigen drankje, een gin-tonic, gooit haar haar weer naar achteren en trekt haar hemdje over haar buik, dat meteen weer omhoogkruipt en haar zonnebankbruine buik onthult.

'Ja, tenzij je me zevenduizend ballen kunt lenen, dan ga ik in plaats daarvan naar Mallorca.'

'Hoezo, wil je zevenduizend ballen lenen? Geen probleem, kom morgen maar naar de garage dan regelen we dat, weet je.'

'Lieverd, je maten roepen je, ga nu maar.'

'Wil je het lenen?'

'Absoluut niet. Wegwezen.'

Marie stoot hem lachend aan en bedient de volgende gast die voorzichtig met zijn hand durft te zwaaien voor een bestelling.

De muziek dreunt: Motörhead, Metallica, Guns N' Roses, Iron Maiden, Black Sabbath. De hele club is bomvol. Het ruikt naar zweet, zware zoete parfum, haren, leer, latex en sterkedrank. Een circus. Het barleven is een circus. Barlui zijn artiesten die dansen, met elkaar. Moeten in de maat blijven.

Parapluutjes. Er gaan veel parapluutjes en cocktailbesjes doorheen. Jazeker, hardrockers en homo's hebben dezelfde lievelingsdrankjes. Misschien niet iets wat ze van elkaar willen weten, maar zo is het wel. Verschillende outfits, dezelfde smaak.

In de maat blijven, het tempo vasthouden. Lachen om slechte grappen, bedanken voor de eeuwige uitnodigingen, wachten op rookpauze, kapotte glazen opvegen en geen fooien in eigen zak steken. Niet iedere keer in elk geval.

De zeer kleine dansvloer deint. Langharige mannen in leren broeken en weelderige seksbommen met net zulke lange manen als korte rokken zijn aan het huppen. De zwartrokken hebben zich ook op de dansvloer gewaagd. Dansen met *skinny* jeans.

Marie is cool. Maakt zich niet zo druk. Ze loopt al langer mee.

Soms te lang naar haar gevoel. Verdorie, hoeveel *white russians* heeft ze eigenlijk al gemixt? Wat is dat toch met hardrockers en white russians?

'Drie white russians, twee dubbele Southern Comfort en drie halve liters... zevenhonderdvijfentwintig ballen alsjeblieft...' Marie legt haar borsten op de bar en ontvangt zevenhonderdvijftig kronen en een 'laat maar zitten'. Verdorie, wat is het toch krap achter de bar.

'Marre.'

Staffan. Mooie Staffan werkt zich tussen alle barhangers door routineus naar voren. Hij legt zijn armen gekruist op de bar, de franjes van zijn versleten leren jack waaieren als pauwenveren uit over de bar.

Een kleine cowboyrocker. Meer een Led Zeppelin dan een Bon Jovi. Meer versleten leer dan *spandex*. Meer lang haar en bakkebaarden dan poedelkrullen. Meer man dan nicht. Meer oud dan jong. Een uit de top drie van Marie. Ja, ze heeft drie minnaars, die ze afwisselt. Maar het is alweer een tijdje geleden. Marie heeft simpelweg geen zin gehad. Ze wilde in alle rust slapen, wilde niet veel energie in gevoelens steken. Wilde niet veel kerels die maar in háár bed blijven liggen en vertrekken als het hun uitkomt en niet haar. Kerels die bovendien haar koelkast leegeten en daarna gratis bier in de pub willen hebben. Maar Mooie Staffan is bijna altijd een rondje waard.

'Hoi Steffo. Dat is lang geleden, waar heb jij in godsnaam gezeten?'

Marie schenkt een dubbele maltwhisky in, de eeuwige partner van Mooie Staffan. Een beetje te vaak, daarom mag hij nooit meer dan een tijdelijk nachtelijk avontuurtje worden, zo af en toe.

'Ik ben in Denemarken geweest en heb daar als roadie gewerkt. Er was een herfstfestival in Odense, wat in elk geval twee weken werk betekende.'

Natuurlijk, een roadie. Zo heerlijk voorspelbaar. Je ziet een gozer als Steffo, probeert erachter te komen wat voor werk zo'n vent doet en het enige wat je je zou kunnen voorstellen is roadie. En ja hoor, bingo. Tuurlijk.

'Wat doe je na het werk?' vraagt Staffan schalks glimlachend terwijl hij over zijn mondhoeken strijkt. Hij trekt zijn wenkbrauwen een beetje op. Routineus neemt Marie met een doek de bar af, tilt een paar pindaschaaltjes op om daaronder ook schoon te vegen, spoelt het doekje uit en neemt een bestelling op van twee meisjes die achter Steffo staan.

'Weet ik nog niet, misschien een biertje drinken met Linus en de rest van de groep.'

'Misschien een biertje drinken met mij?'

'Misschien...' Marie zet vijf glazen schuimend bier op de bar, schuift ze naar de meisjes toe, krijgt de poen en legt haar hand op die van Staffan. 'Wie weet, misschien zit ik boven op jou te deinen na het werk...'

'Dat lijkt me een goed plan...'

Marie glimlacht breeduit, Staffan glimlacht terug en wringt zich terug naar zijn gezelschap.

'Linus! Ik ga even roken!'

Marie maakt het rookteken naar een van de barkeepers. Ja, ja, ze begrijpt zijn blik heel goed: ze heeft net gerookt, maar wat nou verdomme, ze is barmanager, ze heeft verdomme haar hondenjaren gehad. Marie beent door de kleine personeelskeuken, opent de deur naar de kelder en draaft naar beneden. Otto ligt op zijn plaid een beetje te dommelen met zijn snuit tegen de waterbak. Maar zodra hij het getik van Maries naaldhakken hoort, spitst hij zijn oren en begint met zijn staart op de vloer te slaan. Op de maat van de baspartij in 'Still Loving You' van de Scorpions een verdieping hoger. Otto. Maries huisgenoot. Maries beste vriend. De rottweiler die al sinds hij nog een pup was zijn nachten in de kelder van Rock 'n' chock heeft doorgebracht. De hond die zich veilig voelt tussen bierkratjes en hardrockriffs en waarschijnlijk een beetje hardhorend is na de te luide muziek, maar in Otto's geval is dat misschien eerder een voordeel dan een handicap. Verblijf je zeventig procent van je tijd in een nachtclub, dan kan een paar procent slechthorend zijn geen kwaad.

'Kom, Otto! Kom, dan gaan we roken, ja, kom maar, dan gaan we roken!' Marie zwaait met haar pakje sigaretten, dat een beetje ritselt. Otto zwaait terug met zijn staart en loopt voor haar uit de trap op.

Marie doet de achterdeur achter zich dicht. Otto scharrelt wat rond op de lege binnenplaats. Hij snuffelt, doet een plasje, kruipt onder een paar treurige dorre struiken. Stilte. Of iets wat op stilte lijkt, in elk geval. Een dof gebonk klinkt vanuit de club, en vanaf de Götgatan is een zwak verkeersgeruis te horen. Nog steeds kun je 's nachts het raam open hebben. De zwoele nachten van de zomer zijn verdwenen, maar de verkoelende wind van eind september is aangenaam. Tot nu toe.

Marie spuugt haar pruimtabak en haar kauwgom uit, rekt zich uit, maakt de twee bovenste knopen van haar jeans los, laat haar buik opzwellen en ploft neer op de kleine trap. Ze steekt een sigaret op. Zuigt routineus de rook naar binnen en kijkt omhoog naar de appartementen rondom. Een raam licht blauw op. Iemand kijkt nog televisie. Het is bijna halfdrie. Donker. Iedereen ligt te slapen. Gewone mensen doen dat. Slapen vrijdags om halfdrie. Marie weet niet meer hoe het is om normaal te zijn: om acht uur wakker worden, naar het werk gaan, ongeveer om halfzes thuiskomen en vervolgens tegen halfelf weer in bed kruipen. Halfelf! Dan zijn de stamgasten nog niet eens in de bar opgedoken. Halfelf.

Een warme trek, rookkringen tegen de herfsthemel.

Marie glimlacht en wordt daar helemaal in haar eentje op de binnenplaats een beetje nostalgisch. Haar eerste sigaret. Marie, Frasse van de naastgelegen boerderij, zijn niet met het waanzinnig lelijke kapsel en Åsa, haar eigen zusje dat naar een ufo stond te kijken. Gula Blend die Frasse van zijn moeder had gejat. Frasse en zijn nicht stonden daar achter de stal te roken, maar niet over hun longen. Ze moesten hoesten en werden misselijk. Het klassieke verhaal. Maar dan Marie: zij had genoten, vanaf haar allereerste trekje. Een beetje draaierig, absoluut, en ze hoestte ook, maar ze vond het lekker. Hield ervan. Was meteen verslaafd. Verslaafd aan de smaak, aan het hele gedoe: zo mooi mogelijk een sigaret opsteken, tegen een muur leunen en sexy zuigen aan een sigaret. Maar het was duur. Niet vanwege de sigaretten, maar vanwege Åsa. Voor het stilhouden wilde ze vijf kronen per week hebben. Haar vader en moeder zouden immers helemaal gek worden als ze erachter kwamen. Mijn god, Marie had wat afgerookt daar achter de schuur van Het Zonneroosje terwijl ze het donkere bos in keek en wegdroomde. Weg van de koeienstront, de verantwoordelijkheid, de flinkheid en de vroege ochtenden.

Nog twee diepe trekken. Marie knijpt haar ogen half dicht en blaast nieuwe rookkringen omhoog de nacht in. Otto stoot zachtjes met zijn snuit tegen haar arm, Marie aait hem liefdevol stevig over zijn kop, drukt haar droge neus tegen zijn vochtige snuit.

Al die akelige kerels die zich zo verschrikkelijk geprovoceerd voelen omdat je single bent. Alsof je geen grote tieten kunt hebben en die voor jezelf wilt houden. Alsof je grote tieten aanschaft om een vent te krijgen. Marie kan een man krijgen. Op elk moment. Ze hoeft alleen maar de bar weer in te lopen, met haar vingers te knippen en het gewenste exemplaar eruit te plukken. Zoals Staffan, hij is als een gevallen vrucht, ze hoeft zich alleen maar te bukken om hem in de mand te doen. Maar de meeste mannen zijn immers geen mannen, maar kleine kinderen. Maar Staffan zou ze misschien vanavond mee naar huis nemen, dat zou misschien *nice* zijn...

Marie kijkt onderzoekend naar haar lange, rode nagels. Er was iets... Toen die gozer vroeg wat ze het weekend ging doen... Ze had het gevoel alsof ze het verkeerde antwoord gaf... en toen ze met Staffan de afspraak maakte hem op te pikken... iets...

Ja, verdorie! Lena! Haar zusje. Lena's jongste kind is jarig. Hampus. Drie jaar. Zondag. Zondag om twaalf uur! Ze moet nog een cadeautje zien te regelen!

Iets wat rolt, geeft niet wat, als het maar rolt, had Lena gezegd. Of preciezer gezegd, geschreeuwd, ze had vanuit een of andere cash-and-carrywinkel gebeld. Parels. Parels krijgt hij, die rollen immers. Ha, ha. Verdomme, Robert zou gek worden! De man van haar zus. Oei, oei.

Toen ze op de crèche van Hampus wat meer gelijkheid tussen jongens en meisjes invoerden – de jongens moesten wat meer in de keuken helpen en de meisjes moesten wat meer ruimte krijgen en zo – had Robert meteen gedacht dat Hampus homo zou worden. Robert geloofde serieus dat een roze trui de seksualiteit van een jongetje helemaal de andere kant op kon draaien.

Het is wel duidelijk: Hampus krijgt parels. Roze misschien. Of gaat dat een beetje te ver?

Marie gaat liggen, laat haar hoofd rusten op een van de traptreden, nee, dat is helemaal niet comfortabel, maar het is heerlijk om even te kunnen liggen. Met Otto's snuit tegen haar hals. Ze moet ook een heel klein beetje lachen. Parels. Hi, hi.

Ze neemt haar laatste trek en inhaleert diep, probeert haar tenen te bewegen in de strakke rode laklaarzen (een onmogelijke opgave), trekt haar buik in, doet de twee bovenste knoopjes dicht, schikt haar borsten, trekt haar schort recht en schiet haar peuk weg. Net een sterrenregen. Ligt nog een paar tellen roerloos. Kijkt naar de donkere ramen. Halfelf...

Nee, ze stopt een portie pruimtabak onder haar lip, een stukje kauwgom in haar mond en haalt haar vingers over haar hoofdhuid zodat haar leeuwenmanen wat meer volume krijgen. Nee, ze moet Staffan afzeggen, ze kan niet een vent met een kater thuis hebben als ze vroeg in de ochtend weg moet naar een kinderpartijtje. Nee, ze moet weer naar binnen. Het gespuis roept. Het white russiangespuis.

3

De straatlantaarns verlichten de grote, witgeschilderde slaapkamer. Het Franse balkon staat op een kier en op de binnenplaats hoort ze een laat (of vroeg, het is maar net hoe je het bekijkt) thuisgekomen dronken buur met sleutels rammelen. Een
paar taxi's rijden langs de Rörstrandsgatan. Deze kamer is 's ochtends het mooist. Dan glanst het parket als goud, dansen er zonnevlekken over het plafond en ruikt de lila bekleding van de twee
doorgezakte geërfde fauteuils naar bloeiende seringen in het
voorjaar (en niet naar een oude zolder, wat je eigenlijk ruikt als
je je neus erin steekt) ondanks de vroege herfst. Maar nu is het
nacht. Pas over een paar uur komen de zonnevlekken dansend
naar binnen. In juni was het drie jaar geleden dat ze het appartement hebben gekocht. Of beter gezegd, Åsa heeft het gekocht,
hoewel ze het samen hadden uitgekozen. Zij en Adam. 224 vierkante meter. Bijna gênant groot. Nee, echt gênant groot. Alleen
Åsa en Adam op 224 vierkante meter. Met alle fietsen, computers, langlaufski's, schaatsen, rugzakken van Adam plus alle computers en schaatsen van Åsa uiteraard. En weinig meubels. Met
de nadruk op weinig. Mijn god, hoe vul je 224 vierkante meter
als inrichting je niet interesseert? Als je niets snapt van dat gedoe met cilindervazen, witte lelies en belachelijk dure banken
van Svenskt Tenn. Hoe maak je een zaal van vijfenvijftig vierkante meter gezellig? Adams oude bank in een hoek (die is nog
goed, dus waarom een nieuwe kopen), een reusachtig groot ta-

pijt van de Perzische tapijtwinkel uit de buurt (de oude man kirde van blijdschap toen hij veertig vierkante meter Perzisch tapijt verkocht!) een stereo, een televisie, een enorme stapel computerspelletjes en ontzettend veel bloemen. Planten doen het goed bij Åsa, ze houden van haar en zij van hen. Dus lijkt de zaal meer een jungle met een kleine bank en een televisie. Maar het echoot zo, verdorie. Eigenlijk zouden ze heel wat kleiner kunnen wonen. Een klein driekamerappartement van tachtig vierkante meter had ook uitstekend gekund. Maar Åsa moest investeren. Investeren is iets wat Åsa heeft moeten leren. Geld. Geld. Geld, geld, geld. Hoe kon het zoveel geld worden? Åsa, die zich over dat soort dingen nooit druk heeft gemaakt, maar gewoon werk heeft willen doen dat ze leuk vond (netwerkarchitectuur, databases en programmeren). Helemaal stom is ze kennelijk ook niet, dus heeft ze kunnen aanvoelen dat het tij ging keren, en heeft ze van het ene op het andere moment al haar aandelen in dat idioot succesvolle webbureau waar ze zelfs ontslag nam, verkocht. En vanaf dat moment had ze enorm veel geld.

Hoe was het mogelijk dat de opties die ze voor zestigduizend ballen had gekocht, en die vervolgens aandelen werden, een waarde van... zestien miljoen kroon hadden gekregen? Oké, daarvan ging ongeveer de helft naar de belasting, maar toch. Een absoluut duizelingwekkende som geld.

Van dag en nacht werken, cafeïnetabletten slikken, cola drinken en nooit slapen om zo zestigduizend kroon bij elkaar te kunnen schrapen en vervolgens gewoon zestien miljoen te krijgen, hoe ga je daarmee om?

Alle bankmensen wilden haar helpen. Nee, nee, nee, ze moest geen geld aan familie of andere hulpbehoevenden schenken, ze moest investeren! Belangrijk, belangrijk. De bankmannen hielpen haar zo enthousiast dat er zweetplekken onder hun oksels verschenen.

Maar drie jaar geleden was Åsa het zat. In elk geval om zo nu en dan in te loggen op haar internetbank en haar geld te zien, maar er nooit plezier van te hebben of het voor iets tastbaars te gebruiken. Voor iets wat je kunt zien! Aandelen en fondsen zijn niet sexy. Toen Åsa dat bij haar persoonlijke bankman ventileerde, vatte hij dat op als een persoonlijke belediging. Het was zo ongeveer als tegen een dierenbeschermer zeggen dat je dieren het akeligste vindt wat er bestaat. Wat moet een dierenbeschermer dan wel niet zijn? In plaats daarvan kocht ze appartementen.

Een grote kolos voor Adam en haar in de Rörstrandsgatan in Birkastan en nog twee eenkamerappartementen in Östermalm, die ze verhuurt. Een stuk grond kwam er ook, aan zee, met een complete appelboomgaard erbij, maar twintig kilometer buiten Stockholm. Landelijk, afgelegen, perfect. Water waar je 's winters op kunt schaatsen. Bos om in te langlaufen. Stilte om naar te luisteren. Een stuk grond waar zij en Adam een huis zouden, of beter gezegd, zúllen bouwen. Maar nu nog niet. Nog niet.

De nacht is zo... nachtelijk. Af en toe praat het parket een beetje: het kraakt. Een licht gerammel van de lift. Het uur van de wolf. Het uur waarin de ziel jankt. Waarin je je eenzaam voelt. Waarin alleen de wolven wakker zijn. En jijzelf. De tijd waarop alles nog dicht is en niets al open is.

Åsa kijkt naar Adam. Daar geen uur van de wolf, maar een diepe slaap. Veilig, geborgen en zonder twijfel. Een mooie slaap. Een mooie Adam. Zijn rood krullend haar plakt een beetje op zijn voorhoofd. Zijn tengere schouders, zijn bleke borstkas die op en neer gaat. Op en neer. Hij slaapt diep. Een glinstering in het rode, krullende dons op zijn borstkas dat reikt tot aan zijn hals. Een flinke haargroei. Een tenger, pezig, spierwit lichaam. Verborgen spieren. Heel simpel: een compacte bundel kracht.

Nu hij slaapt ziet Åsa hem. Ziet ze hem zoals ze hem de eerste keer zag. Adam! Die te gekke, begaafde programmeur. Roodharig. Spichtig op zo'n mooie, gracieuze manier. Prachtig. Die altijd fietste. Met fietshelm. In de tijd dat het echt oubollig was om een helm te dragen. Niet zoals nu, nu elk kind met trots zijn hoofd beschermt, maar toen, toen alleen maar halvegaren of mannen op sandalen een helm droegen. Maar Adam fietste met helm. In het bos. In de stad. Toen ze naar Italië gingen om zich te verloven, fietste Adam erheen (er was een massale internet-bijeenkomst in Florence, met heel veel internet-idealisten. Åsa en Adam moesten ernaartoe, en als ze daar toch waren dan...) Åsa reisde hem met het vliegtuig achterna. Ze waren allebei liefhebbers van de internetwereld. Allebei bergwandelaars. Allebei langlaufers. Ze was zo gelukkig toen ze hem had gevonden. Toen zijn roodharige, slungelige lijf het kleine webbureau in wankelde en alle computers van het bureau aan elkaar koppelde. Met zijn slecht zittende jeans, zijn oude Fjällräven-jas, zijn ongeknipte haar (ook net een helm, een haarhelm, net zo dicht en groot en ja – mooi!) en zijn verlegen blik. En Åsa in haar wat overdreven kleren. Aangezien ze zelf nooit had geweten wat ze leuk vond, had ze zich door de verkoopsters laten aankleden. Nee, Åsa's vrij moderne kleren hebben nooit iets gezegd over haar als persoon. Diep vanbinnen zag ze eruit als Adam. In oude, slecht zittende en praktische kleren, en met een onzichtbare fietshelm.

Geen van beiden hadden ze veel gezegd. Verlegenheid – ook een gemeenschappelijke noemer. Maar ze hadden gekeken. Stiekem. Soms hadden hun blikken elkaar toevallig ontmoet over de beeldschermen heen. Om een nanoseconde later verlegen weer op het scherm te kijken en overdreven actief te bladeren in een paar papieren die op het bureau lagen. Maar toen was er een mailtje gekomen. Van Adam. Hij vroeg of Åsa misschien iets wist over een bepaald programma – natuurlijk wist ze dat. Een mailtje is zo gemakkelijk. Je zit veilig verborgen achter je beeldscherm, maar praat toch. Hoewel helemaal stil. Ze bleven mailen. Eerst met vrij onschuldige vragen over lunchtijden en welke spelletjes nu het leukst waren. Hij schreef grappig. Had een kort, maar direct taalgebruik. In het dagelijkse leven had hij niet dezelfde scherpte als wanneer hij schreef.

Op een dag zag Adam bleek, dus nog bleker dan normaal. Åsa had hem een mailtje gestuurd, had hem gevraagd hoe het met hem ging. En ja, toen waren de mailtjes over spelletjes en lunchtijden gestopt. Ongeveer op dat moment was Åsa verliefd geworden. Echt verliefd. Hoewel op afstand. Ongeveer toen kreeg Åsa een warm gevoel vanbinnen elke keer als ze het klikkende geluid van Adams fietsschoenen op de vloer hoorde. Ongeveer toen kon Åsa stiekem uit Adams beker drinken en het tintelende gevoel krijgen dat ze ook kreeg als ze hem kuste. Ongeveer toen had ze een nieuwe bh gekocht. Voor het eerst sinds ze Het Zonneroosje had verlaten.

Toen was het een keer laat geworden, op een avond. Zoals altijd op een webbureau in de jaren negentig. De campingbedden stonden al opgemaakt op de afdeling, je hoefde er alleen maar naartoe te lopen en te gaan liggen. En dat deden Adam en Åsa. Het kantoor was leeg, op hen tweeën na, de herfststorm sloeg tegen de ramen, ze zaten naast elkaar op de ingezakte leren bank, speelden samen een of ander spel. Bovenbenen die elkaar lichtjes raakten, ogen die elkaar toevallig aankeken, lippen die plotseling lak hadden aan die verdomde verlegenheid en aanvielen. Toen gingen ze liggen. Zonder elkaars lippen los te laten terwijl ze krampachtig elkaars lichamen vasthielden. Ze gingen liggen. In hetzelfde bed (in een van de campingbedden). Op een avond laat. En sindsdien... hebben ze altijd samen geslapen. Eerst in Adams rommelige, van techniek gonzende kamer in de Hantverkargatan. En nu op de 224 vierkante meter in de Rörstrandsgatan. Åsa tilt haar eigen dekbed op en kruipt onder dat van Adam. Schuift dicht naast zijn warme, pezige lichaam. Legt haar wang op zijn dunne borst. Hoort zijn hart slaan. Adams hart. Haar hart.

Het uur van de wolf verdwijnt langzaam. De wolven houden op met janken en zwerven sloom verder naar nieuwe jachtvelden.

Vandaag moet ze een cadeau kopen. Een verjaardagscadeau

voor Hampus. Haar jongste neefje. Als het maar rolt, had Lena gebruld, het klonk alsof ze bij een voetbaltraining of iets dergelijks was.

Een auto misschien? Er zijn van die mini-auto's waarin je kunt zitten en die eruitzien als echte auto's... of is dat te mooi? Lena is er ontzettend gevoelig voor als Åsa te dure cadeaus geeft.

Åsa trekt het ritselende dekbed naar haar kin, legt haar arm om Adams smalle taille heen, voelt de langverwachte zwaarte van de slaap in haar lichaam terugkomen.

4

'Natuurlijk doe je dit mooie colbertje aan. Voel eens hoe zacht het is, als een... als een hazewindhond! Weet je, als Spiderman jarig is, draagt hij ook een hazewindhondcolbertje, en als...'

'Nee.'

'Maar Hampus, je kunt het toch wel even passen...'

'Nee!'

'Maar, als je...'

'Nee, nee, nee!'

'Oké, stik dan ook maar!'

Rotkind. Verdorie. Lena smijt het colbertje hard tegen de muur. Hampus wurmt zich uit haar greep en glipt de trap af. In zijn Spiderman-pak en op zijn nieuwe verjaardagssokken met rubberen spinnen onder de zolen. Nee, ze heeft hem te hard aangepakt. Het is zijn verjaardag vandaag. Waarom begon ze ook te schreeuwen? Verdomme. Natuurlijk mag hij het Spiderman-pak aanhebben als hij dat wil. Het is zijn dag. Dat zij die pluizige pyjama met dat stripfiguur haat is een heel andere zaak. Op dit moment telt haar wil niet. Op zich niets nieuws hier in huis... Lena's wil staat weer eenzaam in het bos te schreeuwen.

'Het is toch niet belangrijk, laat hem aantrekken wat hij wil.' Robert roept vanuit de slaapkamer.

Lena brult terug. 'Hoezo, is niets nog belangrijk? Moeten we gewoon maar alles laten gaan? Goed! Dan weet ik dat. Dan maakt het ook niets meer uit of ik schoonmaak voor het feest-je, dan maakt het ook niet meer uit of ik die rottige broodtaart met dat mayonaisegedoe ophaal, dan maakt het ook niet meer uit of ik ga douchen, dan maakt het allemaal niets meer uit, en dan wordt het allemaal geweldig!'

Robert roept terug vanuit de slaapkamer zonder Lena's hys-terische toon echt goed aan te voelen. 'Ja, we hoeven toch ook niet schoon te maken. En ik kan de taarten halen. Trouwens, heb je mijn groene broek gezien, die mooie?'

'Ik weet het niet, die groene broek kan me niets schelen. Dit hier kan me niets meer schelen!!'

Lena hoort hoe Robert alle laden uit de kleerkasten trekt. Kalm en systematisch trekt hij ze er een voor een uit, terwijl zij bijna uit haar vel springt op de bank. Ze hoort hoe hij de kle-ren eruit haalt en ze daarna gewoon terugpropt, niet opvouwt. Of wacht, propt hij ze misschien helemaal niet terug? Gooit hij ze misschien op de grond, doet hij dat? Klinkt het niet alsof er stof op de houten vloeren landt?

Ze kookt. Haar hersens koken. Shit, shit, shit. Shit! Ze zou de hele bank wel kunnen verslinden. Het zou heerlijk zijn haar tanden in dat oude houten geraamte te zetten, met haar kaken de kussens kapot te trekken, als een hondsdolle straathond, een bronstige stier.

In plaats van de bank op te eten drukt ze haar nagels in het zitkussen. Hard.

Waarom is ze zo gestrest? Het gaat om een feest. Een klein leuk verjaardagsfeestje voor een jongen die drie jaar wordt. Drie jaar! Hampus is al blij met een paar cadeautjes en chocolade-pudding. Het kan hem amper wat schelen of het kleverige kleed van ingedroogd eten onder de keukentafel afgebikt is of niet. En er komen alleen maar familieleden en kleine kinderen. Dus waarom zou ze gaan stofzuigen, bloemen plukken, zich mooi aankleden en zich door een paniekerige angst verder laten op-stomen. Waarom? Iedereen kent elkaar. Hoe ze de kussens en zichzelf ook opschudt, ze weten toch wel hoe opgefokt je van-binnen bent. Waarom er gewoon geen lak aan hebben?

Robert heeft gelijk. Rustig maar. Kut-Robert. Hij heeft het mis! Natuurlijk moet het op een feestje een beetje opgeleukt zijn. Als ze zijn raad zouden opvolgen zouden ze in de ellende leven. Zouden de kinderen de hele dag in hun pyjama voor de computer hangen en zouden ze af en toe een visschotel uit de magnetron geserveerd krijgen...

'Ik heb hem gevonden! Maar hij moet nog geperst worden.'

'Vraag me af wie er geperst moet worden verdomme, niet jouw groene broek in elk geval...'

Robert komt de slaapkamer uit met een ontzettend gekreu-kelde, legergroene broek in zijn handen. Hij kijkt naar Lena, die op de televisiebank van de kinderen zit, tussen enorme stapels was en wit wordende knokkels die zich in het kussen boren. Een grote stapel witte was aan de ene kant en een net zo grote sta-pel zwart-blauwe was aan de andere kant. En Lena in het mid-den. Met een knalrood gezicht. In het oude, verschoten xxxl-t-shirt van Robert dat als een jurk tot aan haar bovenbenen reikt, haar lange donkerblonde haar in een vette knot boven op haar hoofd opgebonden en haar korte gespierde benen als twee ver-moeide boomstammen recht naar voren stekend. Haar lippen gerimpeld op elkaar geperst en zijzelf op het punt om in tranen uit te barsten.

Maar ze zal niet... huilen. Wat is er de laatste tijd met haar aan de hand? Ze herkent zichzelf niet meer. Ze is de hele tijd zo verschrikkelijk boos. En moe. En verdrietig. Boos, moe en ver-drietig. Alsof alle puf is verdwenen. De enige puf die ze kan op-brengen, is de puf om alle kinderen naar school en de crèche te brengen zodat ze een tijdje rust heeft. En haar werk als op-roepkracht bij de ica verwaarlozen.

'Maar, Lena... Wat is er?'

'Niets. Wat is er met jou? Jij ziet er zelf ook behoorlijk vreemd uit.'

Robert ploft naast Lena neer in de stapel witte was. Hij is bijna naakt, op zijn verkeerd gewassen roze onderbroek na. Om de sfeer wat te verluchtigen, wijst Robert op zijn onderbroek en hij probeert er sexy uit te zien. Lena ziet hem niet. Ze staart recht voor zich uit, probeert het kussen los te laten. Maar haar vingers zijn als het ware verkrampt. Ze heeft het gevoel dat ze een en al verkramping is. Gespannen, niet in staat om zacht en volgzaam te worden, terwijl ze altijd zo zacht en volgzaam is geweest! Met energie voor een hele grote onderneming. Maar nu: een en al verkramping. Ze kijkt woedend naar Robert. Laat haar blik over zijn lichaam glijden en stopt bij zijn achterwerk. Niet uit waardering, maar meer om te kijken waar hij... 'Nee! Niet daar, die stapel is schoon!' Ja, met een wat hysterische gebroken stem.

'Ach, hou op, ik heb net gedoucht.'

'Maar ik niet! Ikkkkkke niet! Omdat ik voor dag en dauw ben opgestaan en de chocoladepudding voor Hampus heb gemaakt, en daarna iedereen wakker heb gemaakt zodat we voor hem konden zingen, en toen het ontbijt voor iedereen heb klaargemaakt en vervolgens de afwas heb gedaan, de badkamer heb schoongemaakt waar de chocoladepuddingkinderen zich hadden gewassen zodat alles onder de poep leek te zitten, een was in de wasmachine heb gestopt, de stofzuigerzak heb verwisseld, die nu trouwens op zijn... en dan wil Hampus dat colbertje niet aanhebben, het was godverdomme reteduur! En ik ben het bonnetje kwijt zodat we het niet kunnen ruilen en...'

Robert streelt Lena voorzichtig over haar schouder. Ze huivert en haalt zijn hand weg. Robert probeert het opnieuw. 'Kunnen we Fanny niet bellen?'

'Fanny van Solveig?'

'Ja, zij heeft toch briefjes bij de ICA opgehangen dat ze schoonmaakt en op honden past en zo. Misschien kan zij hier komen schoonmaken. Ik dok wel.'

Robert lacht, vergenoegd dat hij een oplossing heeft, en zo snel.

'Hoezo, kun je zelf niet schoonmaken? Dan hoeven we niet te dokken. Geld verspillen aan iemand die gaat schoonmaken, en Fanny is nog maar vijftien jaar, zij kan toch niet schoonmaken. Geld weggooien aan een of andere puber die hier in huis kauwgom zit te kauwen en een hele hoop konijnenkeutels onder de kleden schuift die we later chemisch moeten laten reinigen en...'

'Ze kan vast wel schoonmaken.'

'Ach, nee, dan moeten we eerst alles opruimen, want zij weet immers niet waar alles moet liggen, en dan moet ik toch nog al het werk doen.'

'Ach, neem de kinderen mee naar het dorp om de broodtaarten op te halen, dan maak ik wel schoon en douche me daarna.'

Lena haalt twee keer diep adem. Woede, vermoeidheid, verdriet. *Go away.* Waarom kan het niet gewoon verdwijnen? Kan alles niet weer normaal worden. Nu moet ze niet gaan zeuren of krijsen of huilen of schreeuwen of iets negatiefs doen. Hampus is jarig. De opa's en oma's en tantes komen. Het moet leuk worden! Joepie! Ze strekt haar korte benen, trekt een beetje aan haar T-shirt en wil net de stofzuiger pakken.

'Mamaaaa! Engla heeft de konijnen binnengelaten!'

Aha. Nou ja.

Negen uur. Mijn god, hoe kan een wekker zo vroeg afgaan? Hoe kunnen mensen om twaalf uur 's middags een feest geven, wanneer ze midden in het bos wonen, zodat alle gasten die niet in datzelfde bos wonen voor dag en dauw moeten opstaan? Daarom was ze vertrokken. Of het was een van de redenen waarom Marie zoveel haast had te vertrekken van de boerderij, van Het Zonneroosje. Vroege ochtenden. Altijd vroege ochtenden. Of je moest papa en mama gewoon volgen naar de stal, of ze waren niet helemaal fit en je moest het hele ochtendgebeuren zelf doen of je mocht niet verwend worden en moest gewoon een beetje helpen. Halfvijf 's ochtends! De vuilnismannen waren dan nog niet eens wakker, de koeien amper. Marie heeft altijd zo'n hekel gehad aan vroeg opstaan. Altijd! Een keer was ze tijdens het voeren van de koeien in slaap gevallen. Ze had zich in het hooi laten vallen, was geland op een zachte baal en gewoon in slaap gevallen. Een heerlijke herinnering. Die slaap was *lovely*. Een verboden, zoete slaapvrucht.

Marie doet het oogmasker waarmee ze slaapt af. Er mag pas licht doordringen als zij dat wil. Dikke, pikzwarte verduisteringsgordijnen en een oogmasker zorgen daar uitstekend voor. Haar lichaam is zwaar. Helemaal niet uitgerust. Alsof ze een kwartier geleden een behoorlijk sterke verdovingsspuit in haar achterste heeft gekregen en nog minstens vier uur als geveld zou moeten slapen.

Marie tast met haar hand naast het bed, nee, niet die oude string, nee, niet het colaflesje... Ha! Daar – de afstandsbediening. Ze klikt de televisie aan en probeert haar ogen te openen.

Een of ander weekendochtendprogramma op vier. Te zwaar opgemaakte, onnatuurlijk opgewekte vrouwen en dertigplusvrouwen praten over jezelf durven ontdekken, over durven tegenkomen wie je diep vanbinnen bent, over yoga, de Dalai Lama, sojaproteïnen en bla, bla, bla.

Je bent toch wie je bent? Daar kan geen sojaproteïne in de wereld iets aan veranderen. Wie zou je anders moeten zijn? Misschien ben je *fucked up*, maar je bent evengoed wie je bent. Als je niet echt bent, dan ben je dat. Wie moet je durven tegenkomen? Hoezo diep vanbinnen? Waar is diep vanbinnen? In de knieschijven?

Mijn god, nu komt er ook nog zo'n bovennatuurlijk mens bij. Van het type dat met schildpadden praat en door middel van zulke gesprekken dingen over zichzelf te weten komt. 'Ja, de schildpadden lopen altijd naar de zee toe, naar het ongecontroleerde, en wij vrouwen zouden...'

Marie huivert letterlijk en met het kippenvel op haar armen zapt ze snel door naar een andere zender. Een herhaling van een of ander programma dat je bent wat je eet. Eet je hamburgers dan zie je eruit als een hamburger. Eet je aubergine dan zie je er ook zo uit. Mijn god, zijn de mensen helemaal onnozel of zo? Logisch dat je een vetzak wordt als je de hele tijd pizza vreet en met de bus naar de brievenbus gaat.

Een signaaltje van haar mobieltje. Een sms van... de sluwe vos. *Waar was jij gister? Is het binnenkort niet weer eens tijd voor een gezellige date tussen de sluwe vos en de seksgodin?*

Nee, dat dacht ik niet. Sluwe vos zou iets meer met schildpadden moeten praten, naar de zee moeten lopen of zoiets. Altijd hetzelfde liedje. Wat is dat toch met mannen? Marie vindt een nagelvijl onder haar kussen en vijlt haar lange, roodgelakte nagels.

De kerels in de club zijn zo verschrikkelijk cool. Spierbundels, paardenstaarten, een stevige portie zelfvertrouwen, rondjes geven en met de motorfiets over het hele continent reizen, vrijheid en geen eisen en de seks is hier en nu, en beestachtig goed. Ze benadrukken dat ze geen vaste relatie willen wat je super vindt klinken, maar vervolgens willen ze de hele tijd blijven slapen en willen ze een eigen la voor hun onderbroeken en nog wat later gaan ze zich afvragen waar je verdomme uithangt, moet je op tijd thuiskomen en moet je voor ze zorgen en wordt de seks lauw en kijken ze 's avonds liever naar een actiefilm. Nee, bedankt. Mannen zijn net kinderen. Marie wil geen kinderen. Heeft ze nooit gewild. Nu ook niet. En aan grote, harige, dikke, onhandige kinderen heeft ze zo mogelijk nog minder behoefte dan aan die roze, kleine varianten.

Marie tast met haar hand weer naast haar bed en vindt haar doosje pruimtabak. Even een portie onder haar lip. Naar een ander kanaal. MTV. Kutmuziek, maar in elk geval ver verwijderd van vrouwen met linnen kleding in natuurtinten die met schildpadden praten en de hele tijd zo dicht bij hun 'gevoelens' zijn.

Marie zet het geluid harder, schopt het dekbed met tijgerpatroon van zich af en rekt zich uit.

Haar lichaam is zonnebankbruin en goed getraind. Ja, Marie is goed bedeeld. In de lichamelijke genenloterij is ze dik in de prijzen gevallen. Ze heeft de brede schouders van haar vader, de smalle taille van haar moeder, het swingende, uitstekende achterwerk van haar tante Monika en de lange benen van haar grootvader Allan. Haar jongere zus Lena is altijd zo verbitterd jaloers geweest op Marie. Lena heeft namelijk precies het tegenovergestelde geërfd: mama's smalle vogelschoudertjes, papa's brede taille, mama's enorm brede kont en de korte worstenbeentjes van tante Monika. Borsten heeft geen enkele zus, behalve Marie dan, gekregen voor haar veertigste verjaardag.

Ze zijn lichamelijk. Alle zussen. Al vroeg toen ze klein waren hebben ze al met hun armen en benen moeten werken. De stal uitmesten, klimmen, timmeren, rennen, hangen, wassen, fietsen, op de tractor rijden, naar school fietsen, weer naar huis fietsen, nog een keer de stal uitmesten. Nee, in die tijd was er geen automatische mestrobot. Het was gewoon een kwestie van de brede schop pakken en beginnen te scheppen.

De lichamen moesten in beweging zijn om te overleven. Voor boeren is zoiets vanzelfsprekend. Dieren en mensen moeten hun spieren gebruiken.

Als je geen boerderij runt dan moet je trainen, zodat je de kracht hebt om je boerderij te runnen als je niet traint. Een lichamelijke tredmolen.

Marie behoort tot die mensen die al spieren krijgen van een rondje hardlopen om de wijk en een krat lege flessen dragen. Een GI-methode om vet te verbranden heeft ze nooit gebruikt, tenminste als je met GI niet gin en ingewandenvlees bedoelt. Marie begint aan haar dagelijkse vijftig sit-ups. Omhoog, omlaag, omhoog, omlaag, naar voren, opzij, omhoog, omlaag. Ze wrijft nog een paar keer in haar ogen. Ze was vanmorgen pas om vier uur thuis. Na sluitingstijd zaten er nog een paar in de club en ja, tot rust komen moet je toch. Hoewel, meestal laad je je toch weer op, bij nader inzien. Maar, ontspannen moet je.

Otto begint wakker te worden, het bed deint lekker als Marie haar sit-ups doet.

'Je gaat vandaag naar het platteland! Woef Vincent zien! Kleine kinderen eten! Ja, naar het platteland!'

Otto zwaait enthousiast met zijn staart, huppelt de hal in en komt terug met zijn knalroze hondenhalsband in punkstijl.

Marie begint te lachen. 'Nee, niet nu meteen, lieverd. Eerst hardlopen. Ja, we gaan eerst hardlopen!'

Otto kijkt naar Marie. Trekt zijn hondenwenkbrauwen op. Een beetje vragend.

'Hardlopen, Otto, hardlopen!'

O! Otto glipt weer naar de hal en komt terug met een elastieken, groene riem.

'Ja, goed zo, Otto. Nu gaan we hardlopen!'

Marie trekt een zwarte, glanzende legging aan, een piepklein kanariegeel hemdje, een babyroze capuchonjack, haakt haar iPod aan haar broekriem, draait de deur op slot en stormt alle trappen af met Otto voorop.

'Ik kom erbij...'

'Maar...'

Åsa doet een stap naar achteren tegen de douchewand aan. Adam staat met zijn rode haar bleek en naakt tegenover haar. Zijn brede, verwachtingsvolle glimlach verdwijnt langzaam. De douche bluste het hijgende vlammetje dat ontbrandde toen hij zijn vriendin naakt zag. Naakt, ingezeept en onbespied. Puur zichzelf.   Niet   met   die   verdrietige/verwachtingsvolle/bittere/resolute/vastbesloten   blikken waarmee ze anders rondloopt. Daar in de douche stond als het ware alleen haar mooie, sterke lichaam. Dat fantastische lichaam dat...

'Sorry. Sorry, Adam! Tuurlijk, kom erbij, kom!'

Åsa pakt Adams hand en probeert hem weer de douche in te trekken. Hij zet zijn hakken op de tegels en rukt zich los.

'Nee, ik heb geen zin meer.'

Geïrriteerd trekt Adam een handdoek naar zich toe, wikkelt die rond zijn heupen en begint zijn tanden te poetsen. Veel te hard.

'Ja, kom, ik wil...'

'Je wilt helemaal niet. Ik ben niet helemaal ongevoelig, hoor.'

'Ja, ik wil wel. Niet boos zijn. Lieverd.'

'Ik ben niet boos.'

'Ja, maar dat zie ik toch. Je poetst te hard.'

'Nee, ik ben niet boos! En ik poets niet te hard! Hou op met zeuren.'

'Oké...'

Åsa spoelt de crèmespoeling uit vergezeld door Adams fanatieke gepoets. Ze draait de kraan dicht en pakt een van de warme, zachte handdoeken van de verwarmende droogstang. Ze wil Adam van achteren omhelzen, zijn nek kussen, maar die spuugt snel als een cobra en glipt de badkamer uit.

Daar staat Åsa dan. Sorry, Adam. Sorry, sorry, sorry. Ik hou immers van je. Maar... Åsa gooit de vochtige handdoek op de toiletpot, pakt haar bodylotion van de plank. Ze gaat voor de spiegel staan en smeert haar huid in met de lotion. Haar pezige armen, haar mooie en kleine borsten, haar licht vooruitstekende buik, haar brede heupen, haar forse bovenbenen en haar kleine voeten. Geurend als een zomerweide blijft ze even voor de spiegel staan. Kijkt naar haar lichaam. Hoe ziet ze er eigenlijk uit? Wat is dat voor lichaam dat ze met zich mee zeult. Hoe kun je heupen hebben die breder zijn dan de schouders? Hoe kun je een enorm appartement hebben voor twee personen? Hoe kun je een geliefde vriend hebben, maar toch niet...

'Ik ga nu.' Adam kijkt de badkamer in: nat haar van het douchen, een grote groene gebreide sjaal om, een bruine manchester broek en een oranje Fjällräven-jas aan.

Åsa kijkt hem aan. Wil alleen maar in zijn armen kruipen. Die grote, warme, stevige omhelzing. Maar hij is gekwetst. Nog steeds. Ze ziet het. Het zou goed zijn als ze in die armen kroop. Maar het is alsof iets haar tegenhoudt. Alsof ze het niet kan. Zoals wel vaker is gebeurd, de laatste tijd. Maar ze kan het niet, het gaat gewoon niet. Alsof een onzichtbare muur oprijst en haar tegenhoudt. Een muur voor Adam. En ze heeft de energie niet die naar beneden te halen. Åsa zet de bodylotion op de wastafel. Ze probeert vriendelijk te glimlachen, strekt haar hand uit naar Adam die het niet ziet en zijn handen in zijn broekzak steekt. Åsa grijpt de haarborstel en begint haar haar te borstelen. Zonder enthousiasme.

'Oké, zien we elkaar vanavond?'

'Ik kom waarschijnlijk laat thuis. De beurs duurt tot zeven uur en daarna moeten we alle spullen nog inpakken. En vanavond is er immers ook nog die nachtwandeling op Järvafältet onder begeleiding van een gids. Misschien ga ik daar wel naartoe.'

'Oké. Dan blijf ik vanavond bij papa en mama slapen.'

'Doe dat. Doe ze de groeten van me.'

Adam glimlacht wat geforceerd en draait zich om. Åsa hoort hoe hij probeert alle grote koffers door de voordeur te krijgen. Een actieve vakantiebeurs. Adam moet alles wat hij weet over een trektocht door de bergen laten zien. Ze hoort hoe hij de lift naar boven haalt. Hoe hij een paar tenten en nog een paar tassen naar buiten sleept. Hij trekt de liftdeur open, duwt de tenten naar binnen. Nee, wacht even. Ze moet hem gedag knuffelen.

Åsa knoopt de handdoek over haar borsten en rent naar het trappenhuis. Haar natte voeten kletsen op het parket. Pets, pets, pets, pets.

Åsa ziet nog net Adams rode haar en zijn groene sjaal in de lift die langzaam naar beneden zakt. Ze blijft staan. Hoort hoe hij de tassen vier verdiepingen lager naar buiten sleept. Ze ziet hem niet meer. Dat hij bijna huilt, ziet ze ook niet.

5

'Weer een nieuwe auto?'

Marie stapt in aan de passagierskant en omhelst Åsa wat stijfjes. Åsa omhelzen is niet zo gemakkelijk. Het wordt altijd stijfjes. Of haar gezicht is de verkeerde kant op gedraaid zodat de neuzen botsen, of haar armen zijn te ver omhoog of omlaag. Adam kan ze heel innig omhelzen, maar verder, nee.

Marie streelt de witleren bekleding, probeert een paar knopjes uit, kijkt in het spiegeltje achter de zonneklep. Åsa gluurt een beetje ongerust naar haar op knopjes drukkende oudere zus.

'Ja, ik heb een auto van de zaak via mijn bedrijf, dan kun je af en toe wat afwisselen. Maar deze is bijna een beetje té... op een bepaalde manier. Ik schaam me bijna wanneer ik erin rijd. Of vind je van niet?'

'Nee, verdomme, hij is toch prachtig! Zo'n kleine rakker zou ik ook wel willen hebben. Gaaf. Cool dat hij zo klein is, mijn god, achterin is amper plek voor een eierdopje. Gaat het een beetje, Otto, kun je nog ademhalen?'

Marie streelt haar kermende rottweiler die in elkaar gedrukt op de wel erg kleine achterbank ligt. Åsa heeft de auto met zorg uitgezocht. Met bijgeloof en met zorg. Een hele kleine auto. Dat was het beste.

Ze rijden Stockholm uit. Geen geluid van de motor, of ja, alleen een zacht ronken. Voor de rest stilte en de geur van nieuw leer. Weg uit Stockholm. Weg uit het Birkastan van Åsa en het

Södermalm van Marie. Ze laten de binnenstad, de voorsteden met de villa's en de wijken met de hoge flats achter zich. Velden. Stel je voor. De hoofdstad van Zweden met bijna twee miljoen mensen, maar dertig kilometer buiten de stad zit je volledig op het platteland. De wetteloosheid van de natuur. Velden, weilanden, bossen. Een paar omheinde weilanden, een kleine dorpsgemeenschap, een kerk, kuddes schapen die zich blatend voortbewegen, misschien een kleine school, nog een kerk, velden, bossen. Het einde van de negentigkilometerzone. De kleine zeventigkilometergrindwegen op. Akkers. Koeienkonten.

'Ik raak bijna in paniek. Heb jij dat niet?' Marie staart door het raampje. Wijst naar de afgelegen huisjes die voorbijsuizen. Tikt met een lange nagel tegen het raampje.

Åsa schakelt naar de vierde versnelling. 'Paniek? Waarover dan?'

'Over... over dat het zo leeg is... Waar is iedereen?'

'Ze zijn misschien in het bos, in de stal of in de stad of...'

'Ja, ik snap ook wel dat ze ergens zijn, maar ik bedoel... Ja, maar dat weet je toch nog wel! Hoe het was om hier te wonen! Mijn hemel, als je 's ochtends een scheet had gelaten praatte iedereen erover bij de lunch. "Heb je het al gehoord, Marie heeft vanmorgen een scheet gelaten, ja, waarschijnlijk rook hij naar rum en cola. Rum en cola, o, dan moeten we Roffe en Irene bellen..." En dan komen vader en moeder: "Mariiieee, we hebben gehoord dat jouw scheet naar drank rook en..."' Marie praat met een piepstemmetje en trekt haar mondhoeken naar beneden.

Åsa moet wel lachen. 'Ik kan het soms wel een beetje missen.'

'Je maakt een grapje?'

'Nee.'

'Ja, maar kijk eens naar Lena! Zij zit immers opgesloten. Met alle kinderen en Robert in wie geen beweging zit, en met de dieren en al haar spullen.'

Oké. Åsa is eraan gewend. Elke keer als Marie en zij naar huis rijden moet ze dezelfde tirade aanhoren. Maries gebraak over haar jeugd. Als een buikgriep die altijd ongeveer veertig kilometer voor Het Zonneroosje plotseling komt opzetten. Ze kijkt zwijgend voor zich uit op de weg.

Marie gaat enthousiast verder. 'Ik kan Lena om drie uur 's nachts bellen en dan is Robert verdomme net zo leuk nog steeds in zijn garage bezig iets aan elkaar te solderen. Zij is immers altijd thuis! Ze kan verdomme nergens naartoe! Net een gevangene! Waarom mensen opsluiten in Guantánamo, als ze moeder van vier kinderen in Braby kunnen worden. Daar komen ze nooit meer uit... Weet je, als ze eens een keer zin zou hebben om een beetje dronken te worden en voor een avond de boel de boel te laten, hoe zou ze dat dan in vredesnaam moeten doen?'

'Tja, ze kan toch een oppas regelen, drank bestellen bij de ica en dat opdrinken. Als ze al dronken wil worden, of wat bedoel je nu eigenlijk?'

'Maar je ziet het toch aan haar. Dat ze in paniek raakt.'

'Nee, dat zie ik niet.'

'Ben je blind of zo?'

'Nee, integendeel misschien. Ik zie wat ze heeft! Ze heeft toch vier gezonde kinderen van wie ze houdt. En in de stad kun je je ook opgesloten voelen, het heeft meer met... heeft meer te maken dat je een gezin hebt, niet met waar je woont. En dat mannen nooit thuis zijn, dat is geen schokkend wereldnieuws. Ik vind dat ze alles heeft wat belangrijk is in het leven.'

'Ja, inclusief paniek.'

Marie trekt de zonneklep naar beneden, werkt haar dikke roze lippenstift bij. Tuit haar lippen. Trekt haar topje met decolleté naar beneden en schikt haar borsten.

Åsa gluurt naar haar. 'Het lijkt wel alsof jij ook in paniek bent.'

'Ha, ha, is dat zo? Mag ik misschien vandaag een beetje druk zijn?'

Marie wrijft met haar vingers over haar hoofdhuid zodat al haar armbanden rinkelen. Gebleekte haren vliegen over de witleren bekleding.

'Nee... Maar ik ben het gewoon zo zat dat je altijd vindt dat jouw leven zo verdomde top is en dat je als het ware voortdurend jouw leven met dat van anderen vergelijkt. Alsof iedereen hele nachten zou willen werken, alleen zou willen wonen en alleen maar zou willen feesten... Dat kan onmogelijk bij iedereen passen, toch? Ben je zelf tevreden? Wil jij niet verder?'

'Kun jij makkelijk zeggen.'

'Hoezo?'

'Jij hebt helemaal gratis een hoog IQ gekregen, dat je gewoon als een gebraden kip vooruit heeft geholpen.'

'Hou op, ik heb keihard gewerkt, dat weet je. Toen jij aan het lol trappen was met Frasse en de anderen, zat ik thuis met de hand codes op te schrijven en probeerde eigen programma's te schrijven. Of niet? Toen ik bij Net-Love werkte sliep ik zelfs op het werk! Ik verhuurde mijn flat, omdat ik er nooit was, ik had een eigen kleerkast op het werk. Dus een gebraden kip ben ik niet, zeg dat niet weer!'

'Nee, misschien ook niet. Maar papa en mama sloofden zich zo verschrikkelijk voor je uit. Jij hebt toch halverwege de jaren tachtig een computer van ze gekregen? Mijn god, niemand had toen nog een computer.'

'Hoezo, gekregen? Ik heb die zelf gekocht! Een Texas TI 99. Weet je dat niet meer? Ik heb me dag en nacht rot gewerkt bij Harry in de ICA. Ik heb zelfs de aangifte voor hem en zijn collega's verzorgd. Ik heb niets gekregen, dat heb je helemaal verkeerd begrepen.'

'Jawel, die hersens heb je gekregen. Jij bent de enige in de familie met zo'n stel hersens.'

'Ja, maar hersens is dan ook alles wat ik heb. De rest is toch gewoon... niets.'

'Je kletst uit je nek. Je hebt vast meer dan je hersens, mij maak je niets wijs. Maar jij bent toch ook zo'n verschrikkelijke zeur.'

'Ik ben niet degene die zeurt, jij bent het die steeds zeurt.'

Åsa moet een beetje lachen. Zo gaat het altijd, tussen Marie en haar. Dat ze respectievelijk zevenendertig en tweeënveertig zijn, is niet te merken. Twee volwassen vrouwen. Een die haar eigen datasupport runt en een die orde houdt in een complete nachtclub met motorgangsters, maar een normaal gesprek als zussen onder elkaar kunnen ze niet voeren. In sneltreinvaart gaan ze weer terug in de tijd, naar hun tienerjaren, onmiddellijk. Åsa voelt hoe ze rilt over haar hele bovenbenen en gewoon boven op de rem wil staan, de auto wil stoppen en het bos in wil rennen. Schreeuwen. Zweten. Rennen. Marie is zo zelfverzekerd. Zo hard. Loopt voortdurend haar haar achterover te gooien, zoals ze dat altijd heeft gedaan. En die borsten. Mijn god.

En Marie dan? Die wil Åsa gewoon een dreun verkopen zodat ze ophoudt zo verschrikkelijk zielig te zijn. Hoe slachtofferig moet je eigenlijk worden? Ligt de grens niet ergens waar Åsa staat te stampvoeten? Ze heeft een lieve man met een goede baan, miljoenen op de bank en een aantal huizen! Arme zij! En wat weet Åsa ervan? Over je afbeulen in een club? Dat is pas hard!

Het is wel duidelijk dat Marie verder wil. Maar hoe dan? Ze weet niets over financiën of dergelijke dingen. Kan niet voor zichzelf beginnen, zij heeft geen miljoenen in een of andere matras zitten. Ze heeft geen zestien miljoen gekregen voor niets. Ze heeft niet eens een woning die ze kan verkopen. Nada. Marie heeft geen keus. Ze moet gewoon maar doorgaan met het mixen van milkshakes in de Rock 'n' chock totdat ze haar met de rollator eruit rijden en in de garage van de Hells Angels kieperen. Dan komt Åsa een beetje zeuren. Marie bestudeert haar zusje achter het witleren stuur. Een scherp profiel. Geen klein, mollig neusje zoals Marie en Lena. Nee, een scherpe, rechte neus. Donkerblond haar dat op haar schouders hangt. Dun haar. Ze zou echt een permanent moeten nemen. Ze zou een permanent moeten nemen voor haar hele lichaam. Kleine Åsa. Marie legt haar gemanicuurde hand op Åsa's brede bovenbenen. Streelt ze een beetje, trekt haar nagels omhoog en weer omlaag. 'Maar je bent het toch met me eens dat Lena het hier in het bos niet zo verschrikkelijk leuk lijkt te hebben.'

'Wat weet jij daarvan?'

'Maar mijn god, nu moet je ophouden. Ik heb toch ogen in mijn hoofd.'

'Maar het wordt bijna pathetisch dat je altijd zo op haar moet vitten. Het lijkt wel een obsessie van jou.'

'Maar toe nou Åsa, dat weet jij toch ook, ze heeft te veel hooi op haar vork genomen! Vier kinderen, honderd knagers, honden, katten en een hopeloze man! Hoe kunnen die dingen samengaan?'

'Ze redt het wel, hoe vaak heb je haar horen klagen?'

'Maar Lena verbijt alles, dat heeft ze altijd gedaan. Zij en mama lijken zo verdomd veel op elkaar. Die kunnen bij wijze van spreken tot aan hun oksels in de stront staan, luid lachen en zeggen dat alles goed is, om daarna achter een of andere silo in elkaar te storten. Zoals toen jij en ik wegliepen voor het werk op de boerderij. Lena heeft het immers altijd gedaan, ons werk ook. Zonder te klagen. Ze overlaadt zichzelf met werk. Maar ik geloof niet dat ze nu nog zoveel puf heeft.'

'Nu overdrijf je. Zoals gewoonlijk.'

'Jíj onderschat het. Je hebt haar toch wel gehoord aan de telefoon. Ze praat met een hoge stem! Ze heeft nog nooit eerder tegen haar kinderen staan schreeuwen of aangegeven dat Robert zo lastig is, maar dat doet ze nu wel en dat is niets voor haar.'

'Hoezo, bellen jullie met elkaar?'

'Niet vaak. Maar soms.'

'O.'

'Ik denk dat ze op het punt staat in te storten. Wedden om honderd ballen dat ze Robert binnenkort verlaat?'

'Geen schijn van kans.'

'Dus jij wedt tegen?'

'Absoluut. Ik verhoog de inzet. Tweeduizend.'

Wat doet ze nu? Ze heeft net geld ingezet op haar eigen zus. Alleen Marie weet haar zover te krijgen. Weet die kleine zenuw in haar anders zo rustige temperament te triggeren. Marie aarzelt. Tweeduizend ballen is veel geld voor haar. Veel fooien. Veel werk. Verdomme, wat moet ze hard werken voor tweeduizend ballen. Niet zoals Åsa die achter een bureau zit en een paar computers hackt en daarna een factuur van vijfentwintigduizend kroon stuurt.

'Zullen we vijfhonderd zeggen?'

'Dus je bent er toch niet zo zeker van? Nee, tweeduizend.'

'Oké, Akelige snob.'

Marie grijnst en port Åsa in haar zij, die haar wenkbrauwen optrekt en terug glimlacht. Ze vechten wat af over de toekomst van hun jongste zusje. Niet helemaal zuiver, maar altijd iets waarover ze het samen eens worden. Ze zwijgen. Het is geen goed idee om de radio aan te zetten. Ze zouden het toch niet eens worden over de zender. Dat weten ze.

Het bos langs de weg wordt dunner. Het is geen zwart tapijt van bomen meer, maar je begint een groen, vochtig mos tussen de bomen te vermoeden. Graslanden, velden en weides strekken zich uit over het heuvelige landschap. Midden in het niets. Of midden in het alles. Hangt er vanaf aan wie je het vraagt. Vijfendertig kilometer ten noorden van Uppsala, honderd kilometer van Stockholm, dertig kilometer van Het Zonneroosje en ja, dan zijn Åsa en Marie er.

Een handbeschilderd bord met twee vrolijke kleine trollen en een met krullen versierde tekst: WELKOM IN BRABY, VAART MINDEREN! OUDEREN, KINDEREN EN DIEREN OP DE WEG.

Braby. Zeshonderdvijfentwintig inwoners. Een ICA. Een lagere school. Een kleine crèche. Een kerk. Een dorpshuis. Een garage met pompstation. Langs de weg die door het kleine dorp loopt staan een paar grote, vrij deftige oude huizen.

Daarna volgt een klein gebied met bakstenen schakelwoningen, een paar bungalows uit de jaren zestig, misschien twintig nieuwe huizen, een bejaardentehuis (dat vol is, de enige plek in Braby met een wachtlijst) en het huis van Lena. Åsa geeft richting aan en draait het grindpad op dat omzoomd is met oude auto's, fietsen, olievaten en konijnenhokken. Robert repareert ook zwart auto's en dat moet dan op het terrein thuis gebeuren.

Helemaal achteraan, als je je door alle schroot heen hebt geworsteld, staat een oud huis. Waarschijnlijk was het in het begin een echt mooi huis, maar na een vrij grote en ingrijpende verbouwing in de jaren zeventig is het niet zo overweldigend meer. Een paar lichtblauwe ballonnen aan de buitendeur zwaaien heen en weer in de wind, wanneer Lena hen verwelkomt in een of andere jurk van Coops damesmode. Die zit niet echt goed. Nee, ronduit slecht. En de paasgele bloemetjes voldoen ook niet helemaal aan de verwachtingen. Lena is mager geworden. Haar bovenlichaam is weg. Haar borsten zijn gekrompen, haar schouders hangen als een zware uier. Zelfs haar brede heupen zien er vrij wankel uit. Maar haar benen, die onder haar rok uitsteken, zien er nog steeds behoorlijk stevig uit. Mooi, dan valt ze in elk geval niet om. Otto draaft blaffend om hen heen, vindt een konijn dat hij onmiddellijk in een hoek drukt en een hartverzakking bezorgt. Lena duwt Otto aan de kant, pakt het konijn onder de buik op en slingert het de kleerkast in.

'Hoooooi! Wat leuk dat jullie konden komen. Hampus, kijk eens, jouw favoriete tantes zijn er!'

Åsa en Marie zien iets wat op Spiderman lijkt slippend de hal binnenkomen, zijn cadeautjes naar zich toe trekken en al slippend weer weggaan.

'Hij heeft zo naar jullie uitgekeken. Hij is gewoon een beetje opgewonden...'

'Ja, ja.'

Marie lacht hees terwijl Åsa de schoenen uitdoet en ze boven op de enorme berg schoenen zet.

'Kom binnen! Ik heb niet schoongemaakt en zo, maar er is bowl en broodtaart...'

Dat hoor je altijd te zeggen. Dat je niet hebt schoongemaakt, en dan heb je dat toch gedaan. Extra goed zelfs. Zodat iedereen in je huis rondloopt en kan zeggen hoe netjes je het hebt en begrijpt dat hier een sterke vrouw woont die niet terugdeinst voor een flinke schoonmaakbeurt. Maar Lena probeert niet naar complimentjes te vissen. Ze heeft niet schoongemaakt. Ze heeft niet eens de puf gehad om te douchen. Haar haar hangt in vette slierten langs haar gezicht, zelfs de kleurige haarspelden die ze van Wilda heeft geleend kunnen dat niet verhullen. Åsa en Marie omhelzen Lena, die hen niet echt wil loslaten. De zussen omhelzen elkaar nooit bijzonder stevig. Maar nu...

Eerst wil Lena Marie niet loslaten. Lena leunt met haar hoofd tegen haar stijve boezem. Ze ademt in. Ruikt. De geur van Marie. Een zoete, zware opiumgeur, rokerig, pepermunt, pruimtabak, oriëntaals.

Marie probeert niet in te ademen, maar met haar neus vermoedt ze het stresszweet van Lena, ze pakt Lena's smalle schouders beet en kijkt haar aan. 'Hoe is het?'

'Goed, goed, ik ben zo blij dat jullie er zijn. Hampus is zo blij! O jee, o jee, o jee.'

Marie laat Lena los, die zich nu tegen de dunne, sterke boezem van Åsa aandrukt. Åsa ruikt naar aarde en munt. Misschien van een van haar planten. Niet van die doordringende geuren als van Marie, maar geuren waar je naar moet zoeken, waar je echt dichtbij moet komen om ze te kunnen ruiken. Lena wil dichtbij komen.

'Blijven jullie slapen?'

'Nee, helaas, Marie moet vanavond kennelijk werken, dus ik moet haar naar huis brengen. Maar anders had ik kunnen... hier, ik heb een cadeautje voor je!'

'Voor mij?'

'Het is maar iets kleins, maar ik dacht...'

Åsa haalt een mooi pistachegroen doosje met een roze lint tevoorschijn. Lena straalt. Ze probeert eerst de knoop in het lint los te maken, maar geeft het op en rukt het eraf. In het pakje liggen een klein groen, ecologisch, heerlijk geurend stukje olijfoliezeep en twee opgerolde roze handdoekjes. Ook ecologisch, voor zover een handdoekje dat kan zijn. Is die onbespoten?

'Bedankt. Daar ga ik me vanavond mee wassen.'

'Doe dat!' Marie geeft haar zusje vrolijk een duw.

'Ik leg het even in de badkamer neer.'

Lena loopt trots de badkamer in. Gooit de zurige, oude handdoeken boven in de wasmand bij het bad, hangt de mooie, kleine handdoekjes op en legt de zeep op de rand van de wastafel. Net een kunstwerkje. Een cultuurshock. Een badkuip vol plastic speelgoed met schimmel in verschillende stadia, een kat die boven op die stapel speelgoed slaapt, de plakkerige toiletbril, het vervilte badkamerkleedje, badlakens met reclameopdruk, palmbomen en Garfield, zevenhonderdvijfentwintig stickers van *Expressen* op de deur (een vader van een van Engla's vrienden werkt bij die krant), tubes kindertandpasta die vanaf het midden zijn uitgedrukt, veertien pluizige tandenborstels met een stukje heerlijk geurende olijfoliezeep en twee ecologische, fluweelzachte roze handdoekjes. Lena kijkt om zich heen. Doet de deur op slot, gaat op de wc zitten en huilt in haar nieuwe, roze ecologische handdoekje.

'Waar is ze gebleven?'

Åsa tuurt de woonkamer in waar kinderen in verschillende stadia van hysterie elkaar met ballonnen afranselen, moeder Irene met geleend schort ronddraaft en het vieze zondagse servies inzamelt, vader Roffe broodtaart eet met Robert, een paar ooms en tantes en familie van Robert praten over de wijn die erg lekker is en dat het ongelooflijk is dat die maar drieënvijftig kroon per fles kost. Het is rommelig. Konijnen springen door de kamer. Stapels was, konijnenkeutels, planten die geen water hebben gekregen, kattenharen, hondenbrokken in bakjes naast de bank. Åsa en Marie kijken elkaar aan.

Marie trekt haar schouders op. 'Ze heeft vast even een pauze genomen. Laat haar maar even.'

Irene ziet nu haar oudste dochters. Enthousiast droogt ze haar handen af aan het schort en spreidt haar armen voor een omhelzing. 'Meisjes, meisjes! Ach, wat leuk om jullie te zien!'

Moeder Irene. Altijd in overall, schort of pyjama. Niets daartussenin. Altijd iets in haar handen. Een mestvork, een afwasborstel, een zaag, een koe, een kind, een kalf, een kind, een Roffe. Altijd iets. Mama. Ze omhelst hen allebei stevig. Kijkt hen nog eens goed aan. Streelt Åsa over haar buik met een vragende blik. Åsa schudt haar hoofd.

'Lieverd. Je zult zien dat het goed komt. Herinner je je Rosa 14 nog? God, wat zijn we bezig geweest met haar. Aangezien Rosa 14 het eerste kalf was dat Lena zelf had geïnsemineerd en geboren had zien worden, wilde ze haar niet naar de slachter brengen. Nee, geen sprake, van, nooit van haar leven. Je weet hoe we op haar hebben ingepraat, dat we een koe die niet drachtig wordt niet kunnen houden. Dat kost alleen maar geld. Maar Lena gaf niet op. Mijn god, we zijn een jaar bezig geweest om die arme koe drachtig te krijgen. Je weet, dat we onze speciale stieren hebben voor het leveren van zaad, maar toen kreeg Lena zaad te pakken van een stier uit de buurt van Enköping. En toen kwam Rosa 15 negen maanden later.'

'Wat bedoel je daarmee, mama? Dat Åsa op zoek moet naar een nieuwe vent?' Marie legt grijnzend haar arm om de smalle schouders van haar moeder.

'Nee, nee, ik bedoel alleen maar... Dat het niet hopeloos is! Hou je een ovulatiekalender bij?' Irene glimlacht met een glinstering in haar ogen.

'Ja, mama, natuurlijk.'

Åsa is net haar eigen boer. Een boer die haar dieren moet insemineren. Die erop toe moet zien dat ze tot elke prijs drachtig worden. Met een ovulatiekalender aan de stalmuur zodat je ziet welke koe tochtig is en gedekt kan worden. Aha, Åsa Andersson, laten we eens kijken, gezwollen schaamdelen, veel en taaie afscheiding, is een beetje warriger en onrustiger dan anders, hm, dat klinkt als een goede bronst, we insemineren haar vanavond. Nee, niet doen, het is een rotkoe! We hebben haar minstens duizend keer geïnsemineerd, maar ze wordt nooit drachtig. Breng haar maar naar de slachter. Een koe die geen kalfjes krijgt, is immers een volstrekt waardeloze koe. Maak er maar pakjes van honderdvijftig gram van.

Zo ging het altijd op de boerderij. Die koeien die niet drachtig worden, hoe nauwkeurig je ook bent met de ovulatiekalender, die worden geslacht. Ze zijn onbruikbaar. De harde wetten van de jungle. Een koe zonder kalveren kost alleen maar geld en geeft niets terug. Waardeloos.

Åsa voelt zich helemaal kapot. Als er nu een slachtauto bij Het Zonneroosje zou langsrijden, zou ze er meteen in springen.

Ze probeert te glimlachen. Irene streelt haar opgewekt over haar buik. 'Ja, ja, nu praten we er niet meer over. Hier is het feest. Joehoe! Een stukje broodtaart? Daar hebben jullie vast wel zin in, magere stakkers. Hij is van Kajsa, dus goed, met van die lekkere garnalen uit blik!' Schaterlachend slaat Irene haar handen in elkaar, snuffelt een beetje met haar neus en fluistert tegen Marie. 'Je hebt toch niet gerookt?'

'Mama...'

'Nee, nee, ik zal me er niet mee bemoeien, maar roken op een kinderpartijtje is misschien toch niet zo goed.'

'Heb je mij hier binnen op het feestje zien roken dan?'

'Nee, natuurlijk niet.'

'Denk je dat ik hier tussen al die kinderen zou roken?'

'Sorry, sorry, dat was dom van mij, maar ik meende iets te ruiken.'

'Ja, ja, ik ga even naar buiten om een sigaret te roken...'

Marie vist haar pakje sigaretten uit de achterzak van haar jeans, knikt naar buiten naar de tuin en loopt naar de hal. Kutma. Altijd zo verdomde nerveus. Alleen maar omdat Marie niet een gele jurk van een online warenhuis draagt en in een bar werkt, denkt Irene dat ze geen enkel beoordelingsvermogen heeft. O, mama vindt het zo vreemd dat Marie hele nachten werkt en naar bed gaat zo ongeveer rond het tijdstip waarop de koeien moeten worden gemolken. Mensen zijn verschillend! Niet iedereen is zoet en braaf. Marie smijt de buitendeur iets te hard achter zich dicht, gaat op het trapje staan, steekt een sigaret op en kijkt uit over de tuin vol troep.

Zenuwachtig slaat Irene de handen weer in elkaar en begint te lachen. Åsa en zij kijken uit over de feestchaos.

Åsa trekt een beetje aan de nerveus strelende arm van haar moeder. Ze fluistert. 'Mama, hoe gaat het met Lena? Zo heeft het er hier nog nooit uitgezien. Het is zo... vuil.'

'Ja, ik weet het. Het is allemaal vast een beetje te veel voor haar op dit moment. Robert heeft het druk met het pompstation en de garage. En Lena werkt immers ook nog en dan heeft ze dit hier thuis allemaal nog. Ik was van plan later na het feest een beetje schoon te maken, wat was te vouwen en zo. Je zult zien dat het wel goed komt. Blijven jullie slapen?'

Åsa kijkt naar Marie die van haar rookpauze terugkeert in het hysterische kinderfeestje. Zo gaat het hier altijd. Iedereen wil dat ze blijven slapen. Åsa wil wel blijven slapen, maar Marie moet terug naar Stockholm. Zegt ze in elk geval. Aangezien Marie met Åsa meerijdt, betekent dat dat ze allebei weer naar huis gaan.

'Nee, Marie moet vanavond werken, dus helaas...'

'O, wat zal je vader dat jammer vinden. Hij verlangt toch zo naar jullie, weet je. Lena en de kinderen zien we zo vaak, maar jullie... Ja, ik zal er verder niet over zeuren, haha, nu zijn jullie hier! Roffe, het jongvee is er!'

Jongvee. Wanneer je geen kalf hebt gekregen, ben je jongvee. Ook al ben je een oud wijf van vijfenveertig jaar. Boerenhumor.

Verderop veert Roffe op van zijn broodtaart. Achtenzestig jaar en nog steeds zo lenig als een tiener. Wanneer hij zijn oudste dochters ziet, beginnen zijn bruine ogen te glinsteren en hij stuitert van zijn stoel. Spijkerbroek, een lichtblauw overhemd, pantoffels (die mama altijd meeneemt) en zijn dikke, golvende haar met een natte kam naar achteren gekamd. Als het feest is, dan is het ook feest. Een knappe vent.

Altijd al geweest. Irene viel als een blok voor hem daar op de dansvloer vijfenveertig jaar geleden. En Roffe viel ook. Ja, alcohol zorgt ook niet echt voor een beter evenwicht. Roffe was drieëntwintig. Irene zeventien.

Eigenlijk zou ze die avond nooit naar de dansavond zijn gegaan. Ze moest bij een zekere mevrouw Kvist een permanent inzetten. Irene was kappersleerlinge in Uppsala. Bij kapsalon Lukas. Beroemd om zijn superpermanenten. Maar mevrouw Kvist kreeg buikpijn en was niet in staat om op die avond krullen te krijgen. Dus had Irene een vrije avond en vertrok ze met haar vriendinnen naar de dansavond in Redäng. Vier stadsmeisjes naar het platteland. Redäng was de plek waar je naartoe ging als je van het vrouwelijke geslacht was. Daar had je een grotere kans te kunnen dansen. Veel mannen, niet zoveel vrouwen, ondanks de aanvoer van stadsmeisjes. Roffe was er ook. Zoals altijd. De sterke, lange, breedgeschouderde Roffe met zijn bruine teddybeerogen. Met een eigen boerderij. Zijn vader was jong gestorven aan een hartaanval, dus het was zo klaar als een klontje. Roffe nam de boerderij over. Zijn moeder kookte, maakte het huis schoon en deed de boekhouding. Roffe zorgde voor alle dieren.

Irene straalde als een zon op de dansvloer van Redäng die avond. Met haar volle, geblondeerde kapsel, haar wespentaille, haar frêle blote schouders en haar wakkere blauwe ogen.

Toen vielen ze. Roffe in Irenes snelle, betrouwbare, zorgzame omhelzing en Irene in Roffes brede, luidruchtige, trouwe armen. Ze hielden van elkaar. Ze houden van elkaar! Intens. Irene kan in elkaar zakken, klein worden en soms moe, maar dan hoeft ze maar naar Roffe te kijken en dan is het alsof ze zich opricht en weer energie krijgt en spuit ze in no time de hele stal schoon. Lena, Marie en Åsa herinneren zich de gesloten deur van de ouderlijke slaapkamer. Wanneer Irene en Roffe klaar waren met het melken en ze even rust hadden tot de volgende melkbeurt, konden ze zich daarin opsluiten.

'Een dutje doen' heette het, maar zo vaak was Klaas Vaak daar niet bij betrokken... Dat was wel duidelijk voor hun dochters. Nog steeds doen Roffe en Irene meerdere keren in de week een dutje. Zoals Irene altijd zegt: 'Niets is zo goed voor het humeur als een klein middagdutje.' Ja, ja.

'Het mooiste jongvee in Stockholm!'

Marie en Åsa verdwijnen elk onder een oksel. Zijn armen zijn zo lang, kunnen zoveel omarmen. Enthousiast kust hij zijn dochters op hun wangen en voorhoofd. Dan priemt hij zijn ogen in die van Åsa.

Åsa zucht. 'Nee, geen baby.'

Hij kust haar voorhoofd extra hard. Priemt zijn ogen vervolgens in die van Marie.

'Nee papa, geen baby, geen vriend.'

Roffe wendt zijn blik niet af.

'Ja, ik pruim en rook nog steeds. Je kunt gerust zijn.'

Met een hese lach kust hij ook het voorhoofd van Marie. Roffe heeft altijd vertrouwen gehad in Marie, hoe knettergek ze ook is geweest, hij heeft altijd geweten dat ze het wel zou redden.

'Blijven jullie slapen?'

'Nee. Ik moet werken, maar we zijn er nu en de broodtaart was heerlijk!'

'Ja, die is van Kajsa en die is altijd lekker. Herinner je je nog de taart op jouw eindexamen, Åsa? Ach, ach, daar hebben je moeder en ik het nog steeds over. Hoe was het mogelijk dat ze Åsa met zulke kleine garnaaltjes kon schrijven. Kajsa is een genie.'

'Mooi vest!' Robert serveert nog een stuk taart en knikt naar Åsa's groene, vrij luchtig gehaakt vest, waarvan een verkoopster zei dat ze die móést kopen. Åsa zit op een stoel met een kleverig kussentje en begint aan haar tweede stuk taart. Recht tegenover haar zit Robert op net zo'n kleverige kussentje en deelt broodtaart uit aan de gasten. Åsa kijkt naar haar vest.

'Dank je. En jij hebt veel werk heb ik gehoord.'

'Ja, het is krankzinnig. Maar ja, mijn garage en pompstation zijn dan ook de enige in de omtrek van tientallen kilometers, dus iedereen komt hierheen.'

'Maar je hebt toch twee werknemers?'

'Ja, ja, maar die vertrouw ik niet echt.'

'Maar jij hebt ze toch aangenomen?'

'Ja, ze zijn goed, maar ik wil afsluiten en de controle houden, weet je, ik ben toch de baas.'

'Ik denk dat je ze wel kunt vertrouwen. Waarom heb je ze anders aangenomen?'

'Je snapt wel wat ik bedoel. En jij dan? Werk jij veel?'

'Ja, maar het is leuk.'

'O. Iets bijzonders waar je mee bezig bent?'

'Op dit moment hack ik een API voor een online verkoopmodule voor een grote onderneming, zodat het voor andere programmeurs eenvoudiger wordt om mee te doen.'

'O. Aha, leuk, leuk. Maar wat bedoel je eigenlijk?'

'Ik bouw een datasysteem.'

'Hoe dan, hè?'

'Ik werk met computers, heel simpel.'

'Leuk! Je hebt daarbuiten een mooi wagentje staan.'

'Dank je. Hoe is het met Lena? Ze lijkt een beetje... down.'

'Het is waarschijnlijk... Ik weet niet... Alles is zoals anders hier thuis, er is dus niets veranderd of zo, maar ze is als het ware... moe geworden. Ze is anders altijd een kei, ja, je weet wel. Maar nu, ze zeurt en ze schreeuwt. Ik weet niet goed...'

'Misschien heeft ze geen puf meer om alles hier thuis zelf te doen.'

'Nee, dat heb ik ook tegen haar gezegd. Dat ze hulp moet hebben. Je weet toch dat kleine Fanny schoonmaakt en op kinderen past en zo, en ik heb gezegd dat we haar moeten aannemen. Maar Lena wil dat niet.'

'Kun jij dan niet een beetje meer thuis zijn?'

Robert laat zijn kin in zijn handen rusten. Peutert aan een oude chocoladesausvlek op de tafel. Rolt zijn mouwen op, strekt zijn armen uit en laat zijn kin weer in zijn handen rusten. 'Nee, dat kan ik niet. Dat gaat gewoon niet. De klanten rekenen immers op mij, als ik er niet ben, krijg ik vreselijk trammelant. Als ik thuis zou gaan schoonmaken of op de kinderen zou passen, nee, dan krijg ik een slechte naam. Of nee, geen slechte naam, maar die oude klanten snappen dat soort dingen niet. Of wacht, nee, dit gaat de verkeerde kant op. Begrijp me goed. Maar het is meer dat ik dan net zo goed het bedrijf kan opdoeken, als ik thuis moet zijn. Want dat gaat gewoon niet samen.'

'Maar als je Fanny nu inwerkt zodat zij de kiosk en het pompstation kan doen?'

'Nee, nee, nee. Fanny kan dat soort dingen niet.'

'O, en die twee werknemers van jou dan?'

'Ja, maar je weet dat...'

Robert blijft praten over hoe hij niet op zijn werknemers kan vertrouwen. Åsa weet wie het zijn. Het zijn de twee eerlijkste kerels van Braby. Maar Robert is net een kloek met zijn garage. Natuurlijk kunnen Roberts werknemers de garage laten draaien. Maar Robert kan het niet aan dat iemand anders het ook kan.

Åsa kijkt naar Robert. Ze begrijpt dat Marie vindt dat hij volstrekt niet in beweging te krijgen is. Puur mentaal is hij een tikkeltje beperkt. Maar hij weet niet beter. Zo ziet Åsa het. Dat hij niet beter weet. Hij gelooft echt dat zijn bedrijf instort als hij er niet is. Hij gelooft echt dat het belangrijker is dat hij daar is dan dat hij de was vouwt en in de kleerkast legt. Dan dat hij voor zijn eigen kinderen zorgt. Het is alleen jammer dat zijn mentale tekortkomingen ervoor zorgen dat Lena op het randje van een zenuwinzinking staat.

Ooit gingen zij met elkaar: Åsa en Robert. In de tweede klas van de middelbare school. Onschuldig. Twee aarzelende zoenen tijdens een schuifeldans op de schooldisco. En daarna een beetje meer zoenen, iets minder aarzelende zoenen op Roberts kamer, misschien nog een paar boven op haar kamer, dat weet ze niet meer zo goed. Daarna maakte Robert het in elk geval uit en ging hij met Katja, die vast meer sappigere dingen wilde doen dan aarzelend zoenen. En die knapper was. Åsa was nooit knap op een populaire manier en daarbij was ze hoe dan ook toch te veel nerd met haar computers. Maar Robert was ook niet Åsa's favoriet. Een teamsportjongen die school een straf vond. Nee, bedankt.

Åsa weet niet zoveel meer van die korte, onbeduidende relatie. Het betekende niets, niet meer dan dat ze mocht ervaren hoe het was om gekust te worden, en dat was altijd spannend.

Lena daarentegen was al als klein schoolmeisje verliefd op Robert.

Robert. Vier jaar ouder. De beste voetballer van het dorp. Zelfverzekerd. Aardig. Sterk. Knap (naar Braby-maatstaven dan).

Robert werd jaren later verliefd op Lena. Het was in de periode dat Roffe graag wilde dat Lena meer zou leren over de machines en de tractoren op de boerderij. Dus droeg hij de verantwoordelijkheid aan haar over.

Lena op haar beurt zorgde er vooral de hele tijd voor dat ze naar Roberts garage reed om advies te vragen over de ene landbouwmachine na de andere.

Dus daar vonden ze elkaar. Wilda is verwekt op de personeelswc. Robert heeft zoals gezegd wat moeite om zijn werk los te laten.

6

'Hallo? Lena? Wat doe je daarbinnen?'

Robert klopt voorzichtig op de badkamerdeur. Het feest is voorbij. Irene heeft opgeruimd, de vloer gedweild, de konijnen in hun hok gestopt, de katten, de honden en de kinderen eten gegeven, en is naar huis gegaan, naar Het Zonneroosje. De kleintjes kijken naar *Finding Nemo*. Josefin is aan het chatten op de computer. Lena zit op de wc. Alweer.

Met haar gezicht diep verborgen in de tweede roze handdoek. De eerste ligt stijf van het snot boven in de wasmand als een kleine, cynische vlag.

Ja. Lena is van de wc afgekomen tijdens het feest. Als een wrak. Een stijfjes glimlachend, van het huilen opgezwollen wrak. Aangezien niemand een echte instorting passend vond op het kinderfeestje, werden de gezichten in de plooi gehouden. Mama Irene veegde, sneed de broodtaarten op en dweilde met waanzinnig snelle handen. Papa Roffe schaterlachte luidruchtiger dan ooit. Robert probeerde een spelletje te organiseren: stoelendans. Als kleine kinderen rond een kring met stoelen moeten lopen en er altijd een kind zonder stoel komt te staan wanneer de muziek stopt. Tranen met tuiten. En dat gebeurde er nu ook. Lena rende weer naar de badkamer en beet op haar knokkels. Haar leven is net als dat verduivelde sadistische spelletje. Alle sterken werpen zich op de stoelen en degenen die aardig zijn en willen helpen, komen zonder te staan. Die mogen aan de kant gaan zitten en na afloop degene feliciteren die erin geslaagd is alle anderen opzij te duwen en winnaar is geworden. Marie en Åsa. Zij pakten hun stoelen zo snel. Zij graaiden ze naar zich toe. Smeerden 'm van de boerderij. Lieten Lena in de steek. Zonder stoel. Ze heeft al haar heerlijke, fantastische kinderen. Maar wat moet ze met al die fantastische kinderen, als ze verdomme niet eens een stoel heeft om op te zitten?

Marie en Åsa rijden naar Stockholm. Zwijgend, beschaamd dat ze tweeduizend kroon hebben ingezet op de toekomst van hun zus.

'Dat voelde niet goed.' Marie kijkt de duisternis in.

Åsa doet het grote licht aan. 'Nee. Misschien hadden we haar moeten helpen.'

'Tuurlijk hadden we dat moeten doen. Verdomme, ik krijg hier het maagzuur van. En ik ben nu niet bepaald gevoelig, maar heb je die smerige randen in de wastafel gezien? Het waren gewoon grijze randen, in een wastafel!'

'We hadden misschien moeten blijven en moeten schoonmaken.'

'Nee, mama heeft dat immers gedaan. Ik kan niks doen, ik moet werken! En ik kan niet op haar kinderen passen, ik ben allergisch voor dat soort dingen. Ik heb geen tijd! Ik zou nooit vier kinderen hebben gekregen.'

'Als ze dichterbij had gewoond dan had ik graag op haar kinderen gepast, maar nu... Het is bijna vier uur heen en terug. Arme Lena... en de kinderen. Heb je het gezien? Hampus rende in zijn pyjama rond. En Engla's haar, dat was vet en achter in de nek helemaal vervilt.'

'Ja, Lena is altijd zo verschrikkelijk precies met dat soort dingen. De kinderen zien er altijd uit als om door een ringetje te halen, wanneer het feest is.'

Een zwarte herfstavond. De kleine auto slingert een beetje door de harde wind. De verlaten, donkere velden suizen voorbij. Een enkel klein huis waar licht brandt. Otto snurkt op de piepkleine achterbank. Daarom heeft Åsa nu ook precies deze auto genomen, als een geluksbrengende amulet. Had ze in plaats daarvan een stadsjeep combi gekocht met plek voor alle kinderwagens van de wereld, dan... Dan zou het een uitgemaakte zaak zijn dat er geen baby's komen. Maar met een kleine sportauto misschien. Misschien... Åsa draait het raampje een heel klein stukje naar beneden, de frisse lucht wervelt naar binnen. Ze haalt een paar keer diep adem. O, wat houdt ze van deze late herfstgeur. Vocht, rottende bladeren, mos, rustende akkers.

'Verdomme, wat wordt het koud, doe het raam weer dicht, schat.' Marie trekt haar halflange ruige vestje strakker over haar borsten. Ze probeert te glimlachen. 'Het is misschien gewoon maar een kleine breakdown. Misschien was het haar nu gewoon wat te veel. Dat feestje en alles. Mama heeft nu schoongemaakt, dan kan Lena weer met een schone lei beginnen en alles op orde houden. Toch?'

'Ja, misschien.'

Lena zit op de wc. Robert ervoor.

'Lena... Dit voelt dus helemaal niet goed, maar ik moet naar de garage. Je weet van Antonsson in Redäng, hij heeft me immers vorige week al geboekt en nu moet zijn auto morgen klaar zijn, want dan vertrekt hij naar Duitsland en... ik krijg vijfduizend ballen voor de klus... Misschien wil je... Misschien wil je daarna wel winkelen of zoiets. Je krijgt het geld, maar ik moet de klus doen, anders krijg ik een slechte naam en dan... Lena? Lieverd?'

Lena snuit haar neus in de ecologische handdoek. Staart recht voor zich uit naar het afbladderende behang: blauw met palmbomen erop. Foeilelijk. En niet alleen lelijk. Ook nog gescheurd en door schimmel aangetast. Al jarenlang zijn ze van plan om het eraf te trekken en er een of andere mooie tegel in te zetten. Maar... nee. Het is er niet van gekomen. Ze zouden Schilder

Erik moeten bellen. Of misschien niet... Misschien de Sociale Dienst bellen. Een foto van dat rotbehang maken en die naar de Sociale Dienst opsturen, misschien kunnen ze dan een soort van behangsubsidie krijgen. Een man van de Sociale Dienst die hier komt behangen, of nee... Dom idee, dan nemen ze misschien de kinderen mee. Kinderen horen niet in een huis met zulk behang te wonen.

'Geef me de pegels, dan vraag ik Schilder Erik het hierbinnen te betegelen.' Lena roept vanaf de toiletpot.

Robert haalt adem. Ze praat! 'Tuurlijk, tuurlijk, super. Goed, goed. Kom je er nu uit?'

Robert probeert met zachte stem te praten, terwijl hij tegelijkertijd zijn legergroene nette broek vol kreukels uittrapt en zijn overall aantrekt. Ze krijgt wat dan ook, wat ze maar wil, als ze die badkamer maar uit komt. Hij hoort hoe ze daarbinnen rondscharrelt. De kranen laat lopen. Laat ze een bad vollopen? Nee, ze kan nu niet een bad nemen. Hij moet weg, hij had eigenlijk... een kwartier geleden al weg moeten zijn. Maar hij kan niet van huis weggaan, voordat zij de badkamer uit is en normaal lijkt. Dat gaat gewoon niet.

'Ga je in bad, liever?' Met fluweelzachte stem. Robert trekt zijn stevige schoenen aan. Zoekt naar de autosleutels.

'Nee, ik ga me verdrinken.'

'Wat? Nee, niet nu, ik moet immers naar de garage. Kun je niet gewoon een douche nemen?'

'Moet ik me onder de douche verdrinken? Dat gaat lang duren, dan kom je echt te laat.'

'Wat zeg je? Ik hoor het niet! Doe die kraan uit en kom eruit!'

'Verdomme! Laat me toch in vredesnaam, godverdomme, shit, kut, een douche nemen!'

'Oké, oké. Neem maar een douche. Dat is goed.'

Robert gaat in de hal zitten en draait nerveus met de autosleutels. Onrust. Er hangt een onrust in de lucht. Vroeger kon Robert zich ongerust maken over de konijnenkeutels waar hij in kon trappen. Maar nu is het een heel ander soort onrust. Alsof het huis wankelt. Niet veel, een heel klein beetje, maar het wankelt.

www.kinderloos.se Åsa gaat naar de discussiepagina's. Klikt verder naar de rubriek 'Voor degene die nog steeds wacht.' Prachtig. Net een stukje van de wereld waar Åsa zich niet onvrouwelijk of waardeloos vindt. Waar iedereen in dezelfde moeilijke situatie zit als zij. Exact dezelfde situatie. Åsa schrijft snel. De computer is een deel van haar, is dat bijna altijd geweest. Alsof er een snoer vanaf de harde schijf zo Åsa's hersens in loopt. Ze kent de computer als haar eigen innerlijk. Of beter, juister gezegd, het innerlijk van de computer bestaat uit codes. Codes die op te lossen zijn met behulp van wiskunde en logica. Haar innerlijk is helemaal ongecodeerd en het is onmogelijk om er grip op te krijgen. Voor haar. Computers en Åsa zijn één.

Haar vriendinnen zitten op hun plek. Haar internetvriendinnen. Vrouwen die ze nooit heeft ontmoet, maar met wie ze zich nauw verbonden voelt. Erg nauw. V en A. Zo heten ze. Meer is er niet nodig. Åsa laat zich verder in de stoel zakken en begint van zich af te schrijven.

Å: Was vandaag op het verjaardagsfeestje van mijn neefje. Het was zwaar.

V: Snap ik. Waren er veel kinderen?

Å: Ja. Maar dat was niet het ergste. Normaal gesproken is het zwaar dat er overal veel kinderen zijn, maar nu was mijn zus het ergst. Die vier mooie kinderen heeft, maar die haar leven helemaal niet waardeert. Het overgrote deel van de tijd zat ze te huilen op de wc. Dan word ik toch zo geprovoceerd. Hoewel ik weet dat ik daar het recht niet toe heb! Elk moment, hoe leuk ik het ook heb op het werk of met Adam, ligt die kinderloosheid er als een... muf, oud vloerkleed. En dan huilt mijn zusje. En ik haat haar er bijna om. Dat zij huilt, die vier keer heeft wat ik wil hebben, wat ik mij het meest van alles wens! En dan iedereen die maar de hele tijd vraagt of ik al zwanger ben en hoe het gaat en of ik down ben. Hou op met vragen! Ja!! Ik ben verdrietig! Constant! De hele tijd! God, ik schaam me voor mezelf.

A: Niet doen. Ik weet precies hoe het is. Ik vier nooit kerst met mijn familie. Ik kan gewoon niet tegen al dat geklaag van iedereen dat ze zoveel cadeautjes voor hun kinderen hebben moeten kopen of hoe lastig het is met al die kinderen die voortdurend zoveel rommel maken. Ik haat mijn schone, keurige huis!

Å: Ik haat mijn huis ook. Groot en eenzaam. Ik weet niet wat ik met mijn leven wil. Ik wil kinderen hebben. Ik hou van mijn man, maar we zijn zo ver van elkaar verwijderd. Het voelt alsof we elkaar kwijtraken. Ik zou meer met mijn zussen willen praten, maar ze begrijpen niet wat ik doormaak. Eentje heeft te veel kinderen en de andere haat kinderen en pleegt om de haverklap abortus. En ik... Wat heb ik?

Åsa trekt haar benen onder zich op de stoel. Houdt ze vast. De natuur is echt niet altijd gul. Ze kan gierig zijn. Zo verdomde gemeen gierig. Deelt haar vruchten de hele tijd uit aan junks en aan jonge meiden die niet eens kinderen willen hebben, aan gezinnen die zoveel kinderen hebben dat ze niet eens kunnen zorgen voor de kinderen die ze al hebben. Hoe kan verdomme een alcoholist die voortdurend zuipt een gezond kind baren? Wanneer Åsa, die met alles gestopt is, echt alles wat een bevruchting maar kan verstoren, het niet voor elkaar krijgt. Geen goed glas wijn, geen bier, geen sigaretten (oké, ze heeft daarvoor ook niet gerookt, maar toch), zichzelf niet eens een kop koffie gunt (alleen verschillende soorten kruidenthee), geen paracetamol, niet eens een beetje levertraan en ook nog op gewicht blijft. Geen overgewicht, want dat kan het geheel saboteren. Ze traint voldoende, probeert blij en gelukkig te zijn, er wordt beweerd dat negatief zijn de conceptie kan beïnvloeden.

Maar hoe lang kun je proberen blij te zijn, wanneer alles zo droevig is, zo doortrokken is van somberheid dat je het wilt uitschreeuwen tot alle ramen aan diggelen springen, een kind wilt stelen uit een kinderwagen die een of andere ondankbare moeder gewoon buiten voor een snobistische koffietent heeft neergezet.

Åsa kijkt naar haar spiegelbeeld in het raam. Denkt na.

We zijn vrij jong en kerngezond. Niets wijst erop dat er bij een van ons iets mis is. Mijn eierstokken werken perfect, ik ben de beste fokkoe. Adams zaadcellen zijn net kanonskogels. Pof, pof, pof. Niets is fout. Gewoon nog een keer proberen. En als dat niet gaat dan hebben we over drie maanden een IVF. En dan gaat het lukken. Kijk, weg met de tranen, Åsa. Blijdschap is beter voor de eierstokken!

Ze kijkt door het raam, door haar eigen spiegelbeeld heen. In het huis aan de overkant is het donker. Iedereen slaapt. Behalve in een appartement, daar brandt licht. Een moeder loopt haar kleine baby in slaap te sussen. Het is twee uur in de nacht. Åsa denkt aan haar jongste zusje, aan haar kinderen, en dan smoort ze zelf een snik.

'Drie Jack Daniel's, dubbele, voor hem met die vlechten, daar verderop!' Marie wijst naar een jongen bij de bar en moet schreeuwen om boven Iron Maidens 'The Number of the Beast' uit te komen. Linus haalt snel drie grote glazen tevoorschijn en vult ze met ijs.

'Nee, zonder ijs!'

Linus leegt de glazen. Het is nu *high time* op de club. Er zijn zoveel mensen dat er nauwelijks nog zuurstof over is. Zoveel mensen dat Marie en haar barkeepers zo snel heen en weer draven als marathonlopers in de eindspurt. Waarin je alles eruit perst en alleen maar doordraaft.

Drie zwartharige gothic meiden met knalrode lippen dringen zich naar voren. Marie trekt vragend haar wenkbrauwen op terwijl ze met vaste hand Four Roses in een paar glazen schenkt.

'Drie bier!' De meiden roepen in koor. Marie zet de whisky op de bar, schuift ze naar de langharige jongens in versleten spijkerjackjes, ontvangt tweehonderdvijfentwintig ballen, stopt daar vijfentwintig van in haar schortzak, trekt drie grote glazen naar zich toe en vult ze met schuimend bier. De meiden betalen en wringen zich terug naar de dreunende dansvloer.

Marie spuugt haar oude portie pruimtabak uit en stopt een nieuwe onder haar lip. Shit, dat je niet meer binnenshuis mag roken. Klotemoralisten.

'Marre!'

Marie draait zich om. De eigenaar van de club en haar baas, Vlatko, staat een eind verderop achter de bar te zwaaien met zijn vette, bleke hand. Hij heeft een of andere kleine vrouw bij zich. Een blonde, jonge meid. Niet ouder dan achttien jaar.

Aha, het is weer zover. Een of andere nepblonde meid met wie hij naar bed mag als hij haar een baantje geeft.

Marie tikt Linus zuchtend op zijn schouder, wijst naar Vlatko en zijn nieuwe wip. Linus grijnst vreugdeloos en maakt een teken naar Marie dat ze gerust de bar even kan verlaten, wat natuurlijk eigenlijk niet zo is.

Een stukje kauwgom in haar mond, haar haar een beetje opkroezen en dan wenkt Marie haar baas dat ze naar de personeelskeuken gaan.

De keuken is krap. Het is voornamelijk een doorgang om naar de kelder te rennen en kratten op te halen of om naar de binnenplaats te gaan voor een korte rookpauze. Er staan een paar houten stoelen, een wankele tafel, een kleine tweepitskookplaat en er hangen wat hardrockposters aan de muur.

Vlatko ploft neer op een van de houten stoelen. Marie denkt even dat de stoel het zal begeven, maar het gaat goed. Gelukkig, want de keukenvloer zou gewoon krakend in elkaar storten als hij viel en onder de keukenvloer slaapt Otto en hem mag niets overkomen.

De vette buik van de baas dijt uit over zijn bovenbenen. Een geluk dat hij een stevig dichtgeknoopt vest aan heeft zodat iets zijn vet tegenhoudt. Nou ja, hij ziet eruit als een stripfiguur. Of als een goedkope kopie van elk willekeurig type in de *Sopranos*. O, wat wil Vlatko op een maffioso lijken. Mijn god, hij heeft zelfs glanzende zwarte lakschoenen aan. Wat wil hij? Dat de politie door zijn schoenen verblind wordt en hem ogenblikkelijk opsluit. Die vent ruikt gewoon naar illegale praktijken. Eerlijke kerels dragen doodeenvoudig dat soort schoenen niet. Nee, Marie heeft haar baas nooit gemogen.

Er is niets echt aan hem. Behalve echte criminaliteit. Hij is niet de eigenaar van de Rock 'n' chock omdat hij van hardrock houdt. De enige keren dat Vlatko hardrock hoort zijn die keren wanneer hij de club binnenstapt en een of ander nieuw werkloos neukpopje presenteert. Nee, Vlatko is eigenaar van clubs, restaurants en cafés puur voor de poen, voor het witwassen van geld, heel simpel: voor de georganiseerde misdaad. Zo voelt het in elk geval. De baas is een klootzak, maar hij is een afwezige klootzak. Dus wie maakt zich daar druk om? Als het een vent is die je twee keer per jaar hooguit vijftien minuten ziet.

Het dametje leunt een tikkeltje giechelig tegen de muur. Kegelvormige borstjes, haar lange hooggeblondeerde haar in pijpenkrullen, met een koolzwarte uitgroei, lage jeans, zo laag dat je ontzettend veel schaamhaar zou moeten zien als ze niet zo goed geharst was. Marie recht haar rug, gooit haar haar naar achteren en pakt een sigaret. Die kan ze maar net zo goed paraat hebben, zodat ze naderhand snel de binnenplaats op kan schieten om die op te roken, wanneer deze poppenkast voorbij is. Vlatko kucht en krabt met zijn knakworstvingers aan zijn vette hals. Krab, krab. Ach, getver, zit hij met die weerzinwekkende handen aan haar kleine pubertietjes? Arme meid, ja, ja. *Here we go*, Marie grijnst een beetje.

'Dit is Lisa. Mijn dochter.' Vlatko mompelt met zijn typische Oostblokaccent.

'Dochter? Ik dacht dat je alleen zonen had. Kleine kereltjes.'

'Nee... Ik heb ook een dochter.'

Lisa glimlacht verlegen naar Vlatko en loert naar Marie. Marie zuigt op haar pruimtabak. Dochter, ja, ja. Zie je wel. Of beter gezegd, je ziet geen enkel verschil tussen papa's minnaressen en papa's meisjes. Maar nu kijkt ze. Lisa's ogen. Koolzwart, net als die van Vlatko.

'Lisa is erg snel en heeft veel gewerkt in de branche.'

'Tja. Ik heb veel gewerkt in De Waterlelie.'

Marie kijkt haar vragend aan. 'De Waterlelie, wat is dat in hemelsnaam?'

Vlatko schraapt nerveus zijn keel en Lisa antwoordt verlegen. 'Ja, je weet wel, dat is zo'n servicecentrum voor ouderen.'

'O, hebben ze daar bars?'

'Nee, nee, dat niet... Maar ik heb in de keuken gestaan en het was hard werken en...'

Vlatko wuift met zijn handen. 'Nee, nee, Lisa, schatje. Laat die De Waterlelie maar zitten, sukkeltje. Je hebt immers ook gewerkt in Hard Rock. Het Hard Rock Café!'

'Ja, daar heb ik ook gewerkt! Als hulpje. Maar nu heb ik zo'n spoedcursus gedaan...'

'Spoedcursus?'

'Ja, die mijn vader geeft.'

'Wat, geef jij nu ook spoedcursussen? In wat dan?'

Vlatko krabt zich weer in zijn nek. Het zweet gutst van zijn gezicht. 'Ja zie je, Lisa heeft een kleine spoedcursus van mij gehad. Dus ze kan nu drinks mixen en zo. Geen probleem, geen probleem. Ze zal een aanwinst zijn, zeker weten. Zeker weten.'

'Wacht even nu. Met alle respect, Lisa, jij bent vast aardig en nog meer van dat soort dingen, maar moet zij, die aardappelpuree voor oudjes heeft opgeschept en papa's drankcursus heeft gevolgd, in míjn bar staan?'

'Ze is goed, Marre, vertrouw me. Rustig maar. Je kunt meer roken. Wat rustiger aan doen, weet je. Mooi toch? Lisa regelt het.'

'Hoezo, krijgen we haar gewoon als een extra bonus? Of moeten we ergens anders iets inleveren?'

'Die serveerster, hoe heet ze, Annelie, misschien kan zij stoppen.'

O! Marie kan die shit niet meer aanhoren. Is het hier misschien een jongerencentrum? Prima! Kom maar met een paar jeugdwerkers die zich over die kinderen kunnen ontfermen en met die pingpongtafel om na sluitingstijd met z'n allen te kunnen pingpongen. Want Marie doet het godverdomme niet! Godverdomme. Het betekent nóóit minder werk met die kleine meiden, maar altijd méér werk. Ze doen immers alles fout en dan moet een van Maries barkeepers ze opleiden en wanneer ze dan eenmaal opgeleid zijn, neukt die meid de baas niet meer en kan ze oprotten. En hup, daar staat de volgende. O, nou ja, een dochter deze keer, maar dat maakt geen verschil. Een eeuwige kringloop.

Marie steekt haar hand uit zonder te glimlachen, heet Lisa welkom, opent de deur naar de kelder, Otto komt de trap oprennen en samen denderen ze door de achterdeur de binnenplaats op. Gulzig steekt Marie de sigaret op en inhaleert diep. Ze spuugt de pruimtabak en de kauwgom uit. Inhaleert haastig nog een keer. Waar is ze verdomme mee bezig?

Ze staat om halfdrie 's ochtends op een binnenplaats. Werkt zich uit de naad voor een stomme nepmaffia-idioot die nul komma nul verstand heeft van haar vak.

Shit, dat ze nu ook totaal de hersens niet heeft om voor zichzelf te beginnen, en geen geld en al dat soort dingen. Anders had ze haar eigen bar kunnen openen. Ze weet immers exact wat je daarvoor moet hebben: echt harde muziek, een vette ruimte, superlekkere barkeepers en heel veel drank. *That's it*. Maar dan is dat er met die hersens en poen nog. Wat ze niet echt heeft. Vooral die poen niet.

En de puf. Tweeënveertig jaar. Verdomme, want ze lijkt toch verrekte veel op een ziekenverzorgster met een eeuwig laag salaris, een redelijke opleiding en net genoeg verantwoordelijkheid die het opeens in haar hoofd krijgt om de ruigste kijkoperatiechirurg te worden en op tweeënveertigjarige leeftijd een eigen ziekenhuis wil beginnen. Hoeveel mensen zouden hun geld op zo'n meid zetten?

Ik niet in elk geval, denkt Marie, en ze neemt een laatste trek van haar sigaret die naar longen verlangt. Ze ziet Lena's huis voor zich. De smerige wastafel. Haar vette bos haar en haar smekende ogen. Alsof ze gered wilde worden. Maar wie wil dat godverdomme niet?

Robert stapt in de pick-up. Het is vier uur in de ochtend geworden. Braby slaapt. Het is muisstil. De bladeren ritselen niet eens, de wind wacht. Het is donker en stil. Soms tikt het verlichte bord van de garage, dat is alles. Hij had er niet op gerekend dat die oude brik nog zoveel werk was, vijfduizend ballen was veel te weinig voor die klus. Godverdomme.

Het is maar een kilometer naar huis, maar Robert pakt altijd de auto. Sinds de dag dat hij zijn rijbewijs heeft gehaald, pakt hij de auto. Maar nu start hij hem niet, hij zit alleen maar zwijgend achter het stuur, de geruite fleecedeken die over de zitting ligt, verwarmt hem een beetje.

Zijn gezicht rust in zijn grote, eeltige handen met de altijd zwarte vingertoppen. Dat vuil heeft zich in zijn lichaam ingevreten. Geen borstel ter wereld kan dat nog weg krijgen. Het is een deel van Robert geworden. Hij snuffelt aan de schouder van zijn trui. Nee, dat ruikt niet goed. Die moet nodig gewassen worden. Durft hij het Lena te vragen... Nee, denk het niet. Misschien kan hij Josefin vragen... Misschien helpt het als ze er vijftig ballen voor krijgt.

Lena. De laatste weken is ze compleet veranderd. Robert kijkt naar het strookje met de foto's dat aan de achteruitkijkspiegel hangt. Een fotostrookje uit de pasfoto-automaat in de Coop van Redäng. Lena glimlacht van oor tot oor, al haar witte tanden stralen en die kleine bruine ogen stralen ook. Haar haar is vol en lijkt net zo lekker te ruiken als het bijna altijd heeft gedaan.

Een of andere fruitgeur. Zo zoet, vrouwelijk en zacht. Op de eerste foto zie je bijna alleen maar Lena, Engla's hoofdhuid vermoedt je, maar dat is alles. Lena's verblindende lach. Op de drie andere foto's staat een wirwar van kinderen met Lena ergens op de achtergrond. Hampus grijnst zelfverzekerd naar de camera, Engla probeert hem naar beneden te drukken zodat ze zelf beter te zien is en Wilda zit mild glimlachend op de achtergrond. Op de laatste foto zijn Vincents oren ook te zien. Iets harig bruin-wits hangt over de schouder van Hampus. Lena zie je helemaal niet, alleen haar hand waarmee ze Hampus vasthoudt om zijn buik zodat hij niet in de camera valt die ergens achter die spiegel zit.

Robert kijkt weer naar de eerste foto. Die van Lena alleen. Die lippen die hij zo vaak heeft gekust. Wanneer heeft hij die voor het laatst gekust? Wanneer heeft hij zelf een kus gekregen? Robert denkt na. Ze zijn met elkaar naar bed geweest... verdorie, wanneer was dat? Robert zoekt in zijn geheugen en trekt de deken een beetje over zijn bovenbenen. Mijn god, zo vaak ze het in het begin deden! Zelfs op de wc van de garage, Lena was helemaal wild! Ze hield hem zo stevig vast. Kneep met haar sterke gretige handen in zijn trui en zijn huid en hield hem alleen maar vast. Alsof hij belangrijk voor haar was. Alsof ze hem echt wilde hebben. Robert liep voortdurend met rode littekens op zijn schouderbladen. Maar wanneer zijn ze voor het laatst met elkaar naar bed geweest. Dat moet... nee... ja... nee... Maanden geleden. Misschien die keer in de voorzomer, tijdens de zomervakantie toen alle kinderen naar het vakantie-ochtendprogramma keken en Robert geen haast had om naar zijn werk te gaan. Toen hij lag te slapen en alle kinderen, die altijd tussen hen in lagen, voor de tv zaten en Lena zijn kant op rolde en hem heel simpel nam. Mijn god, zijn ze sindsdien niet met elkaar naar bed geweest? Maar hij heeft het gevoel alsof Lena is zoals ze op het fotostrookje staat. Robert ziet haar niet, er staan de hele tijd zoveel kinderen en dieren voor haar. Hij ziet als het ware alleen maar haar hand die een kind vasthoudt.

En wat het allemaal wel niet kost! Al die kinderen, ze groeien immers elke week uit hun schoenen en broeken. Lena's salaris is amper voldoende voor een volle tank. Robert moet werken. Hoe kan ze daar nu over klagen? Want dat is immers het enige wat ze doet. Klagen! Over dat hij werkt! Hoeveel vrouwen zouden geen geld willen geven voor een man die hen kan verzorgen? Lena kan het welke vriendin dan ook vragen! Hoe zwaar is een beetje schoonmaken, wassen, eten klaarmaken en kinderen helpen met het huiswerk. Oké, hij zou misschien wat meer thuis kunnen zijn. Maar Lena wordt toch alleen maar boos op hem zodra hij zich laat zien. Het beste voor hen allebei nu op dit moment, is dat hij op afstand blijft...

Tja, hij voelt zelf dat die gedachte niet helemaal rijmt.

Opnieuw kijkt hij naar het fotostrookje en pakt het tussen zijn vuile duim en zijn net zo vuile wijsvinger.

Het gaat niet goed met haar. Hij merkt het toch. En het hele huis... het is zo rommelig. Hij moet Fanny bellen. Als Fanny maar een beetje kan opruimen, dan wordt het wel lichter. Lena komt terug. Ze moet terugkomen. Ze moet gewoon hulp krijgen.

Fanny bellen schrijft Robert op zijn linkerhand, draait daarna het contactsleuteltje om en zet de auto in zijn achteruit.

7

'Wat nou, heb jij minder gehaktballetjes gekregen dan Wilda?'
'Nee, kleiner!!'
'Het heet niet kleiner, het heet minder, je kunt niet kleinere
hebben gekregen, omdat alle gehaktballetjes even groot zijn, idioot.'

Josefin staart vermoeid naar Engla. Lena staart boos naar Josefin. Engla pakt de vette gehaktballetjes met de hand uit de koekenpan. Wilda ziet het en schreeuwt zo luid dat Hampus begint
te huilen. Lena doet een poging de Mama Scangehaktballetjes
uit te delen. Mama Scan! Help me! Als jij die klotegehaktballe-
tjes hebt gemaakt dan kun je verdomme ook wel hierheen komen om ze uit te delen. Daar komt het weer. Dat borrelende,
rottige kutgevoel. Alsof ze kookt. Als een waterkoker. Je hoeft
maar op de knop te drukken om hem aan te zetten en ze begint
meteen te koken. Klaar om degene die ook maar in de buurt
komt derdegraads brandwonden te bezorgen. Het liefst kleine
kinderen, of grote mannen. Lena smijt de pollepel met een klap
op de vloer. Het bakvet spat tegen de keukenkastjes op en een
van de katten schiet weg om snel daarna weer terug te keren en
het vet op te likken. Een van de konijnen begint meer dan normaal te trillen en hupt de keuken uit.

'Maar godverdomme, iedereen heeft toch eten, of niet? Ik
gooi nu de gehaktballetjes weg, dan krijgt niemand iets, is iedereen dan blij? Dat is pas eerlijk, niets voor niemand!'

Lena gooit woedend de koekenpan in de gootsteen. Gehaktballetjes vermengen zich met oude komkommerrestjes, een pak
melk, theezakjes en sinaasappelschillen die daar al lagen. De kinderen zitten roerloos en zijn doodstil. Hampus' onderlip trilt
een beetje. Zijn ogen vullen zich met tranen, maar hij verbijt
zich. Wilda glijdt stilletjes van haar stoel af, duwt een kat aan de
kant en pakt snel de pollepel van de vloer. Peutert een konijnenkeutel weg en overhandigt de pollepel aan Lena.

'Hier, mama.'

Vlug rent ze terug naar haar stoel en gaat rechtop zitten.

Lena blijft staan, vastgenageld aan de grond met de pollepel
in haar rechter- en de koekenpan in haar linkerhand, haar vet-
tige haar in een paardenstaart en een schort dat stijf staat van
het vuil. De puf. Die is weg. Haar geduld ook. Dat is er tegelijkertijd maar vandoor gegaan. De zin. De zin in alles. De liefde.
Weg. Alsof iemand op de uitknop heeft gedrukt. Behalve wanneer de waterkoker wordt aangezet. Verder alles uit. Zoals op
het feestje. Lena die de schijn wil ophouden. Vooral tegenover
haar zussen. Zodat ze zien hoe 'goed' het met haar gaat. Een
beetje opscheppen hoe goed ze in haar eentje het zaakje klaart
met vier kinderen en heel veel dieren. Ze geniet er bijna een
beetje van om tegenover Åsa met al haar kinderen te pronken.
Zo laag, ze weet het, maar de kinderen zijn het enige wat ze
heeft. Net een echt goed wapen, een atoombom tegenover die
kleine rotjes van de anderen. Åsa heeft alleen maar rotjes en wil
eigen atoombommen hebben, maar kijk eens, ondanks haar miljoenen krijgt ze dat niet voor elkaar! Ha! Maar nu. Op het feestje. Het kon haar niets meer schelen. Ze heeft wel gezien dat het
er belabberd uitzag. Alles. Maar het kon haar geen moer schelen. Of ja, het kon haar wel wat schelen, alsof ze wilde dat ze de
hele bende zagen en dat ze haar dan mee zouden nemen, weg
van hier. Of haar zouden helpen. De kinderen een tijdje zouden
meenemen naar de grote stad. En Robert ook. Robert ook meenemen! En de konijnen, de hond, de katten!

Lena wil gewoon alleen zijn. Ze is nooit alleen. Nooit. Nee, tuurlijk, Robert is nooit thuis, maar al die anderen wel.

En nu heeft ze Fanny hier ook nog rondlopen. Robert heeft haar waarschijnlijk gebeld, en nu is ze hier twee keer in de week om alle spullen te verplaatsen. De kaasschaaf bijvoorbeeld, die áltijd in de tweede la ligt, lag gisteren in de vierde! Hoe kun je een kaasschaaf in de vierde la leggen tussen de diepvrieszakken? Is er een verstandig gezin waar de kaasschaaf tussen de diepvrieszakken ligt? Nee, precies, Fanny is niet verstandig. Haar aanwezigheid levert alleen maar stress op. En ze ruimt zo zinloos op. Gisteren heeft Robert haar betaald voor het ordenen van alle videofilms. Hallo! Is dat hier in huis nodig? Dat ze *Shrek* onder de 's' kunnen vinden? Lena wil schone was in de kleerkast vinden en verzadigde kinderen in opgemaakte bedden. Ze moet Fanny eruit schoppen.

'Mogen we nu beginnen, mama?' Wilda kijkt veelbetekenend naar de pan macaroni. Josefins plaats is leeg, die is er waarschijnlijk vandoor gegaan.

'Tuurlijk lieverd, nu kunnen we beginnen.'

Lena zet de lege koekenpan op het fornuis, pakt wat keukenpapier en veegt de ergste botertroep op. Wrijft het laatste weg met haar sok.

De kinderen. Mijn god, de kinderen. Wat doet ze eigenlijk met hen? Het is net als in *Eerste hulp bij opvoeden*! Die vreselijke Engelse gezinnen waar je alleen maar 112 wilt bellen, de ouders in de gevangenis wilt stoppen en de kinderen wilt redden. Of andersom, soms wil je de ouders redden. Want er moet iemand gered worden.

Ze zou haar moeder om hulp kunnen vragen. Irene belt immers de hele tijd, wil helpen. Maar Lena weet hoeveel er te doen is op de boerderij. Het is niet eerlijk om haar moeder te vragen vier keer in de week te komen, wat ze zou doen als Lena het haar vroeg. Zelfs Åsa heeft gebeld, heeft gevraagd of ze een keer op de kinderen moet passen. Maar wat helpt het? Op zaterdagavond een paar uur op de kinderen passen? Niets. Het wordt alleen maar onrustiger. De kinderen worden ongedurig en Lena, wat moet zij dan doen? Een schuimbad nemen en gewoon tot rust komen? Vergeet het. Het is gewoon zinloos.

'Heerlijk, mama!' Wilda probeert de stemming hoog te houden en smikkelt geforceerd glimlachend van haar kleffe macaroni. Hampus vecht nog steeds tegen zijn trillende onderlip en Engla spiest zwijgend en systematisch een elleboogje macaroni op elke vorkpunt. Lena probeert te glimlachen, pakt haar stoel, gaat zitten en schept een beetje macaroni op haar bord.

Dan klinkt er een melodietje. Do-du-li-du-do. De ijscowagen. De kinderen zijn nog steeds nerveus stil, maar onder de tafel beginnen ze al met hun benen te spartelen. IJscowagenspartel.

Godverdomme! Net nu de rust is weergekeerd. Voordat alle kinderen op kunnen staan om naar de ijscowagen te rennen begint Lena te schreeuwen. 'Neeeeeee! Jullie blijven zitten!! Horen jullie. Zit!'

Do-du-li-du-do. Hampus die op zijn stoel is geklommen om beter te kunnen kijken, krijgt een sterke hand op zijn hoofd die hem weer op de stoel drukt. Hampus gaat weer zitten. Zijn onderlip steekt naar voren. Lena ziet het en aait Hampus over zijn hoofd, maar zonder al te veel medeleven.

'Iedereen zitten! Eten jullie! Rustig. Ik ga naar buiten ijs kopen. Oké?'

Do-du-li-du-do. Engla probeert er onder de tafel tussenuit te knijpen. Maar Lena houdt haar tegen met een goed gerichte voet tegen haar voorhoofd.

'Stop! Ik meen het serieus. Als jullie niet stil blijven zitten komt er geen ijs.'

Zo ja. Dreigen. Dreigen en belonen. De beste opvoedingstip. Met een snoepje in de ene hand en een zweep in de andere komt er vrede.

'Sorry. Ik zal niet zo schreeuwen. Stilzitten en eten, dan krijgen jullie ijs na. Oké?'

Do-du-li-du-do. De drie kleine kinderen knikken met tegenzin. Alles onder controle. Goed.

Lena springt in haar oude klompen, graait een briefje van vijfhonderd van het geld voor Schilder Erik en rent naar de ijscowagen. Eindelijk alleen! De hele grindweg naar de brievenbus loopt ze helemaal in haar eentje. Twintig meter zonder kinderen die hun kont afgeveegd willen hebben, een tekening willen laten zien of die gewoon jammerend aan je broekzak hangen.

Het is toch wat dat je verdomme op weg naar een ijscowagen een gevoel van vrijheid krijgt om daar vervolgens te wijzen naar verschillende clownsijsjes, nougathoorntjes en waterijsjes, zonder dat er de hele tijd kinderen en konijnen voor je voeten springen. Tja, mevrouw Lena, wat doet u in uw vrije tijd? Ja, dan loop ik naar de ijscowagen! Gewèldig tijdverdrijf. Do-du-li-du-do. Nee, waarom kleren en prullaria kopen, als je ijsjes kunt kopen? Ja, dat is de nieuwe trend, hebben jullie het nog niet gehoord? Mijn god, lopen jullie Stockholmers dan zo achter?

Lena trekt haar jack nog steviger om haar schouders en ademt de frisse herfstlucht in, ziet toevallig alle slijmerige bladeren die op het gazon liggen te rotten en alle poreuze appels die op de bladeren zijn gevallen en ook zijn gaan rotten. Shit, ze heeft de appels dit jaar ook gemist. Ach wat, bij de ICA kun je een diepvriesappeltaart kopen. Frisse lucht. Stik ook maar met die appels en bladeren. Frisse lucht! Uitademen. Weer inademen. Uit. In. Uit. In. Rust en... Do-du-li-du-do... mooi.

'Hallo, wat mag het zijn?'

De ijscoboer groet vrolijk. Een nieuwe ijscoboer. Waar is Mehmet verdorie gebleven? Superkerel, je kon bij hem altijd op de pof kopen. Lena glimlacht onzeker tegen de nieuwe terwijl ze tegelijkertijd met haar blik Mehmet zoekt, alsof hij zich achter de auto heeft verstopt. 'Is Mehmet ermee opgehouden of?'

'Hij is verhuisd, hij rijdt nu in de buurt van Knivsta. Ik heb nu zijn oude domein overgenomen. Ik heet Conny!'

Conny steekt zijn bruinverbrande hand uit. Hij is blond. Zo blond als alleen kinderen kunnen zijn, wanneer de zomerzon hun haar helemaal wit heeft gebleekt. Lichte wenkbrauwen, lichte volle wimpers, helderblauwe ogen. En hij heeft ook een spleetje tussen zijn tanden. Hij ziet er net zo uit als Agneta Fältskog van ABBA.

'Dag Conny, ik heet Agneta.'

'Leuk kennis te maken, Agneta.'

'Nee, Lena bedoel ik. Lena heet ik. Ik zei het verkeerd.'

'O. Oké, haha. Ik kan je dus noemen wat ik wil.'

'Lena is goed.'

'Zeker weten?'

'Niet echt, haha.'

Lachte ze? Ja, kennelijk.

Lena houdt haar portemonnee voor haar borst. Bestudeert de plaatjes van de verschillende soorten ijs: peerhoorntjes, ijsboten, clowns met kauwgomneuzen, chocoladehonden, hazelnootdip, spookijsjes, schuimgebakcoupes, nougatglazuur en kleine taartjes met echte slagroom. Conny leunt tegen de auto aan, fluit een vaag deuntje.

'Ach wat moeilijk... Kun jij niet gewoon een goed gemengd pakket bij elkaar zoeken? Voor drie kleine kinderen, een puber en mij.'

'Geen man?'

'Nee. Of ja, maar hij is nooit thuis dus hij krijgt geen ijsje!'

Lena glimlacht uitdagend.

'Ik begrijp het. Natuurlijk krijgen mannen die weg zijn geen ijs. Maar ik heb hier nog ergens een oude, harde halve liter staan waarmee je hem de hersens kunt inslaan.'

'Goed, dan neem ik die ook.'

Conny knipoogt en loopt weg om het ijs te halen. De mondhoeken gaan omhoog. Lena's mondhoeken. Oei. Wat een heerlijk gevoel. Ze lachte. Helemaal spontaan. Alleen al bij de gedachte om haar man met een stuk hard ijs op zijn hoofd te slaan. Maar toch, het was een lach. Ze zeggen dat het je leven verlengt, als dat al iets om te wensen is.

Conny opent de vriesdeur aan de zijkant van de auto. Rommelt daarbinnen wat, tilt de laden eruit, ritselt met zakken. Lena voelt met stijve vingers aan haar mondhoeken die zonet nog naar boven keken.

'Eens kijken... Vanille-ijsjes met een chocoladelaagje voor de kleine kinderen. Niet zo armoedig als waterijsjes en niet zo groot dat de kinderen te dik worden. Heel simpel: net groot genoeg.'

Conny legt de grote koude zak in de armen van Lena.

'De puber is lastiger. Maar ik stel me zo voor dat daar misschien iets groters nodig is, iets wat bij de computer gegeten kan worden, zonder te veel knoeiwerk. Hoorntjes, heel eenvoudig! Drie smaken: nougat, aardbeien en chocolade. En dan een harde halve liter voor je man.'

Een pak hoorntjes met de harde halve liter wordt boven op de ijsjes in Lena's armen gelegd.

'En dit heb ik voor jou gevonden!'

Conny trekt een bevroren miniprinsessentaartje met echte slagroom naar voren. Net zo groot als een mooie borst. Gifgroen marsepein, versierd met een kleine, fraaie bevroren roos erbovenop.

'Deze moet je eten wanneer de kinderen slapen en je je man een behoorlijke dreun met de halve liter ijs hebt verkocht. Geniet er in je eentje van. Volstrekt ongezond, maar donders lekker. Gewoon eerst een paar uur in de koelkast laten ontdooien.'

Conny zet de taart boven op de berg ijs. Vlak voor Lena's ogen. Haar mondhoeken. Nu gaan ze weer omhoog. Een taart helemaal voor haar alleen. Die een paar uur voordat ze hem gaat opeten moet ontdooien.

'Bedankt...'

'Niets te danken, Agneta, het is mijn werk! Lena bedoel ik.'

Hij glimlacht breeduit. Van oor tot oor. Bestaan er zulke grote monden? De lange, dichte, lichte oogwimpers knipperen. Heeft hij ook sproeten? Een volwassen man met sproeten? Hoe oud zal hij zijn? Veertig? Vrouw? Ja, die moet hij hebben. Een leuke vrouw. Kinderen. Aan wie hij ook kleine ijsjes geeft. En aan zijn vrouw geeft hij taarten. Misschien dat hij...

'Dat wordt dan driehonderdvijfentwintig kroon. De taart krijg je van mij.'

'Wat? Nee, nee, daar betaal ik uiteraard voor.'

'O nee, absoluut niet. Dat kan niet. Hij is al van jou.'

'Jeetje... Heel erg bedankt.'

Haar mondhoeken: omhoog als de zon op een midzomerochtend. Lena betaalt, zwaait, ziet Conny achter het stuur springen en met zijn auto onder het melodietje Do-du-li-du-do wegrijden.

Haar oren piepen wat ze altijd doen na een hele nacht werken. Marie zet alle stoelen op de tafels. Linus dweilt de vloer. De serveersters verzamelen de glazen, flessen en vergeten rommel. Lisa is al naar huis gegaan. De baas heeft haar vlak voor sluitingstijd opgehaald. Stel je voor dat ze haar pubervingertjes vuil maakt aan glassplinters en gebruikte condooms.

Marie stopt een sigaret in haar mondhoek en tilt de laatste stoelen op. Ja, na sluitingstijd gaan ze altijd binnen roken. Een paar biertjes drinken en stiekem roken.

'Je hebt het vast wel gehoord van Lisa?' Linus roept vanachter de bar, waar hij de te dikke citroenschijfjes die Lisa heeft gesneden weggooit.

'Nee, wat dan?'

Met een zwaar lichaam ploft Marie op een van de aan de muur verankerde imitatieleren banken. Haar benen wijd gespreid voor zich en haar tenen recht omhoog. Jammer dat ze er zo sjofel uitziet met gezondheidsschoenen, dat kan gewoon niet. Het moeten hakken en spitse tenen zijn. Ze neemt een grote slok koud bier en een trek van haar sigaret. Plukt wat tabak van haar tong. Ruikt onder haar armen. Verdomme. Ze moet een nieuwe deodorant kopen, deze kan het harde werk niet aan.

'Wat dan gehoord?' Marie roept weer. Linus komt omhoog vanachter de bar. Met een routineus gebaar gooit hij de handdoek over zijn schouder en hij slentert naar Marie toe. Hij neemt een slok van haar bier. Ze reikt hem haar sigaret aan, hij neemt een trekje en geeft hem terug. Lieve vent. Jong verdorie, maar snel en erg goed.

'Wat dan?'

'Wat Lisa verdient.'

'Hoezo? *Tell me!*'

De baas heeft waarschijnlijk een slecht geweten, denk ik. Lisa is als het ware zijn verloren kind, of hoe je dat dan ook noemt. Ze is verwekt toen hij nog een puber was en hij is waarschijnlijk een heel slechte vader geweest. Of misschien überhaupt geen vader. In elk geval niet de vader die hij nu is voor zijn zonen.'

'Zeg op! Wat krijgt ze?'

'Achtentwintigduizend...'

'Achtentwintigduizend?'

'Yep. Hanne Berg, je weet wel, van de Hot Bar, heeft het zelf zwart op wit gezien. Je weet dat ze de baas een beetje helpt met dat soort dingen. Achtentwintig rooien per maand.'

Linus pakt Maries sigaret weer, neemt een laatste trekje, stopt de peuk in een oud cocktailglas. Wel verdomme... Marie voelt hoe ze begint te koken. Eerst onderaan bij haar tenen. Een stil geborrel, dat stijgt, naar haar knieën, heupen, buik, borst, schouders, hersenen. Een steeds sneller koken. Achtentwintigduizend! Per maand! Voor een akelige kutpuber die niet eens een krat uit de kelder kan ophalen zonder dat het in haar rug schiet. Omdat hij een klotepa is geweest. Maar word dan een goede vader! Hij wordt geen betere vader als hij haar per maand achtentwintig rooien geeft waar ze nog niet eens vijf öre van waard is! Dat vette salaris gaat ten koste van iedereen in de club. Er moet iemand weg. Iets moet minder worden. Zo'n klein meisje zou maximaal vijftienduizend moeten krijgen. Marie, die haar hele leven al werkt, krijgt godverdomme maar drieëntwintigduizend! Terwijl zij alles kan. Ze kan haar ogen sluiten en tegelijkertijd honderd dronken hardrockers perfecte milkshakes serveren.

'Marre?' Angstig kijkt Linus naar Marie bij wie al haar bloed naar haar gezicht is opgestuwd. Marie stopt beverig een nieuw portie pruimtabak achter haar lip en neemt een grote slok van haar bier.

'Weet je dat zeker?'

'Shit, je ziet er helemaal raar uit. Ja, Hanne heeft het zelf gezegd. Ze zou dat niet verzinnen'.

'Maar snap je het niet! We raken een serveerster kwijt. Die kleine rotmeid verdient immers twee keer zoveel als jij.'

'Ja, ik weet het. Maar ik hoef die vetzak niet als vader te hebben.'

'Godverdomme. Whisky! En driedubbele Jack Daniel's nu! Anders sla ik deze hele tent kort en klein. Achtentwintigduizend!'

Lena pakt de verstopte taart uit de koelkast. Iedereen slaapt. Zelfs Robert. Lena wil in alle rust eten. Er zal niemand plotseling thuiskomen van een of ander werk of school. Nee, iedereen is naar bed gebracht, opgesloten en ze slapen donders diep.

Op grote geitenwollen sokken stampt ze naar de oude pluizige fauteuil. In haar ene hand balanceert de taart terwijl ze tegelijkertijd alle speelgoed dat op het zitkussen ligt met de andere hand opzij schuift. Het belandt op een andere stapel speelgoed op de vloer.

Zo, eindelijk. Een plaid over haar benen en de taart op schoot. Stil. In het donker. Bijna pikkedonker. Plechtig snijdt ze met de lepel een stuk van de taart. Ze doet haar ogen dicht, stopt het in haar mond: marsepein, nog een beetje bevroren echte slagroom, gesmolten ijs, een cakebodem en een beetje frambozen-jam.

Lena's schouders zakken een beetje. Op dit moment is ze niet zo gespannen. Ze neemt nog een stuk. Mijn taart. Helemaal mijn eigen taart. Ze ziet IJscowagen Conny's zonnige sproeten voor zich en glimlacht.

8

Spannend. Åsa zet haar leesbril recht en buigt zich naar het beeldscherm. Scanfix heeft problemen met haar hele salarisadministratie. Elke keer hetzelfde liedje. De klant belt haar op kantoor, vertelt waarvoor ze haar hulp inroepen, ze luisteren helemaal niet hoe zij het geheel zal regelen, maar vragen haar alleen maar het zo snel mogelijk op te lossen. Het kantoor, dat is een van de werkkamers thuis. Een grote, witgeverfde kamer, goudbruin parket, duizend snoeren, computers, nog meer computers, Warcraft-hoesjes, kranten, stapels boeken, televisie, computerspelletjes, duizenden snoeren, een ingezakte bank met een oude zachte deken van Het Zonneroosje en een grote poster met een fraai berglandschap. Het is Åsa's favoriete kamer in het grote appartement. Hier echoot het nooit. Hier zoemt het. Het meest huiselijke gezoem ter wereld.

Het zoemen van veertien hardwerkende technische apparaten.

In deze kamer kan dat verlangen naar een kind een paar tellen wegvliegen. Door haar raam naar buiten zweven, over Vasaparken, Stadsbiblioteket, Sergels torg en nog verder weg. Op geen enkele andere plek is het verdwenen.

Naar deze kamer bellen Åsa's klanten. Bedrijven die een programmeergenie nodig hebben: Åsa.

Åsa houdt van haar werk. Zoveel dat het soms moeilijk is er geld voor te vragen. Wanneer er echt lastige problemen opduiken, is dat net als het ontdekken van onontgonnen terrein. Als een archeoloog die een steen optilt en een compleet intact dorp uit de bronstijd vindt. Of als een bioloog die in een paar kleine half dichtgeknepen ogen van een keversoort kijkt die nog nooit eerder is gedocumenteerd. In zo'n situatie kan het moeilijk zijn er geld voor te vragen. Adam is goed in het betaald krijgen. Hij heeft zijn bedrijf in de kamer ernaast.

Nu zit Åsa in haar mooie, dure, ergonomische leren fauteuil, met haar bril op het puntje van haar neus, een kop afgekoelde thee op het bijzettafeltje naast de fauteuil en de kleine laptop op haar schoot. Buiten is het hondenweer. De regen slaat tegen het grote raam met de vele spijlen, en de kastanjebomen buigen zich bijna over Rörstrandsgatan heen. Åsa's telefoon begint te rinkelen. LIEVE PAPAATJE staat er in de display.

'Dag papa!'

'Dag, knap meisje van me. Hoe is het?'

'Ja, wel goed. Ben net met een spannende klus bezig.'

'Fijn voor je, lieverd.'

'Hoe is het met jou? Is het druk?'

'Goed! Met mij gaat het goed! Ja, er is altijd veel te doen weet je. Zeg, er is iets...'

Kleine papa Roffe. Hij kan niet gewoon zomaar bellen. Bellen en gewoon praten. Zoals mama dat kan. Opbellen, vragen hoe het met je gaat, beetje praten over Lena en Marie, beetje over de boerderij. Nee, er moet altijd een aanleiding zijn. Net als het bij haar op bezoek komen in Stockholm. Åsa heeft het hem een keer gevraagd waarom hij nooit komt. 'Maar wat zou ik daar moeten?' Haar vader ziet dat niet als bezoek aan zijn twee dochters. Zijn twee dochters die van hem houden. Nee, papa moet een opdracht hebben, en hij heeft geen opdracht om naar Stockholm te gaan.

'Wat dan papa?'

'Ja, het is toch zo fijn dat je de hele financiën in orde hebt gemaakt en alle koeien hebt gedigitaliseerd. Of hoe je dat dan ook zegt. Alles zit nu in de computer. Het is prachtig en mama en ik zijn zo blij...'

'Maar?'

'Maar nu is de computer ermee opgehouden. Die doet niet wat ik wil en toen heb ik iets ingedrukt. Je moeder werd helemaal gek want hij begon te piepen, en nu weet ik het niet meer. Kun jij niet komen kijken?'

'Nu?'

'Ja, of vanavond misschien? Als je na zessen de auto pakt, zijn er waarschijnlijk geen files, mama kan gehaktschotel voor je maken als je dat wilt. We hebben gisteren Maja 8 laten slachten, dus het vlees is supervers!'

'Waarom hebben jullie háár genomen?'

'Er komen geen kalfjes meer, dus wordt ze nu gehaktschotel. Je houdt toch van mama's schotel? Kun je niet komen?'

'Vanavond kan ik niet, de klus waar ik nu mee bezig ben, moet morgenochtend klaar zijn en ik red het gewoon niet. Weet je, schrijf alles zolang maar handmatig op, dan kom ik deze week langs. Ik kan die nieuwe getallen later wel invoeren.'

'Maar mama wordt zo onrustig...'

'Weet je, papa, geef jullie password maar, dan kan ik vanavond inloggen en het misschien in orde maken.'

'De stier van Bronx!'

'O ja, hoe kon ik dat nu vergeten? Maar je maakt toch zo nu en dan wel een back-up op de USB-stick?'

'US wat?'

'Die kleine geheugenstick die je van me hebt gekregen.'

'Nee, daar weet ik niets van. Dat weet mama beter. Ik zal het haar vragen.'

'Maar papa, ik heb je toch gezegd dat je één keer per dag alles op die stick moet bewaren, dan is het niet zo erg als er iets stuk gaat.'

'Nu maak je me ongerust, meisje. Ik weet niet of mama het heeft bewaard. Kun je vandaag niet komen?'

'Ik zou wel willen, maar ik kan echt niet. Misschien kan ik deze week komen, maar op dit moment gaat het gewoon niet. Vanavond log ik in en los ik het ergste voor jullie op, dan komt het vast goed.'

'Maar we willen je ook graag zien. We willen je niet alleen maar een password geven en dat we elkaar dan niet hoeven zien.'

'Ik kom volgende week. Hoop ik.'

'Dan zeg ik dat tegen mama, dan kan ze een klein beetje schotel voor je invriezen.' Papa antwoordt een beetje lusteloos.

'Oké. Kusjes.'

Åsa verbreekt de verbinding, kijkt op haar kalender. De ovulatiekalender, zoals die thuis wordt genoemd. Nog drie dagen voor de eisprong.

Het stickje waar ze vanmorgen op geplast heeft, vertoonde geen tekenen van een eisprong, maar het is immers goed een paar dagen daarvoor seks te hebben, zodat de zaadcellen rustig in de baarmoeder kunnen liggen en op de derde dag kunnen scoren.

Åsa tilt de laptop van haar schoot, zet hem op het bijzettafeltje en staat op. Ze rekt zich uit. Het was alweer een tijdje geleden dat ze in beweging was geweest. Echt in beweging. Het lichaam aanpakken zodat het gewoon om genade smeekt. Ze kan het wel missen. Het lichaam geven wat het kan hebben. Op haar werk zit ze volkomen stil, alleen haar vingers en haar hersenen staan op scherp, terwijl haar lichaam een massa is die zich vormt naar de fauteuil, die gelukkig ergonomisch is.

Na het werk speelt ze Warcraft. Na Warcraft mailt ze. Na het mailen valt ze in slaap. Of vrijt ze met Adam, maar alleen als het tijd is voor de eisprong. Daar tussendoor wil ze niet, het voelt als een verspilling van zaadcellen. Het is een idee-fixe geworden. Om alleen bij de eisprong seks te hebben. Lichamelijk is het nooit erg afmattend. Mentaal eigenlijk meer. Er wordt immers gezegd dat seks de hersenen leegmaakt, maar die van Åsa niet. Seks vult haar hersenen. Met verwachtingen. En na die verwachtingen komen behoorlijk zwarte gedachten. Het voelt zo zinloos. De seks voelt zo zinloos. Er komen toch geen kinderen van! En echt leuk is het al niet meer. Adam voelt zo ver weg. Terwijl ze zo dicht bij hem ligt. Zijn warme geur ruikt en zijn harde lijf voelt. Het wordt zweterig tussen hen en zijn zaadcellen stormen enthousiast naar haar verwachtingsvolle eitjes. Brochures. Ze hebben zoveel brochures gekregen waarin je kunt lezen over seksuele problemen. Het is net les één: Kinderloosheid leidt in negentig procent van de gevallen tot een problematisch seksleven. Åsa en Adam geloofden niet dat dat voor hen ook gold. Niet omdat ze zo waanzinnig open en vrij zijn als het om seks gaat, maar omdat ze volstrekt niet neurotisch zijn. Dat hebben de zussen gemeen: geen seksneurosen. Seks is iets heel simpels. Op de boerderij draaide bijna alles om seks. Tussen de dieren dan. Zowel Åsa als Marie als Lena heeft koeien geïnsemineerd. Een kunstmatige ingreep, één hand in de endeldarm, de andere in de schede. Nee, de baarmoeders van koeien zijn anders dan die van ons, dus vanaf het endeldarmgat is er een beetje sturing nodig. Een spuit met zaadcellen rechtstreeks de baarmoeder in en klaar was het. Iets volstrekt onsentimenteels. Diezelfde instelling heeft Åsa altijd gehad naar haar eigen geslacht toe. Simpel, onsentimenteel en natuurlijk. De zaadcellen erin en dan komen er kinderen. Åsa had niet gedacht dat mensen een kunstmatige ingreep nodig hadden om bevrucht te worden. Maar dat had ze mis. Wat haar betreft lijken er vijf kunstmatige ingrepen nodig te zijn. Op z'n minst.

Drie dagen voor de eisprong. Ze kunnen het net zo goed nu maar afgehandeld hebben. Åsa haalt de speld uit haar haar, schudt een beetje met haar hoofd. Doet haar dikke vest uit, trekt haar hemdje over haar buik, trekt haar jeans recht en loopt Adams werkkamer in.

Adam zit op zijn ingezakte leren bank. Zijn voeten op een stapel kranten, de laptop op zijn schoot en zijn mobiele telefoon tussen zijn kin en schouder. Hij draagt ook een werkbril, net als

Åsa. Een zwart, dik montuur dat zijn halve gezicht in beslag neemt. Adam knikt naar Åsa en mompelt verder in de telefoon. Waarschijnlijk een of andere klant die steeds maar weer iets uitlegt dat Adam drie kwartier geleden al begrepen had.

'Goed, dan regel ik dat. Nee, geen probleem. Misschien vijf uur werk. Morgen dan. Goed. Dag.'

Adam verbreekt de verbinding en gooit de telefoon naast zich op de bank. Åsa gaat naast hem zitten. Strekt haar arm uit, plukt een beetje aan zijn rode, dikke haar.

'Åsa...' Adam zet zijn bril af en gooit hem naast de telefoon.

'Zeg. Zullen we er niet gewoon mee ophouden?'

'Ophouden met wat?'

'Dat met... baby's.'

'Wat?'

'Maar hou jij het nog vol?'

'Ja, ik hou het nog vol!'

'Ja, maar of ik het volhou... Jij bent voor mij het allerbelangrijkste... Kinderen zijn meer... omdat jij het wilt...'

'Wat nou, ík wil? Jij hebt het toch ook gewild, zeg niet dat het niet zo is, Adam, zeg niet dat het níét zo is!'

'Ja, tuurlijk heb ik het gewild. Maar dat was toen we gewoon met elkaar naar bed gingen en er kinderen van zouden komen. Niet dit... met artsen en injecties en hormonen. Niet dit... Kunnen we niet gewoon een pauze inlassen?'

'Nu? Over drie dagen heb ik een eisprong! Dan hebben we die verspild. Kunnen we niet over een week een pauze inlassen?'

'Maar je merkt het toch! Hoe het tussen ons is wanneer we bij elkaar zijn. Het is toch... niets! Ik wil geen kinderen hebben als jij verdwijnt. Snap je dat? Zo belangrijk zijn kinderen niet. Jij bent belangrijk. Jij.'

'Ja, ja, ja... Dat weet ik. Maar ik zie het als een fase. Een fase waarin we het moeilijk hebben. En later, als ik zwanger ben dan draait het om.'

'Een fase? Van drie jaar! En misschien duurt het nog een paar jaar voordat er kinderen komen. Stel je voor dat er geen kinderen komen? Hoe lang mag een fase eigenlijk duren? Bijvoorbeeld nu. Ik weet dat je hier komt omdat je binnenkort een eisprong hebt. Ik zie het meteen. Als je hier nu kwam omdat je van me hield, of gewoon wilde... gewoon mij wilde hebben en niet dat kind, dan was het een heel andere zaak. Maar je ziet nu alleen het kind... Ik wil het niet. Ik mis je... Of ik mis het dat jíj me mist... En niet alleen dat kind.'

Åsa haalt haar hand van Adams schouder. Wat moet ze zeggen? Ze voelt zich stom, alsof ze met haar mond vol tanden staat. Ze ziet hoe hij wil dat ze hem omhelst. Dat ze zal zeggen: het kan ons geen moer meer schelen. We houden ermee op. We hebben immers elkaar. Ons werk waar we van houden. Onze skitochten. Elkaar.

Adam kijkt door het raam. Zodat Åsa zijn tranen maar niet ziet die hij niet kan tegenhouden. Zijn tranen die over zijn bleke wangen stromen. Buiten voor het raam zwiepen de takken van de kastanjebomen heen en weer. De witte gevel van de Filadelfiakerk straalt in de avondduisternis. Een paar auto's toeteren, een schoolklas steekt rumoerig de straat over. De takken zwiepen verder.

Åsa staat op. Ze weet niet wat ze moet zeggen. Ze weet wat ze wil zeggen. Ze wil zeggen dat Adam een lafaard is. Een lafaard zonder ruggengraat en doorzettingsvermogen. Een infantiele onderontwikkelde op zijn eigen ego gefixeerde...

Is het zo vreselijk? Om met zijn eigen vrouw naar bed te gaan? Om gewoon een beetje met elkaar te vrijen op het moment dat ze bij hem komt. Wanneer ze haar kleren aan heeft, maar toch naakt is. Helemaal naakt. Is het dan zo moeilijk, om het gewoon te doen? Als dat alles is wat ze eist, is het te veel? Wat? Is het dat?

Dat is wat ze wil zeggen. Maar ze doet het niet. Dat doe je niet. Ze wil hem ook slaan, maar dat is ook niet iets wat je doet.

Dus verbijt ze zich, loopt haar werkkamer in, pakt haar dikke vest weer, gaat in de fauteuil zitten en legt haar laptop op schoot. En daar zit ze dan, nog drie dagen voor de eisprong terwijl de tranen op haar toetsenbord druppen.

Ze liggen allemaal voor de televisie. Het is tijd voor *Sesamstraat*. De kinderen kijken terwijl ze tegelijkertijd over elkaar heen klauteren. Josefin heeft haar schoolboeken op schoot, maar is voornamelijk aan het sms'en en Lena maakt van de gelegenheid gebruik om een oude *Amelia* te lezen die ze van Bettan te leen heeft gekregen. Bettan is geabonneerd op zowel de *Amelia*, de *Tara* als *Året Runt*. Wanneer ze stukgelezen zijn, alle kruiswoordpuzzels opgelost zijn en niets nog actueel is, krijgt Lena ze.

Do-du-li-du-do.

Iedereen hoort het ijsmelodietje. De kinderen gaan op de bank staan, of beter gezegd, op alle smerige was die daar ligt om naar de kelder gebracht te worden en die ooit gewassen moet worden. Maar de was lijkt een zwak te hebben voor de benedenverdieping om daar op de tv-bank te blijven liggen. Net als een klein mensje.

Do-du-li-du-do.

'Mama, mama, de ijscowagen!'

'Ik hoor het! Allemaal blijven zitten, dan ga ik naar buiten.'

En daar komt die wat merkwaardig zonnige glimlach weer. Iets te veel enthousiasme voor een moeder die een ijscowagen hoort.

'Krijgen we weer ijs?' Hampus kijkt met grote verwachtingsvolle, ijs minnende ogen naar zijn moeder.

'Ja... Waarom niet?'

'Maar je hebt toch gezegd dat al het geld op was? Ik heb niet eens een nieuwe sportbroek gekregen.' Josefin kijkt op van haar huiswerk.

'Nee... Maar ik heb wat geld gespaard. En je moet toch eten.'

'IJs eten? Dan wil ik in plaats daarvan die sportbroek hebben, ik zie eruit als een idioot op handbal.'

'We zullen zien. Nu gaan we in elk geval ijs eten!'

'Wat, is dat belangrijker dan sportbroeken?'

'Ehum... Ja.' Lena slikt een beetje te luid.

'Jaaaa!!' Alle kleine kinderen schreeuwen in koor en staan op om met haar mee te rennen.

'Stop, ik ga zelf, kijken jullie nu maar naar *Sesamstraat*, jullie willen toch niet missen wat er met die kleine muizenfamilie gebeurt?'

De kinderen lijken niet bijzonder veel interesse te hebben in de muizenfamilie die een uitstapje maakt, maar hun moeder ziet er een beetje blij uit, dus is het beter om haar te laten gaan. Lena springt in haar klompen, klost de keuken in, pakt een briefje van vijfhonderd van het geld dat bestemd is voor het betegelen van de badkamer.

Geef het volk ijs! Dan wordt het volk aardig. Het ijsmelodietje klinkt nu vlak voor het huis. Een snelle blik in de spiegel om te kijken of er ergens nog wat spinazie van het avondeten tussen haar tanden is blijven zitten en dan beent Lena enthousiast op haar klompen naar buiten met een jack om haar schouders heen geslagen.

Vier... nee, vijf keer heeft ze nu ijs gekocht bij Conny. Soms heeft ze het ijsmelodietje al op een afstand vermoed waarop haar hart wat sneller is gaan slaan en haar mondhoeken... ja, die zijn als het ware vanzelf omhooggegaan.

Toen ze een keer in Uppsala was om een nieuw deurtje voor het konijnenhok te kopen, hoorde ze het melodietje ook. Ze realiseerde zich dat ze het deurtje van het konijnenhok wel aan de kant had willen smijten en wilde wegrennen om ijs te kopen of tja...

Op een avond, toen Robert naar de garage was, Josefin bij een vriendin bleef slapen, de kleintjes sliepen en Lena het melodietje van de ijscowagen in de verte hoorde, werd ze een beetje... opgewonden. Een beetje geil gewoon. Van een ijscowagenmelodietje! Hoe desperaat kan een vrouw eigenlijk worden! Het zou iets voor sekstherapeute Katerina Janouch zijn om dat als normaal proberen te laten klinken.

Dus had Lena de tv uitgezet, de schemerlamp gedoofd, haar benen over de vuile was uitgestrekt, haar vrijetijdsbroek over haar heupen naar beneden getrokken en zichzelf op een klein vuurwerk getrakteerd. Een fysieke ijsbom. De eerste sinds lange, lange tijd.

Dit alles voor... niets. IJscowagen Conny heeft alleen maar ijs aan haar verkocht. En breeduit geglimlacht. Misschien is hij eens een keertje extra in de week langsgereden, en is Lena vervolgens gekomen en heeft ze een pak ijsboten gekocht.

En niet alleen een pak ijsboten. Maar een groot pak Daimhoorntjes, vier pakken ananassplits met chocoladetop, een zak Magnums, drie ijstaarten en... ja, ze krijgt de diepvries niet meer dicht. En het is me toch een grote diepvries. Zo een waar je hele elanden in kunt stouwen. Als de kinderen eens wisten hoeveel ijs er werkelijk in de kelder was... Of als Robert het zag. Wat zou ze moeten antwoorden? Waarom puilt de hele diepvries uit van het ijs? Uitverkoop? Steekpenningen? Acute boulimia? Onverklaarbare aantrekking tot de ijscoman?

Al met al voelt het treurig. Dat Lena het grootste deel van de tijd alleen maar wil dat het avond wordt. Zodat ze met rust wordt gelaten en alle kinderen slapen. Of ze wil dat het halfnegen 's ochtends wordt zodat alle kinderen op school zitten en op de crèche zijn, ver weg van haar. De kinderen die ze altijd zo graag wilde hebben, bij wie ze veel wilde zijn. Nu wil ze ze gewoon weg hebben. Ze wil Robert ook weg hebben, maar hij is uit zichzelf al weg, dus dat stukje loopt goed. En als dan iedereen weg is, heeft ze geen puf om iets te doen. Soms gooit ze een was in de wasmachine, die ze vervolgens vergeet leeg te halen, waarop de was gaat ruiken en weer gewassen moet worden waarop ze die weer vergeet uit de wasmachine te halen en die dan weer gaat ruiken. En haar trieste bijbaantjes! Die zijn echt alleen maar voor het levensonderhoud. Overal parttime. Niemand die het wat kan schelen, Lena het allerminst. Alsjeblieft, kan niemand dan een leuk baantje in Braby tevoorschijn toveren!

De enige keer dat Lena de levenslust weer iets terug voelt komen, is bij het horen van Conny's ijscowagenmelodietje.

Ze ziet hem. Daar staat hij. Leunend tegen de auto en zoals altijd een vaag deuntje fluitend. Blauwe jeans, afgetrapte Nikes en een geweldig lichtgevend en afschuwelijk ritselend jack met opdruk. Hij heeft zijn haar geknipt! IJSEXPRESS staat er op de rug. Zijn brede glimlach begint te stralen als hij Lena klepperend over het grindpad ziet naderen, met een iets lichter loopje nu. Nog steeds bruin. Nog steeds sproetig.

'Hoi, hoi, Conny!' Lena's mondhoeken gaan onnatuurlijk ver omhoog, alsof je ze over haar oren zou kunnen hangen.

'Hoi Lena-Agneta! Wat ben je mooi!'

Lena kijkt verlegen naar de grond. Ja, ze wist immers dat Conny vandaag zou langskomen, dus heeft ze haar kans waargenomen en haar haar gewassen.

'Jij ziet er ook mooi uit. Nieuw kapsel?'

'Yep, zelf getrimd in de badkamer! Is het ijs al op? Wat goed! Mooi!'

Lena kijkt naar haar oude klompen die ze met zilvertape heeft gerepareerd. Ruimteschoenen noemen haar kinderen die.

'O nee, het is niet op maar... We hebben een feest! En dan gaan we ijs eten. Heel veel ijs.'

'Dat klinkt goed. Wat voor soort feest dan?'

'Hm... Het wordt een groot wild feest, iedereen zal dansen, drinken en de hele nacht lol hebben!'

'En ijs eten.'

'Precies.'

'Weet je wat je wilt hebben, of zal ik iets voor je uitzoeken?'

'Kies jij maar!'

Het is een genot. Dat Conny voor haar kiest. Dat hij gewoon vraagt waar het voor is en het zaakje dan regelt. O, stel je voor dat hij haar leven ook in orde kon maken. Stel je voor dat ze gewoon een levend, gelukkig en spannend leven kon bestellen en dat hij dan wat rommelde in het vriesvak en er weer uitkwam met een oplossing.

Conny kijkt naar Lena. Glimlacht. Straalt. Zet zijn vinger onder zijn kin en lijkt diep na te denken. 'Een wild feest zei je?'

Lena knikt enthousiast en trekt haar jack steviger om zich heen. Het begint koud te worden 's avonds vorstig, winderig en bijna een beetje winterachtig. Een dun laagje vorst is over alle verrotte bladeren en appelen gaan liggen, en heeft de oude troep op het erf veranderd in iets glinsterends en bijna moois.

Conny trekt plotseling zijn wenkbrauwen op en opent de deur van het vriesvak. 'Hoeveel komen er?' Conny schreeuwt vanuit het vriesvak.

'Al mijn vrienden. Minstens honderd stuks!' Honderd vrienden. Waarom haalde ze dat erbij? Is ze veertien of zo? Een puber die indruk wil maken op Brommer Örjan? Nee, ze is vierendertig en wil indruk maken op IJscowagen Conny, laten zien dat ze helemaal niet zo saai is als het misschien wel lijkt, met oud schroot in de tuin, een afwezige kerel, een hoop kinderen en ijs als haar enige interesse. Nee, zíj geeft ook wilde feesten! Met haar honderd beste vrienden!

Conny komt terug van het vriesvak. Met een enorme doos... Piggelin waterijsjes.

'Ha, ha, laat het me eerst uitleggen. Als jullie met zoveel mensen zijn en veel dansen, dan is er maar één soort ijs. Piggelin. Makkelijk om te trakteren, verkoelend, lekker, nostalgisch, goedkoop en dan nog de naam! Piggelin. In plaats van cocaïne als het ware. Zet je een plaat van ABBA op met daarbij een grote doos Piggelin, geloof me, dat wordt een succes! Je kunt het ijs verbrijzelen en in drankjes doen, superlekker!'

'Perfect.'

Lena pakt de koude reuzendoos aan. Honderdvijfentwintig Piggelins...

'Dat is dan vierhonderdvijfentwintig kronen.'

Lena reikt het briefje van vijfhonderd aan. Conny pakt het aan en grijnst een beetje.

'Prima, heb je de halve liter nog kunnen gebruiken?'

'Halve liter?'

'Ja, die oude halve liter ijs die je een paar weken geleden van me hebt gekregen, om je man mee op zijn hoofd te slaan.'

'Hahaha, die, ja. Nee, hij is bijna de hele tijd aan het werk geweest, dus ik heb hem er nog niet een pak slaag mee kunnen geven.'

'Wat doet hij dan?'

'Hij runt Wedins garage in het dorp.'

'Aha, hij. Ja, hij heeft me een paar keer geholpen. Aardige vent!'

'Misschien, ik herinner me dat niet meer zo goed.'

Stilte. Conny zoekt in zijn portefeuille naar wisselgeld. Lena's boezem bevriest bijna door de honderdvijfentwintig Piggelins.

'Waarom is hij zoveel weg dan?'

Conny rommelt nog steeds in zijn portefeuille.

'Hij moet, zegt hij. Hij heeft maar twee werknemers in de garage, en die vertrouwt hij niet echt. Hoe je dan zulke mensen kunt aannemen... Maar Robert vertrouwt waarschijnlijk alleen maar zichzelf. Ben jij getrouwd?'

'Nee. Gescheiden.'

'O. Vervelend...'

'Nee, helemaal niet, eigenlijk. Is het leuk om getrouwd te zijn?'

'Haha, nee, helemaal niet eigenlijk.'

'Weet je? Mijn vrouw heeft me eruit gegooid.'

'Jou?' Lena probeert haar overdreven verbazing een beetje te temperen.

'Omdat ik altijd aan het werk was. Ik had toen een eigen transportonderneming, ik moest de hele tijd bijspringen met verschillende ritjes en zo, ik was bijna nooit thuis. Dus mijn vrouw snapte eigenlijk niet goed waarom ze mij nog had. Ze verdiende haar eigen geld, runde het hele huishouden, zorgde voor de kinderen. Waarschijnlijk vond ze het een beetje zinloos om ook nog mijn onderbroeken te wassen. Maar het was goed...'

'Wat?'

'Dat ze me eruit heeft gegooid. Mijn god, wat dacht ik eigenlijk wel niet? Mijn kinderen merkten immers nauwelijks of ik thuiskwam of wegging, het kon hen niets schelen. Ze vroegen me nooit iets, het was alleen maar mama, mama de hele tijd.'

'Maar... Hoe is het nu dan?'

'De kinderen wonen de helft van de tijd thuis bij mij. Wij wonen in hetzelfde dorp, hun moeder en ik, dus dat werkt goed.'

'Wat? Dus je maakt schoon, kookt en denkt aan alle lunchpakketten en het huiswerk en zo bedoel je?'

'Ja, natuurlijk. Als je moet dan lukt je dat ook allemaal. Je bent niet stom alleen maar omdat je een man bent.'

'O, is dat zo? Dus jij maakt de lunchpakketten voor je kinderen bedoel je, wanneer er uitstapjes zijn?'

'Haha, ja, tuurlijk doe ik dat, wie zou dat anders moeten doen?'

'Maar hoe doe je dat? Je werkt toch...'

'Ja, maar ik ben gestopt met mijn bedrijf en nu rij ik alleen nog maar met ijs. Wat ik deed was ook niet vol te houden. Niet als ik ook nog voor de kinderen moet zorgen. Nu is het werk heel anders. Ik heb mijn vaste uren en daarna is het linea recta naar huis naar de koters. Of de tv, afhankelijk van de week.'

De kou voelt ze niet meer. Honderdvijfentwintig bevroren Piggelins worden er langzaam honderdvierentwintig. Smeltend warm is het. Een warmte die Lena niet echt kan tegenhouden.

Een man. Die de lunchpakketten voor zijn kinderen maakt. Die niet voortdurend werkt. Die zijn leven omgooit voor de kinderen.

'Als we elkaar voor die tijd niet meer zien: een heel leuk feest gewenst.'

'Maar het feest is pas... pas over anderhalve week. Je komt

hier voor die tijd toch nog wel langs?'

'Ik weet het niet precies, ik geloof dat ik volgende week in de buurt van Hallen en Ekskär moet rijden.'

Lena rekent snel uit dat dat zeven dagen zonder Conny betekent. Zeven dagen zonder zijn glimlach. Zeven dagen zonder zijn aanwezigheid. Dat gaat niet. Ze glimlacht alleen als ze hem ziet. Ze kan niet zeven dagen zonder een glimlach.

'Maar... Ik kan ook over een paar dagen komen.' Conny kijkt rustig naar Lena. Zijn anders zo montere en snelle ik wordt een beetje rustiger. Hij glimlacht voorzichtig. En een tikkeltje vragend. 'Wil je dat? Dat ik over een paar dagen kom?'

'Ja. Of ja, graag als dat zou kunnen.'

'Oké, dan doe ik dat.'

Nee, niet gaan! Niet gaan, Conny! Blijf hier! Ik heb honderdvierentwintig Piggelins waarvan ik niet weet hoe ik die op moet krijgen. Eet ze op, samen met mij! Ik word rustig van jou. Kom terug, nee, stap niet in, nee, ga niet zitten, nee, start de motor niet, nee, nee. Een paar dagen is te lang. Ik wil meer ijs kopen, kom terug. Of ga ook maar, trouwens! Ach, ga er ook maar vandoor! Je maakt alles alleen maar raar. Of nee, kom terug, ik wil meer ijs kopen!

Lena kijkt de auto na. Hoort het ijsmelodietje echoën tussen de huizen met hun door een laagje vorst bedekte tuintjes. Ze blijft staan met de ijsdoos in haar armen, omhelst die een beetje. Lena loopt terug over het grindpad naar het huis. De drie kleintjes staan voor het raam en zwaaien naar haar, rennen om de deur open te doen.

'Wow, wat een grote doos! Groot, groot!' Hampus springt op en neer, klapt in zijn kleine kleverige handjes. Klap, klap.

'Welke soorten heb je gekocht?' Engla trekt een beetje aan de doos.

'Piggelin. Honderdvijfentwintig Piggelins.'

'Maar... daar houden wij niet van. Waarom heb je die gekocht?'

Zes teleurgestelde ogen staren naar Lena.

'Ik heb ze gekocht, omdat... omdat je niet zoveel ijs moet eten, dat is niet goed voor je hart.'

Marie droogt gehaast de glazen af. Het is woensdagavond en het is nog steeds vrij rustig. De gasten die opduiken, hebben allemaal iets sterks te drinken gekregen, de muziek is nog steeds op een vrij aanvaardbaar volume. Lisa van de baas snijdt limoenen, nog steeds in te dikke schijfjes. En wat duurt het lang. Alsof ze elk schijfje moet zágen. Met een botte zaag. Nu is ze munt aan het hakken. Ze hakt het tot moes. Muntmoes. Wie wil dat nu in zijn caipirinha hebben? Rum met muntmoes alsjeblieft, jazeker, vraag Lisa maar, die kan dat als de beste.

Marie krijgt jeuk. Elke keer als ze naar die kleine kinderkont kijkt, is het alsof ze uitslag krijgt over haar hele lichaam en dan moet ze stevig krabben. Achtentwintigduizend per maand! Voor achter de bar staan en belachelijk dikke schijfjes limoen snijden en tien minuten nodig hebben voor het maken van een gin-tonic. En dan is ze nog aardig ook. Marie haat het! Was het een klein opschepperig kind geweest dan had ze een beetje op haar kunnen schelden. Maar deze is dom en aardig, en zoiets kun je toch geen pak slaag geven. Dat is net als het afranselen van een koe. Verdomme, dan zou je je toch een groot monster voelen. Verdomme.

'Hoi Marre. Alles goed?'

Marie kijkt geïrriteerd op van het glazen drogen. Staffan. Mooie Staffan. Haar irritatie vliegt een klein beetje weg en landt op de plank met alle drankflessen. Marie gooit met haar haar en schuift haar boezem op de bar. 'Ook hoi, cowboy.' Ze draait zich om, pakt een groot whiskyglas en vult het met maltwhisky. Staffan begint geld tevoorschijn te halen, maar Marie wuift afwijzend met haar hand. '*On the house, darling.* Ja... hoe is het met je?' Met een iets beter humeur gaat Marie verder met glazen afdrogen.

Staffan glimlacht breed en wat schaapachtig. 'Goed! Een nieuwe band, Firehead, is in Noorwegen aan het toeren geweest, en ik ben mee geweest. Vrij rustig.'

'Zijn ze goed?'

'Gaat wel. Verschrikkelijk wild op het podium, maar ze zijn dan ook niet helemaal goed snik.' Staffan kijkt om zich heen. 'Rustig vanavond. Waar is iedereen?'

'Tja, het is woensdag en vrijdag komt het salaris pas, dus waarschijnlijk blijven de mensen thuis. Maar jij niet?'

'Nee. De laatste keer dat we elkaar zagen, is het er niet van gekomen.' Staffan grijnst weer.

Die grijns. Marie kan die maar moeilijk weerstaan. Het is net een kleine magneet. Als Staffan grijnst, ziet ze hun nachten voor zich. Niet hun vrij alledaagse ochtenden, maar hun nachten. Ze schikt haar kleine schortje en schenkt voor zichzelf wat whisky in een glas, neemt een flinke slok zonder een spier te vertrekken. 'Nee, toen is het er niet van gekomen.'

'Jammer.'

'Maar je ziet eruit alsof je je wel hebt vermaakt.'

'Dan zie je mijn innerlijk niet.' Staffan legt zijn hand op zijn hart en grijnst breed. Marie lacht en kijkt hem strak aan. 'Ben je niet iemand tegengekomen dan? Sinds de laatste keer?'

'Nee. De eeuwige eenzame wolf, je weet wel. Jij dan?'

'Niks.'

Een gevoel van opluchting verspreidt zich tussen Staffan en Marie. Een gevoel van vrij baan.

'Wie is dat daar?' Staffan knikt naar Lisa, die bierflesjes uit de kratjes in de koelkast zet.

'De onlangs ontdekte dochter van de baas.'

'O, is ze goed?'

'Waardeloos. Waardeloos en met zo'n hoog salaris dat we het waarschijnlijk met een serveerster minder moeten doen.'

'Hoezo, geeft hij zijn eigen kind een hoger salaris dan jou?'

'Yep.'

'Wat een eikel. En ze is knudde?'

'Volstrekt knudde.'

'Godverdomme.'

'Ja.'

Staffan nipt van zijn whisky, legt zijn hand op die van Marie. 'Ik ga even met Lasse daar verderop zitten. Gaan we naar jouw huis later?'

'Laten we dat maar doen.'

Staffan glimlacht breed, schudt zijn lange haar naar achteren en laat zich in zijn leren broek van zijn barkruk glijden.

Marie gaat verder met het afdrogen van de glazen. Achtentwintigduizend kroon. Voor het snijden van brede, weerzinwekkende limoenschijven. En dan zet ze het bier ook nog niet op volgorde! Ze kan toch verdomme de verschillende soorten niet door elkaar zetten! Hoe kun je dan ooit de goede vinden?

Mijn hemel, ze gaat Staffan vanavond kapotneuken als ze niet iets doet. Ze moet dat gevoel van een vulkaan die op punt van uitbarsten staat, weghalen. En dat gevoel van... er genoeg van hebben – de shit maar slikken, dankbaar zijn, tweeënveertig zijn en niet trots op je beroep zijn.

Nee, verdomme, nu gaat Marie bellen. Met Vlatko. Wat zal ze zeggen? Of zal ze gewoon bulderen? Niet zeggen wie ze is, maar gewoon gaan bulderen. Of misschien bellen en zeggen dat ze alles weet en ook achtentwintig rooien per maand wil hebben. Ze kijkt weer. Naar Lisa. Yep, onfeilbaar, het jeukt. Haar vuisten ook. Geen goed gevoel. Slecht.

'Ik neem even een pauze.' Een beetje te heftig, een beetje te agressief gezegd, maar ze heeft haar in elk geval niet geslagen. Marie schiet langs Lisa de bar uit, door het kleine keukentje, roept Otto uit de kelder, laat hem vrolijk hijgend de trap oprennen en samen lopen ze de binnenplaats op. Het is kouder nu. Oktober. De bomen op de binnenplaats hebben felgele bladeren en op het asfalt ligt een oranje bladertapijt. Otto rent rondjes met zijn snuit over de grond als een graafmachine waarbij de bladeren achter hem omhoogstuiven. Marie opent haar mobieltje, zoekt naar Vlatko's nummer, drukt de cijfers in, maar net op dat moment gaat hij over. Marie kijkt naar de display: afgeschermd nummer. 'Marre.'

'Lieverd, ik ben het.'

'Wie?'

'Mama, lieverd. Het is mama.'

'Waarvandaan bel je?'

'Papa is dood. Papa is dood!'

'Waarvandaan bel je?'

Waarvandaan belt ze? Waarom is het nummer afgeschermd? Waar is ze mee bezig? Wat is ze aan het doen? Waarom belt haar moeder vanaf een afgeschermd nummer? Wat is het koud. Of is het warm? Nee, het is koud. IJzig koud als op de Noordpool.

'Ik bel vanuit het ziekenhuis, lieverd. Papa is dood.'

9

Hij is koud. Ze waren aangekomen toen de warmte al weggevlogen was. Een koude papa. Met gesloten ogen. Die warme chocoladebruine, glinsterende ogen zijn niet te zien. Ze zijn gesloten. Zijn dichte, grove wimpers rusten op zijn grauwe wangen. Zijn huidkleur is ook weggezweefd. Die roodbruine, grove huid. Zijn altijd warme, rode wangen. Koud nu. En grauw. Zijn mond open. Zijn kin naar beneden gevallen. Die brede glimlach. Zijn luide lach. Weg. Verdwenen. Zijn brede, sterke schouders. Nog steeds breed, maar ze kunnen nooit meer iets optillen.

Irene duwt haar handen onder zijn rug, terwijl hij op het ziekenhuisbed ligt. Ze streelt, tast en zoekt naar een beetje lichaamswarmte. Zonet was haar man nog een heel klein beetje warm in zijn holle rug, in zijn onderrug. Maar nu is hij daar ook koud.

Marie slaat een arm om haar moeder heen. Ze houdt haar stevig vast bij haar smalle, stijve schouders. Te stevig. Marie is niet gewend een arm om haar moeder heen te slaan. Het voelt gekunsteld en onnatuurlijk. Maar Irene voelt niets. Ze zoekt naar de warmte van haar man. Zijn luidruchtige, eindeloze warmte. Die toch eindig was. Weg. Irene tilt een van zijn zware benen op. Legt haar handen onder zijn stevige bovenbenen. Koud. Hoe kan zo'n warm mens zo koud worden?

Åsa moet alweer erg nodig plassen. Twee uren geleden kreeg

ze te horen dat haar vader dood was. Sindsdien is ze zeven keer naar de wc geweest. Alsof het lichaam het verdriet en de schok eruit wil plassen. Maar het werkt niet echt.

Ze was Warcraft aan het spelen toen Marie belde en in paniek schreeuwde dat ze naar huis moesten. Dat papa dood was. Dat ze nu moesten vertrekken, nu meteen. Dat Lena bij mama was, maar dat die ook op het punt stond in paniek te raken.

Dat ze stomdronken achter het stuur had gezeten. Daar moest Åsa aan denken. Dat autorijden in diepe shock net zo verboden moest worden als autorijden met te veel drank op. Hoe ze naar de Högbergsgatan is gereden weet ze niet meer. Plotseling zat Marie gewoon in de auto. De hand van Marie even in die van haar. Stil. Donker buiten. Zo donker. Eerst stilte en daarna Marie die maar bleef praten. Zonder te stoppen. Zonder grenzen. Over Het Zonneroosje. Wat moest er met de boerderij gebeuren? Met mama. Wie nam de boerderij over? Zij kon de boerderij niet overnemen. Ze kon niets. Ze moest morgen weer thuis zijn. Dan is het donderdag en dan komen er zoveel mensen in de club en Lisa kan het niet in haar eentje doen en wie zorgt er voor mama, want zij kan het niet. Ze bleef maar malen over de boerderij.

Åsa moest de hele tijd stoppen om te plassen. Plassen bij de bushalte, plassen aan de kant van de weg, plassen voor de kerk. Midden op de snelweg. Het is haar schuld. Åsa's schuld. Papa had gebeld. Dat was het enige waar ze aan kon denken. Papa had gebeld. Hij had haar hulp nodig. Ze kwam niet. Hij stierf. Als ze was gekomen was hij niet gestorven. Dan hadden hij en mama op dit moment, elf uur 's avonds, ieder hun kop avondthee gedronken en hun broodjes kaas opgegeten (ondanks dat ze nog vol waren van mama's gehaktschotel) voor een opgenomen aflevering van *Jeopardy*. Samen konden ze echt veel punten scoren. Nooit alleen, maar samen. Na *Jeopardy* had mama afgewassen en haar tanden gepoetst samen met papa in de badkamer op de bovenverdieping.

Papa had verteld dat Gullan 37 morgen geïnsemineerd moest worden, mama had nagedacht over de uierontsteking van Rosa 15.

Ze waren naar bed gegaan. Dicht naast elkaar gaan liggen. Mama in haar grote, roze T-shirt met een windsurfer erop en papa naakt. Ze hadden elkaar gekust. Een arm om elkaar heen geslagen. Mama was veilig in slaap gevallen met papa's warme lichaam achter zich. Hij slaat 's nachts altijd een arm om haar heen. Had altijd een arm om haar heen geslagen.

Nu is mama op zoek naar warme plekken op papa. Maar het is afgelopen nu. Åsa droogt haar tranen en loopt naar buiten om te plassen.

Lena leunt haar hoofd tegen Roffes brede, koude borst. Hij ruikt nog steeds, hij ruikt naar papa. Naar die goedkope aftershave met de naam Harley-Davidson die hij van Marie had gekregen. Harley-Davidson, koffie en een beetje mest. Papa. Godverdomme, shit.

Shit, shit, shit. Hoe kun je, papa? Hoe kun je in je overall in de stallen rondlopen en daarna gewoon sterven?

Ze legt haar armen om hem heen. Omhelst hem stevig. Voelt zijn lichaam door het witte, zachte ziekenhuisjasje heen. Die vetrollen waarover hij altijd zeurde, die nauwelijks te zien waren. Lena knijpt er een beetje in. Geen reactie. Knijpt nog harder. Hij ligt helemaal stil. Papa.

Hij had op zijn knieën gezeten in de stal. De uiers van Rosa 15 gemasseerd, geprobeerd haar ontsteking de baas te worden. Toen was er iets geknapt in zijn borstkas. Een inwendige explosie in papa. Dynamiet in zijn hart. Een aanval op zijn hart.

Toen mama hem had gevonden, ademde hij nog steeds. Rosa 15 was opzij gestapt, stond rustig te herkauwen met Roffe liggend naast haar hoeven.

Mama had geprobeerd met hem te praten, maar hij had haar alleen maar aangekeken, met angstige ogen. Doodsbang, verwonderd, zwijgend. Mama had hem op haar schoot gehad toen ze 112 belde. Ze had nog nooit eerder 112 gebeld. Ze kon niet op het nummer komen dus had ze inlichtingen gebeld die haar vervolgens met de alarmcentrale doorverbond. Papa ademde zo zwak, Irene hyperventileerde.

De ambulance kwam. Reed helemaal tot aan de stal. Papa ademde nog een beetje, maar zwak. Zo zwak. Angstige ogen. Mama bang. Ongelooflijk vriendelijke ambulancemensen. Zo vriendelijk dat mama het begreep. Dat dit niet goed was. Helemaal niet goed. De mensen van de ambulance knipten zijn overall open, bevestigden snoeren op zijn borst. Riepen naar elkaar, waren aan het bellen, bereidden het ziekenhuispersoneel voor, streelden mama over haar schouders, drukten papa op zijn borst. Zijn angstige ogen. Die zich sloten. Hij knipperde. Papa was dood nog voordat ze het ziekenhuis hadden bereikt.

Mama had de hele tijd zijn hand vastgehouden.

Verdomme, papa. Hij kan nu niet weggaan, niet nu. Ik red dat niet, red dat niet.

Lena doet haar ogen dicht. De tranen blijven maar stromen. Geen snikken. Alleen maar stromen. Ze heeft de puf niet. Heeft de puf niet om voor Irene te zorgen. Heeft de puf niet om voor de uierontsteking van Rosa 15 te zorgen. Heeft de puf niet om voor de stal te zorgen. Heeft de puf niet om te rouwen om haar mooie, lawaaierige, stevige, koude, morsdode papa. Die ruimte is er niet. Wanneer je niet eens de ruimte hebt voor een extra ouderavond op school, hoe moet je dan de puf hebben voor de dood van je eigen vader?

Marie kijkt naar Lena. Die stilletjes op Roffes borst ligt te huilen. Marie wil hem niet aanraken. Het is hem niet. Hoe kun je leunen tegen dit... lichaam? Dit koude, grauwe, verlaten... niets.

Ze is altijd zijn speciale oogappel geweest. Het eerste liefdeskind van Irene en Roffe. Ze was wild, al vanaf het begin. Roffe hield van haar, juist daarom. Hij kon compleet gek worden als ze voor het melken wegsloop en er op de brommer vandoor ging naar het dorp. Maar later op de avond zat híj altijd op de rand van haar bed haar haar te strelen met zijn grote, ruwe handen.

Irene heeft Marie nooit echt begrepen. Ze heeft haar onrust niet begrepen, haar onwil om een gezin te stichten. Heeft überhaupt haar beroepskeuze, kledingstijl of leefstijl niet begrepen. Alsof Irene en Marie tot twee verschillende volkeren behoorden. Of tot twee verschillende diersoorten: dwergkonijn Irene en poema Marie. Roffe zag Marie. Preciezer gezegd: hij keek door alle strakke leren broeken, plastic borsten en blonde golvende haren heen. Alsof het er niet was. Hij zag haar goede, licht vertwijfelde hart dat op zoek was naar een kick. Papa. Papa, papa, papa.

Het is vroeg in de ochtend wanneer ze het erf van Het Zonneroosje op draaien. Het grind knerpt onder de autobanden. De zon komt net op en het is mistig en het gras is bedauwd. De rode kleur van het grote hoofdgebouw glanst van de ochtendvorst. Roffes oude Volvo staat geparkeerd naast een van de vleugels. De oude Volvo met een kapotte bodem en geen veiligheidsriemen op de achterbank. Åsa, Lena en Marie kregen helmen op als ze achterin zaten. Åsa een groene, Lena een gele en Marie een rode. Fietshelmen. Dezelfde kleuren hadden ze ook wanneer ze mens-erger-je-niet speelden. Dat was gewoon het gemakkelijkst.

Papa zorgde zo goed voor hen. Fietshelmen in de auto en als er een noodsituatie zou ontstaan, moesten ze zich op Roffes commando alle drie naar voren werpen en hun handen boven hun hoofd houden. Wat dacht hij? Dat hij net voor de noodsituatie zijn commando zou kunnen uitroepen? Misschien is het dan niet echt een noodsituatie? Roffe. Vol fantasie en verantwoordelijkheid. Zelfs in geval van noodsituaties. Je vraagt je af wat hij heeft gedacht toen het knapte in zijn borst? Dacht hij dat het gewoon een kwestie was van naar het ziekenhuis en repareren? Waarschijnlijk niet. Irene vertelde over die angstige blik. Zonder enige hoop. Pure angst. De dood die zich had vastgehaakt in zijn borstkas.

Lena helpt Irene uit de pick-up. Roberts geruite autodeken ligt over haar schouders. Met langzame stappen lopen ze samen het trapje op, zoeken in Irenes tas naar de sleutel. Zoeken en zoeken. Met stijve handen. Zo stijf dat ze de sleutel, die precies tussen de portefeuille en de zakdoeken ligt, niet voelen. In hun vingertoppen zit geen gevoel. Uiteindelijk vinden ze de sleutel, steken hem in het slot en de massieve dubbele deur gaat open.

Marie en Åsa leunen tegen Åsa's sportautootje zonder achterbank aan. Ze kijken uit over het erf terwijl Otto uitgelaten rondjes rent en plast in elk bloembed dat hij vindt. Marie haalt een pakje John Silver zonder filter uit haar zak. Ze steekt een sigaret op, plukt een stukje tabak van haar tong, neemt een diepe trek en blaast de rook naar het huis.

'Mag ik er ook een?' Åsa slaat haar sjaal nog een keer om haar hals en knikt naar de sigaret. Åsa rookt niet. Dat weet iedereen. Ze kan niet roken zonder over te geven of in elk geval bijna, maar papa's kunnen ook niet doodgaan. Dus als papa's kunnen doodgaan, kun je ook net zo goed een sigaret opsteken. Åsa snuit haar neus in haar zakdoek en voelt dat ze weer nodig moet plassen. Marie steekt de sigaret voor haar aan en stopt die in haar mond.

Eén trek van de sigaret. Niet over de longen. Ach, wat kan het ook schelen? Ze kan net zo goed over de longen roken. Åsa zuigt de rook haar longen in. Het schroeit en trekt. Natuurlijk begint ze te hoesten. Glimlachend klopt Marie haar op haar rug.

Lena holt het trapje bij de voordeur af. Ze heeft Roffes grote blauwe Helly-Hansentrui en mama's modderige stallaarzen aan. Met grote stappen sjokt ze naar haar zussen. Ze strekt haar koude hand uit naar Marie. 'Ik wil er ook een.'

Marie schudt voor Lena een sigaret uit het pakje.

Daar staan ze dan. Elk met een sigaret leunend tegen Åsa's sportauto.

Åsa hoest, Lena rookt driftig en Marie blaast rookkringen de ochtendnevel in.

'Tja. Vader is nog maar een paar uur dood en jullie beginnen onmiddellijk te roken. Laffe slijmerds.' Marie grijnst een beetje verdrietig en maakt de bovenste knoopjes van haar strakke jeans los. Ze wrijft over haar gezwollen oogleden. Åsa neemt nog een trekje, hoest en glimlacht ook een beetje.

Met bevende hand tipt Lena de as af tussen de verwelkte rozen. 'Ik heb de bank voor mama opgemaakt, die in de woonkamer. Ze wil niet boven in bed slapen. Jullie snappen het toch wel, hè? Dat jullie nu niet terug kunnen naar Stockholm. Dat jullie moeten blijven.'

Marie zucht diep, trekt de mouwen van haar vest over haar handen. 'Shit. Mijn baas zal gek worden.'

Lena tipt de as onwennig af in de richting van haar laarzen. 'Je hebt in feite het recht vrij te nemen bij een sterfgeval. Als hij moeilijk doet, kun je hem aangeven.'

'Hem aangeven? Waar dan?'

'Ik weet niet, bij een of andere vent van de gemeente.'

'Ja, ja, laat maar. Ik blijf wel een paar dagen. Hij kan de pot op.'

Åsa hoest met een grimas wat rook uit. 'Ik kan ook wel een tijdje blijven. Ik moet alleen even naar huis om een paar laptops en zo op te halen.'

Stilte. De zussen trekken hun jassen, sjaals en truien steviger om zich heen. Ze kijken uit over Het Zonneroosje. Er is zoveel papa. Zijn grootvader heeft het opgebouwd, heeft die kleine, schattige vleugels en het machtige hoofdgebouw in elkaar getimmerd. Het huis met wel tien kamers, maar Roffe en Irene vertoeven alleen op de benedenverdieping. Toen de dochters het huis uit gingen was het niet meer nodig om het hele huis te verwarmen. Maar hun kinderkamers zijn er nog steeds. Van Lena, Marie en Åsa. Geen enkel gummetje is verplaatst. Alleen de warmte is verdwenen.

De boerderij. De grote rode stal die Roffe een paar jaar geleden heeft omgebouwd tot een biologische stal. Wat een project. Donders, wat duur en veel werk, maar nu krijgen ze meer subsidie en Roffe genoot ervan om het goed te doen. Goed voor het vee. Honderd melkkoeien. Honderd kalveren. In totaal tweehonderd dieren.

De silo. De werkplaats. De garage. De nieuwe hooimachine. Roffe heeft er nooit mee gereden!

Toen de zussen klein waren moesten ze zich vaak zelf redden. Marie, die de oudste was, moest altijd haar jongere zussen wekken. Ze helpen met aankleden en ontbijt geven. Marie, die 's ochtends nog maar amper pap kon zeggen. Roffe en Irene waren immers 's ochtends van vijf tot acht in de stal en Marie was de oudste, dus dat was een uitgemaakte zaak. Het zakgeld werd onmiddellijk ingetrokken als ze slordig was. Ja, zoveel zakgeld was er nooit, hoe dan ook. Maar Roffe stopte haar toch altijd wat geld toe.

'Wat is het hier toch mooi... Kijk.' Åsa neemt nog een trekje en wijst met haar want naar dat rode gebouw dat schittert in de ochtendzon.

'Ja. Het is mooi, maar verdomme, wat is het vervallen. Moet je die garage eens zien, die zakt bijna in elkaar. Heeft papa daar de tractors staan?' Marie kijkt vragend naar Lena.

'Ja, dat klopt. Ik weet dat hij die samen met Bruno gaat opknappen, zou opknappen bedoel ik... Hij zou het met Bruno in orde maken. In november geloof ik...'

Daar komen de tranen weer. Åsa reikt Lena haar zakdoek aan die haar gezwollen, pijnlijke ogen afdroogt.

'Papa zou nog heel veel repareren op de boerderij! Wanneer hij klaar was met de stal, zou hij de garage doen en misschien een nieuwe silo bouwen... Misschien deze winter een invaller inhuren voor zeven dagen en dan konden hij en mama...' Lena snuit haar neus in Åsa's zakdoek.

Marie schiet haar peuk weg. 'Godverdomme, wat heb ik hier

niet wat afgezwoegd. Mijn god, herinneren jullie je nog die week toen papa en mama op een of ander groot LRF-seminar in Kopenhagen waren? Wanneer was dat... 1980? Eerst opstaan en melken en daarna jullie kleintjes eten geven en daarna op de fiets naar school... Toen heb ik besloten dat ik, zodra ik klaar was met school, weg zou gaan.'

'Dat was toen jij je stereo in de stal zette...' Åsa kijkt omhoog naar de hemel en probeert het zich te herinneren. 'Ja, jij zette je kleine rode bandrecordertje daar neer en speelde om vijf uur 's ochtends keiharde muziek.'

Marie lacht met een blik van herkenning. 'Ja, precies... *Ace of Spades*, Motörhead Lemmy en ik waren samen aan het schreeuwen. Ja, het voeren en uitmesten ging toen heel wat gemakkelijker. Verdomme, wat een tempo had ik toen. In een kwartier spoot ik een hele box schoon.'

'En 's middags toen ik en Lena de dieren voerden, luisterden we naar een oude cassette, wat was het...' Åsa denkt na.

Lena begint te stralen en zwaait met haar handen! 'Lill Lindfors! Papa's eigen mix met Lill was het toch?'

'Ja precies!'

'Arme koeien... Lill Lindfors...' Huiverend steekt Marie een nieuwe rode John Silver op.

Åsa veegt haar neus af en glimlacht. 'Maar het was toch best gezellig. Misschien niet elke ochtend, maar toch... We hoefden niet de hele tijd te helpen. En herinneren jullie je die dagen toen papa en mama vrij hadden genomen en wij een uitstapje gingen maken en gingen kamperen? Dat was zo plechtig! Dat wij allemaal in de auto zaten en met vakantie zouden gaan. Vier dagen!'

'Ik herinner me vooral dat vader onrustig was en voortdurend op zoek was naar een telefooncel zodat hij naar huis kon bellen.' Met de sigaret in haar mondhoek schikt Marie haar borsten onder haar vest.

Lena trekt haar Helly-Hansentrui over haar achterwerk. 'Ja, hij vertrouwde er waarschijnlijk niet echt op dat de boerderij bleef draaien als hij weg was.'

Stilte. En dan kijken alle zussen naar elkaar. Åsa staart naar haar horloge en roept het uit. 'Mijn hemel het is bijna zeven uur!'

Alsof Lena een elektrische schok heeft gekregen, gooit ze haar peuk weg en draaft naar de stal in de te grote laarzen, haar vrijetijdsbroek en de reuzentrui van Roffe. Ze zwaait naar Marie en Åsa. 'Kom dan, ze moeten wel knettergek zijn. Kom!'

Åsa knoopt haar vest dicht, fatsoeneert haar sjaal en klost erachteraan, terwijl Marie de twee laatste trekken van haar sigaret neemt, over het erf kijkt in de ochtendzon en naar de honderd koeien met hun gezwollen uiers en hun kalveren slentert.

10

Godverdomme! Waarom moet Sigbritt 27 kalven net nu alle invallers naar huis zijn gegaan en mama bij Lena slaapt? Nee, Irene wil niet op Het Zonneroosje slapen, kan het niet, dus ze ligt op een matras bij de kleintjes van Lena en huilt. Marie woont met Otto op de boerderij. Ze let erop dat de invallers aan het werk blijven. Let erop dat haar hersenen afgesloten blijven. Dat ze niet veel denken aan waarom het huis zo leeg is, waarom papa's enorme rubberlaarzen altijd in de hal zullen blijven staan en niet meer buiten rondrennen zoals gewoonlijk.

Sigbritt 27 stampt onrustig met haar hoeven op de cementen vloer, terwijl ze woest naar Marie kijkt. Marie is al zeker tien jaar niet bij de geboorte van een kalf geweest. Maar toen ze 's middags wat ingevroren vlees had opgehaald, hoorde ze Sigbritt 27 paniekerig loeien, stampen en zich heen en weer werpen. Als een mens. Als een gekweld mens. Als bij die bevallingen die je op de televisie ziet, met vrouwen die brullen en in de gangen van de afdeling verloskunde lopen te ijsberen. Bij koeien is het net zo. Voor de meeste betekent het pijn en paniek. Ze moest haar de kalfbox indrijven en het volume van de mp3-speler omhoogdraaien. Er is genoeg geschreeuw, gehuil en pijn op de boerderij. Dan liever wat Thin Lizzy uit 1979 in haar hoofd. Marie streelt de koe kalmerend over haar buik, doet het hek van de box dicht en loopt naar het kantoortje in de stal met twee bureaus, twee grote computers, een paar krakkemikkige bureaustoelen, een grote koelkast voor stierenzaad, een paar droge vanillekoekjes in een mandje, koffiekopjes, afgewassen, maar desondanks met koffieranden, een paar overalls van de invallers en een ovulatiekalender aan de muur geprikt. Marie kruist aan dat de weeën van Sigbritt 27 zijn begonnen, steekt een sigaret op, opent het raam met het uitzicht op de mestvaalt en gaat in de raamopening staan roken. Ze moet Vlatko bellen. Ze aarzelt. Ze aarzelt al een paar dagen. In plaats daarvan heeft ze een sms'je naar Linus gestuurd dat ze ziek is. Alsof ze niet wil vertellen dat haar vader is overleden. En iedereen zo overdreven vriendelijk wordt en misschien een doos chocolade stuurt. Marie kan er niet tegen wanneer mensen te aardig worden. Medelijden met haar hebben. Vragen of ze hulp nodig heeft. Daar kan ze niet tegen. Chagrijnige bazen heeft ze minder moeite mee. Attente collega's, meelevende vrienden en kinderen. Nee, dat soort zaken zijn niet Maries cup of tea. Lena vroeg haar gisteren of ze niet even op de kinderen kon passen, maar ze kan dat niet. Ze kan niet met kleine kinderen zitten spelen, kan niet houden van hun blubberige handen die gewoon stinken van alle bacteriën.

Nog steeds geen tranen, maar een grote steen in haar maag. Een Roffe-steen, maar geen tranen. Behalve gisteravond toen ze een ui sneed. Ze had geprobeerd gebraden gehakt met ui te maken, maar ze stond voornamelijk te huilen. Het was nogal een scherpe ui.

Ach, ze kan net zo goed Vlatko nu bellen. Marie vist haar mobieltje uit de zak van haar overall die ze met moeite kon dichtknopen, aangezien haar dure borsten te groot zijn voor een gewone melkoverall.

'Met Vlatko.'

'Ja, dag, met Marre, van Rock 'n' chock, je weet wel.'

'Ja, ja. Ik hoorde dat je ziek was.'

'Ja, ik moet een paar dagen vrij hebben... Misschien een week. Mijn vader is overleden.'

'Wie zei je?'

'Mijn vader is overleden!' Geïrriteerd schiet Marie haar peuk door het openstaande raam, verdomme, moet ze de hele tijd alles herhalen?

'Is je vader overleden?'

'Ja!!'

'Dat spijt me, maar je kunt niet te lang vrij hebben, dat weet je! Linus kan de bar niet in zijn eentje doen.'

'Een week.'

'Een week. Nee, nee, Marie, dat gaat niet. Dat van je vader is vervelend en ik...'

'Verdomme! Nu komt het kalfje!'

'Wat? Een half wat?'

Marie rukt de staldeur open, de schreeuw dringt door de muren heen. Sigbritt 27 drukt haar grote kop tegen de box, haar poten staan wijd uit elkaar. Vruchtwater, bloed en slijm stroomt uit haar schede en er glijdt een roodbruin wezen uit.

'Ik kom over een week! Verdomme, wat doe je nu? Sigbritt. Je moet haar likken nu!'

'Moet ik je eruit kicken?'

'Nee, het kalf likken. Doei.'

Marie drukt hem weg, duwt haar mobieltje weer in haar zak. Hij begint te rinkelen. Shit, Vlatko moet wachten. Sigbritt 27 draait zich onhandig om, maar ondanks haar stijve poten stapt ze niet op het kalfje. Teder buigt ze haar grote kop naar het kalfje. Kijkt er met haar grote bruine ogen naar, steekt haar blauwe tong uit en begint het schoon te likken. Uit het slijm komt een pas ontwaakt kalfje knipperend met haar ogen tevoorschijn, met een samengeklitte vacht en wankele poten. Het staat wel erg onvast op en probeert de spenen van haar moeder te vinden. Sigbritt 27 stapt onzeker rond in het stro en weet niet goed wat ze moet doen. Roffe moest de nieuwe kalfjes bijna altijd de weg wijzen. Hij greep hun kleverige kopjes tussen zijn grote handen en leidde ze naar de spenen en de melk. Marie opent het hek. Vooruit, Marie! Doe wat Roffe altijd heeft gedaan. Je kunt het.

Je weet het! Ze helpt het kalfje met het vinden van de spenen en hoe het daaraan moet zuigen. Ze ziet hoe Sigbritt 27 ontspant. De lauwe melk stroomt langs de bek van het kalfje. Marie laat zich tegen de box naar beneden zakken. Leunt er met haar hoofd tegenaan en laat haar blik rusten op het zogende kalfje.

Papa. Hoe kan hij alles zomaar achterlaten? Haar achterlaten. Hier tussen alle koeien die kalven, die gemolken moeten worden en vooral voortdurend gevoederd moeten worden, moeders die huilen en dochters die niet kunnen huilen.

'Maar mama, een paar favoriete liedjes moet hij toch wel hebben gehad? "Jij bent de enige", die van Lill Lindfors, daar was hij toch dol op!'

'Ja, maar ik weet het niet. Zoek jij maar wat uit. Of vraag Åsa, zij zou alles regelen heeft ze gezegd. Praat met Åsa, zij weet het vast wel. Ik kan dat niet opbrengen.'

Lena en moeder Irene. Ze zitten in Lena's keuken. Lena is een schaduw. Irene is een schaduw van een schaduw.

Een kleine, dunne variant. Amper te zien. Wanneer de schemering valt, verdwijnt ze helemaal. Irene schuift haar onaangeroerde kopje koffie van zich af en kijkt uit het raam. Lena bestudeert haar moeder. Mama en papa. Ze zijn nooit lang bij elkaar vandaan geweest. Ja, een keer toen haar vader met een paar dierenartsen naar een grote bijeenkomst in Skara ging. Toen heeft haar moeder op de bank geslapen. Het was zo eenzaam in het grote bed, vond ze. Eenzaam. Als het al eenzaam is als je man voor een bijeenkomst van dierenartsen een nacht in Skara blijft, hoe eenzaam is het dan wel niet wanneer hij opgebaard ligt in de koelruimte van het ziekenhuis?

Lena kan het verdriet van haar moeder niet aan. Het is zo... overweldigend. Het is als een grote, zwarte mammoet die alles overneemt. Lena heeft ook verdriet. Irene merkt het niet, ze zit diep verzonken in haar eigen verdriet, en dat haar kinderen hun vader hebben verloren, daar denkt ze niet aan. Zij is haar man verloren, haar partner, haar arbeidskameraad, haar alles. Alleen Irene heeft iets verloren. Zij, Irene.

Lena hield van haar vader. Misschien vond hij haar aanwezigheid soms een beetje te vanzelfsprekend. Zoals je soms doet met een dochter die er altijd is. Papa hoefde maar met een mestvork te zwaaien of Lena stond al op de mestvaalt en probeerde de hoop stront te ordenen. Als klein kind was Lena al dol op koeien geweest. Ze huilde toen ze als achtjarige nog niet bij de knoppen kon zodat ze kon meehelpen met melken. 's Zomers wanneer Irene en Roffe bijna de hele tijd aan het hooien waren, moesten de kinderen 's middags de melkbeurt overnemen. Marie smeerde 'm altijd. Pakte de brommer naar het dorp en at aardappelpuree met grillkruiden bij Kenny's grill. Åsa deed haar deel van het werk, niet met plezier, maar als een robot. En Lena? Lena genoot ervan ergens verantwoordelijk voor te zijn, dicht tegen de koeien aan te kruipen, hun harige warmte te voelen en alle vette melk naar de tank getransporteerd te zien worden.

Roffe en zij zijn er altijd van uitgegaan dat zij de boerderij zou overnemen als hij en Irene met pensioen zouden gaan.

Zij en Robert. Maar nu... Robert zou zijn garage nooit opgeven. Lena zou never nooit, maar dan ook nooit de zorg voor vier kinderen, konijnen, honden, katten, honderd melkkoeien, honderd stuks jongvee en honderdzes hectare grond in haar eentje aankunnen... En dat allemaal voor, zeg maar, een salaris van vijfduizend kroon per maand. Bruto. Nee, weg met die gedachte. Nu hebben ze drie weken lang invallers op de boerderij, en Marie die een tijdje meehelpt. Daarna. Daarna mogen ze aan de boerderij denken. Daarna. Daar komen de tranen weer. Is er niet een of andere stop voor tranen? Heeft ze in haar buik soms een waterput die eindeloos diep is? Waar je dag en nacht water uit kunt halen. Lena's ogen zijn rood en droog van al dat zout. Als ze met haar ogen knippert, hoort ze het knarsen. Luidruchtig snuit ze haar neus in een oud servet dat op tafel ligt. Ai, oeps daar zat bolognesesaus in. Lena veegt de saus af die nu op haar neus zit. Irene schrikt op door het luidruchtige snuiten en draait zich om naar Lena.

Een bevende kleine moederhand strekt zich uit naar Lena en streelt haar wang.

Lena droogt haar tranen weer af met het bolognesesausservet. 'Mama... Ik... ik ben zo... verschrikkelijk verdrietig...'

De tranen rollen als een onstuitbare lawine. Irene opent haar kleine kraaienarmen en Lena duikt erin. Ze nestelt haar grote, volwassen lichaam in Irenes tengere, hoekige armen. Snuift de geur van haar moeder op: zoet als melk, lentebloemen van het wasmiddel en een warm lichaam. Ach, kon ze maar weer tien jaar zijn.

Kon ze haar vader en moeder nog maar hebben! Klein zijn! 's Avonds tussen schone lakens worden ingestopt en een warme omhelzing van haar vader krijgen! Niet volwassen zijn. Niet vier kinderen hebben die op de rand van het bed omhelsd willen worden en denken dat Lena volwassen is en alles regelt. Die zich veilig voelen en helemaal op haar vertrouwen. Nee! Ze zijn niet veilig! Je kunt niet op haar vertrouwen! Ze is een nepgebouw dat er de hele tijd prachtig uitgezien heeft met het juiste aantal deuren, ramen en de juiste afmetingen tussen het aanrecht en het fornuis, met een niet-afbladderende gevel. Het is gewoon nep! Het huis is gebouwd op een moeras! Het huis zakt langzaam in elkaar! Ziet niemand dat?

Ze is geen moeder. Niet meer! Ze kan niet voor anderen zorgen. Ze wil een eigen moeder hebben, een moeder die sterk is en deze ellende oplost. Niet een moeder die het zwaar vindt om een kopje koffie naar binnen te gieten. Help! Heeeeelp!

Dan klinkt het. Do-du-li-du-do. Het melodietje. Het ijsmelodietje. Maar... Conny zou vandaag niet komen, maar hij doet het wel. Lena werpt een roodbehuilde blik op de muurkalender. Vrijdag 14 oktober heeft ze aangekruist. Vandaag is het maandag. Komt hij deze week twee keer? Wat fijn. De laatste keer heeft Lena drie pakken wafelijs in de overvolle diepvries gepropt. Nu krijgt ze hem niet meer dicht. Met behulp van enorme hoeveelheden zilvertape heeft ze het deksel van de vrieskist op het vriesvak zelf kunnen bevestigen. Dat ging net. Het wafelijs is nu gesmolten.

Do-du-li-du-do. De kinderen reageren niet meer. De ijscowagen staat buiten en brult zijn melodietje, maar de kinderen verroeren zich nog geen millimeter. Ze blijven sloom kijken naar *Lady en de Vagebond* in hun met ijsvlekken besmeurde truien. Lena hoort het melodietje weer. Nu is hij er. Conny. Vlak voor hun brievenbus.

'Ik ga even wat ijs kopen, mama.'

Irene opent haar armen, laat Lena eruit en gaat verder met uit het raam staren. Uit gewoonte rommelt Lena in de la met het geld voor Schilder Erik, maar die is leeg. Het geld is op. De vriezer zit vol.

Ja, ja. Dan moet ze maar op de pof kopen. Ze trekt Roffes oude Helly-Hansentrui aan, stapt in de zilvertapeklompen, werpt een laatste blik in de spiegel. Nee, dat was geen goed idee. Een mager, bleek gezicht, twee aardbei-rode gezwollen ogen, een glimmende bolognesesausneus en een mond met kleurloze lippen. Alle rode pigment moet nu in haar roze gekleurde oogwit zitten. Lena ziet Josefins lippenstift op het ladekastje in de hal staan. Een beetje lippenstift op. Lila. O, nou ja. Dat moet maar goed zijn, liever lila lippen dan helemaal geen lippen. Nu heeft ze in elk geval een mond.

'Wil je iets speciaals hebben, mama?' Lena roept naar de keuken. Maar Irene antwoordt niet. Ze staart doods naar buiten. Naar het koolzwarte niets.

Donker. Die buitenverlichting waar ze het altijd over hebben, komt er waarschijnlijk nooit. Afval weggooien is als zich in het universum begeven op zoek naar Pluto. Je loopt altijd tegen een of ander stuk oud ijzer aan waardoor je scheenbeen een oplawaai krijgt. Er brandt licht in Conny's ijscowagen.

Lena ziet het als haar leidende ster en baant zich een weg door de konijnen, katten en auto-onderdelen. Het is koud. Het zal vannacht wel behoorlijk gaan vriezen.

'Dus je komt toch, ik begon het bijna op te geven!' Conny roept vanaf de auto, waar hij met een grote sjaal om staat te wachten. Hij slaat zijn in een handschoen gestoken handen tegen elkaar, een dof, stil geklap. Als een erg zacht applaus.

Lena wandelt het licht in dat vanuit de ijscowagen schijnt. Gaat voor Conny staan en weet niet goed wat ze moet zeggen.

De glimlach om Conny's mond zakt langzaam. 'Hoe is het, Lena?'

'Tja, niet zo goed. Mijn vader is gestorven, dus... dus het is een beetje op en neer. Meer nog dan anders dus.'

'Ja, dat begrijp ik. Was hij oud of...'

'Nog niet zo oud. Hij was nog geen zeventig.'

'Oei, wat naar. Wat is er gebeurd?'

'Hartaanval.'

'Jouw moeder? Leeft zij nog?'

'Ja, maar dan houdt het ook op. Ze zit eigenlijk alleen maar te staren in mijn keuken.'

'En jij dan?'

'Ja?'

'Hoe is het met jou?'

Nee, Nee, nee, nee. Niet vragen hoe ik me voel. Dan wordt het zo moeilijk. O, verdomme, shit verdomme. Shit, kutverdomme.

Lena opent haar mond om te zeggen dat het misschien niet zo goed gaat. Dat het misschien echt klote gaat. Dat het misschien volledige paniek is. Dat het misschien zo slecht gaat dat het licht van Conny's ijscowagen nu het enige lichtpuntje is. Lichter dan dat wordt het niet. Hoe leuk is het leven nog als het mooiste wat er bestaat het licht van een ijscowagen is? Haar man is nooit thuis, haar vader is dood, ze heeft niet de energie om voor haar eigen kinderen te zorgen, haar werk is totaal onbe-langrijk, haar zussen hebben hun eigen levens in Stockholm en haar moeder zit alleen maar te staren. Dat is Lena van plan te zeggen, maar er komt niets. Haar mond zit op slot. Stil. Tranen. In plaats daarvan komen er tranen. Lena probeert haar mond open te wrikken, maar het gaat niet. Een of ander loeiend ge-luid drukt zich naar buiten. Wringt zich naar voren.

Conny kijkt naar haar. Naar deze kleine vrouw met haar lila lippen, haar bolognesesausneus, haar gapende mond, haar be-traande wangen, haar korte, stevige benen en haar kapot ge-huilde ogen.

Dan opent hij zijn armen. Hij opent zijn ritselende reclame-jack als een grote warme grot. Lena aarzelt niet. Ze vraagt niets. Ze is niet verbaasd, maar duikt gewoon, met haar hoofd voor-uit, recht het geritsel in. Drukt haar nu opengemaakte mond te-gen Conny's borst aan en voelt zijn zachte wanten op haar rug. Ze schreeuwt. Houdt zich zo stevig vast. Drukt haar armen rond Conny's middel.

Robert heeft zijn armen ook geopend. Toen hij 's avonds thuis-kwam, heeft hij daar met open armen gestaan. Heeft Lena ge-smeekt daar te gaan liggen en te huilen, maar er liggen in die armen te veel andere dingen. Te veel avonden alleen thuis, te veel brengen en halen van de crèche waar hij geen tijd voor had, te veel maaltijden die hij niet heeft gemaakt, te veel wassen die hij nooit heeft gedaan. Alsof zijn armen te veel in beslag wer-den genomen door een hoop rotzooi. Dus dook Lena niet in zijn armen. Ze wil niet in zijn armen duiken om wat uit te hui-len tussen zijn werk en zijn verlangen om te gaan slapen.

Conny's armen zijn leeg. Daar is niets. Het is gewoon een kwestie van erin rollen. Het bordje 'ingang' schijnt groen: wel-kom. Lena moet zo huilen dat ze helemaal schudt

Conny schudt ook, aangezien Lena in hem hangt. 'Kom, we gaan naar binnen, zodat je het niet ijskoud krijgt.' Conny opent de deur van de ijscowagen, wenkt haar om erin te stappen. Lena kruipt op de kleine passagierstoel. Het is warm in de auto. Warm in een ijscowagen. In een ijscowagen stappen om zich op te warmen... Tja, dat kan ook.

Het is krap en gezellig. Een radio klinkt zachtjes, aan de achteruitkijkspiegel hangen drie wonderboompjes die in een bedwelmend zoet mengsel naar vanille, dennenbomen en tropisch fruit ruiken, er liggen een paar kranten op de stoel onder haar achterwerk, huissleutels, een mobieltje en op een minidienblaadje tussen de stoelen staat een koffiekopje.

Conny opent en sluit de vriesdeuren achter in de auto en haalt er iets uit. Met een voorzichtig glimlachje gaat hij op de bestuurdersstoel zitten. Reikt Lena een dropijsje met de naam Dracula aan. Vragend trekt ze haar wenkbrauwen op. Conny denkt hardop na. 'Hij is zwart als jouw verdriet, maar vanbinnen zit helderrode frambozenjam, net als jij.'

'Dat ik heel veel bloed in me heb?'

'Nee, jouw warme hart natuurlijk.'

Lena droogt haar tranen af met de achterkant van haar hand en haalt voorzichtig het papier van het ijsje. Ze haat dropijs. Het is misschien wel het afschuwelijkste ijsje op haar ijsjesschaal, maar deze zal ze opeten. Dat moet gewoon. Het Dracula-ijsje is net als het cadeau krijgen van een zelfgebreid vest. Het is het gebaar dat telt. 'Sorry.'

'Waarvoor?'

'Voor dat ik zomaar sta te huilen en jij me ijs geeft en je waarschijnlijk verder moet en ik je nu ophoud...'

'Nee, geen probleem. Dit is de laatste wijk voor vandaag. Ik heb nog de hele avond de tijd. Is hij lekker?'

'Super, superlekker.'

'Mooi.'

Stil. Op het likkende geluid van Lena's zuigen op de drop-*dip* na. Een druppel drop valt op haar trui, die ze met haar wijsvinger weghaalt en aan haar broek afveegt.

'Lena? Wil je misschien ergens naartoe?'

'Nu?'

'Ja, ik kan je gewoon een lift geven. Waarheen je maar wilt! *You name it*!'

'De kinderen en mama en...'

'Tuurlijk, dom van me. Nee, het was zomaar een gedachte. Ik begrijp het. Je moet weer naar binnen. Maar misschien nog een beetje koffie?'

'Heb je dat hier?'

'Mmm.' Conny haalt een thermoskan uit zijn rugzak die tussen Lena's benen staat. Hij giet gloeiendhete koffie in de dop van de thermoskan en reikt die Lena aan. De kinderen en mama. Nu zijn het niet alleen de kinderen die haar in een wurggreep houden, maar nu komt haar moeder daar ook nog bij. Ze zitten daarbinnen allemaal op Lena te wachten. Erop te wachten dat Lena alles regelt, dat Lena het middageten klaarmaakt, daarna afwast en ze naar bed brengt. Lena, Lena, Lena. Mama, mama, mama. God wat is ze moe van het alsmaar 'mama' horen. De hele tijd hoort ze alleen maar dat ene woord en altijd op een eisende toon. 'Mamaaa! Mama, waar is mijn huiswerk? Mama, klaaaar! Mama, ik heb honger. Mama, wanneer krijg ik een tussendoortje? Mama, de konijnen zijn weer ontsnapt! Mamaaaaa! Mamaaaa, Engla zegt dat ik haar heb gebeten, maar dat heb ik niet gedaan, want het was Hampus die beet en ik ben er alleen maar langsgelopen en toen dacht zij, maar ik was het niet en... Mamaaa! Zeg dat eens tegen haar, mama! Mama, ik heb een wooooohondje! Mamaaaa! Ik moet een pleister hebben. Mamaaaa!'

Kunnen ze nu nooit eens iets anders roepen? Het kan haar niet schelen wat. 'Komkommer' of 'kussensloop' of wat dan ook. Maar niet de hele tijd alleen maar 'mama'.

En dan Irene. Tegen haar wil Lena roepen: 'Mama, word wakker! Mama, troost me! Mama, ik heb ook verdriet! Mama, geef niet op! Mama, ik kan niet ook nog voor jou zorgen! Mamaaaa!'

'Ik geloof dat je wordt geroepen,' Conny knikt naar het trapje voor het huis.

In een groepje staan daar Hampus, Engla en Wilda. Ze roepen de duisternis in. 'Mamaaaa!'

Conny kijkt naar Lena. Lena kijkt naar Conny en houdt krampachtig haar koffiekopje vast. Vlug drukt Conny op het knopje van het melodietje dat vervolgens begint te schetteren. Conny draait het raampje naar beneden en roept naar de kinderen. 'Mama komt er zo aan! Ze moet alleen nog betalen!'

'We hebben hoooooonger!'

'Vijf seconden!' Conny draait het raampje weer dicht.

Lena heeft drop om haar mond en nipt wat van de hete koffie. 'Hoe vaak kunnen kinderen eigenlijk eten? Ik maak de hele tijd eten klaar, en op het moment dat ik de afwas heb gedaan moeten ze alweer eten. En daarna willen ze nog een tussendoortje en...' Nog twee snelle slokken. Lena zuigt het laatste op de bodem naar binnen en zet het deksel weer op de thermoskan.

'Voelt het een beetje beter?'

'Ja, een beetje wel. Of nou ja... Ik weet niet. Meer alsof je me met vierdegraads brandwonden in een bad met ontsmettingsmiddel hebt gestopt.'

'Zou dat niet alleen maar pijn doen?'

'Ja... Ach, ik weet niet wat ik bedoel... Maar... Ik zou graag een ritje maken. Een andere keer.'

'Mamaaaaaa!' Een klein neusje wordt tegen het raam gedrukt. Engla's neus. Twee kleine snottebellen glijden uit haar neus op het raam.

'Ik moet nu wel gaan.'

'Wacht!'

Conny springt van de bestuurdersplaats, rent naar de deur van het vriesvak en begint weer te rommelen. Moe opent Lena het portier en gaat op het grindpad staan. Onmiddellijk springt Engla in haar armen. Een mama, geen seconde te verliezen, pak haar!

Ze schuift haar ijskoude, kleine kleverige handen onder Lena's trui en drukt ze op Lena's naakte, warme buik.

Conny duikt op uit het vriesvak en overhandigt Engla twee zakken diepgevroren hamburgers. Kant-en-klare kleine hamburgers met brood, ketchup en roze dressing, maar ijskoud en bikkelhard. Sceptisch gluurt Engla naar de diepvrieszakken.

'Hier mevrouwtje, eten. Ontdooien in de magnetron, het duurt maar een paar minuten en je krijgt er ronde buikjes van en geen afwas.'

Engla begint te stralen, pakt de zakken aan, glijdt uit Lena's armen en rent met de laarzen verkeerd om aan naar het huis. Ze brult als een tijger met een verse buit. 'Haaaaaaaaambuuurgers!!'

Lena glimlacht vermoeid naar Conny.

Conny begint te stralen. 'Met die zakken kun je een paar dagen vooruit.'

'Bedankt. Maar ik heb geen geld.'

'Ach, ik trakteer... Ja, dat...'

Stilte. Een beetje pijnlijk.

'Wil je... wil je mijn mobiele nummer hebben?' Conny's witte haar glinstert door de straatverlichting. Zijn huid is niet meer zo bruin, de herfst is begonnen en de bleekheid slaat toe.

Lena hoort de buitendeur van het huis dichtslaan. Loert naar het raam, niemand. Misschien is iedereen in de keuken. Misschien ziet niemand haar. Misschien is ze net op dit moment onzichtbaar. Misschien bestaat ze niet.

'Ach, zo bedoelde ik het niet, ik dacht meer dat je misschien nog een keer kant-en-klaar-eten nodig hebt en ik...'

Lena richt haar door het vele snuiten rode gezicht op naar dat van Conny. Slaat haar korte armen om zijn middel en kust hem. Zonder aarzeling. Conny, eerst stijf in zijn hele lichaam, is verrast, en brengt daarna, langzaam, zijn handen omhoog naar Lena's nek. Houdt haar hoofd vast. Ondersteunt haar. Ze smaakt naar drop. Hij smaakt naar menthol. Koude lippen. Lena's armen gaan omhoog. Omhoog, om Conny's nek. Dichtbij. Ze wil dichtbij. Ze is onzichtbaar. Wat ze nu doet, mag niet. Bestaat niet. Ze kan maar beter oppassen. Conny's tong – zo soepel. Zo voorzichtig. Lena, gejaagd, snel. Wil in zijn armen springen. Wil haar benen om hem heen knopen en daar als een klein koalabeertje hangen.

Sterk, verblindend licht. Een auto rijdt voorbij. Geritsel in het losse grind en de takjes die op de weg zijn gewaaid. Lena wordt wakker. Ze wordt zichtbaar. Trekt snel haar armen weg van Conny's warme nek. Veegt haar mond af met de achterkant van haar hand. Controleert of een van de kinderen voor het raam staat te gluren. Leeg. 'Ja, ik wil graag jouw mobiele nummer hebben.'

Conny begint te lachen. Verlegen. Rommelt in zijn zak en haalt een visitekaartje tevoorschijn. 'Oké. Je hoeft maar te bellen. Wanneer dan ook. Vergeet dat niet. Wanneer dan ook. Ik kom onmiddellijk, Lena.'

'Goed.' Lena stopt het kaartje in de achterzak van haar jeans, voelt het rood op haar wangen exploderen en loopt achteruit haar erf op. Zwaait voorzichtig naar Conny die bij zijn ijscowagen staat met lila lippenstift op zijn kin.

Åsa giet een beetje water op het schaaltje onder de plant. Ze hoort hoe de droge aarde het voedsel opzuigt. Adam is vergeten ze water te geven terwijl ze weg was. 'Lena, ik snap echt wel dat het zwaar voor je is nu, maar ik kom immers morgen terug.'

'Ja, maar je moet dat echt beloven. Ik trek het hier niet langer, mama huilt alleen maar en ik weet niet hoe ik moet... Ik heb toch ook verdriet!'

'Ik beloof het. Ik kom. Kan Robert anders niet een paar dagen thuisblijven?'

'Nee, het is zoals het meestal gaat hier in de herfst, iedereen moet zijn auto nagekeken en in orde hebben en het wordt alleen maar nog onrustiger als hij hier thuis moet zijn.'

'Marie dan?'

'Ze wil niet. Maar ze doet al een deel van de boerderij en van-avond moet er een koe kalven, dus... ja...'

Åsa klemt de telefoon tussen haar kin en haar schouder en te-gelijkertijd plukt ze verwelkte blaadjes van haar planten. Ze ver-zorgt ze elke dag. Wrijft hun bladeren, besproeit ze een beetje met water en draait ze om. Åsa prikt een beetje met haar vinger in de aarde en voelt de vochtigheid. Droog. Hoe kan Adam zo slordig zijn met water geven, als hij weet hoe nauwkeurig zij is?

Lena klinkt gejaagd aan de andere kant. 'Maar je komt mor-gen? Je moet het beloven.'

'Ja, morgen, op z'n laatst om vier uur. Ik moet hier thuis al-leen nog de planten water geven, mijn kantoor meenemen en misschien een beetje schoonmaken en daarna vertrek ik.'

'Hoe lang blijf je dan?'

'Weet ik niet. Maar ik neem een beetje werk mee, dus ik kan daar zeker een week zijn.'

'Goed. Als je maar komt... Hoe ging het met de begrafenis-ondernemer, trouwens?'

'Goed, denk ik. Een beetje onwerkelijk om in zo'n omgeving over papa te praten, maar toch... Ik heb een eiken kist uitgeko-zen, die in falurood wordt geverfd. Denk je ook niet dat papa het zo had gewild? Als Het Zonneroosje? Of is het een beetje te overdreven?'

'Dat wordt vast mooi. Komen er ook nog witte hoeken op de kist?'

'Vind je dat leuk?'

'Tja. Dat is wel wat stom, hè?'

'Ik denk het wel. En dan gewone tuinbloemen: Oost-Indische kers, korenbloem en goudsbloem, geen extra luxe, dat had pa-pa nooit goedgekeurd. Daarna heb ik Allan gebeld en hij heeft beloofd accordeon te spelen en zijn dochter gaat "Jij bent de eni-ge" zingen.'

Åsa perst haar lippen op elkaar om de huilbui die ze voelt aan-komen tegen te houden. De tomatenplanten in het keukenraam zijn enorm, ze ruikt de lichtzurige geur en probeert aan rode, zongerijpte tomaten te denken. Tomaten zijn lekker. Lekkere tomaten. Tomaten... Rood als de liefde. Als papa... 'Jij bent de enige'. Papa's favoriete liedje. Goudsbloemen en korenbloemen. Papa's bloemen die mama altijd voor hem plukte op zijn verjaardag. Slik. Terug jij, huilbui. Terug.

'Niet aan zijn oren trekken!' Lena tiert in de hoorn en Åsa springt op, haar huilbui raakt van zijn à propos. 'Mijn god, het is een hond, geen gereedschapskist... Ja, zo. Goed, Åsa. Goed geregeld. Komt er na afloop ook zo'n afterparty?'

'Kajsa maakt broodtaart. We blijven in het dorpshuis, in het kleine zaaltje, het moet niet te groot worden, toch?' Åsa moet weer slikken. Kajsa's broodtaart. Altijd op verjaardagen, trouwerijen, eindexamens en belijdenissen. Nooit op begrafenissen. Nu voor de eerste keer.

'Nee! Niet weer de konijnen! Engla!'

'Oké, misschien moeten we nu maar ophangen, dan zien we elkaar morgen.'

'Shit, nu liggen er overal keutels! Ja, we zien elkaar morgen! Hoi, hoi... Englaaaa!'

Voorzichtig knipt Åsa drie tomaten af die al voldoende oranjerood zijn, maar nog een beetje te hard. Ze ruikt eraan. Ze mogen op het aanrecht verder rijpen.

De begrafenisonderneming. Åsa had het meteen tegen haar moeder gezegd. Dat ze voor alles zou zorgen. Alles in orde zou maken, zou betalen en mooi zou regelen. Alles. Haar moeder zal nergens aan hoeven denken. Nergens aan denken. Åsa ook niet. Niet denken.

Alleen maar dingen regelen. Regelen, regelen, in orde maken. Maar voelen...?

Niet eraan denken dat papa belde. Dat Roffe belde en om hulp vroeg. Voordat hij dát deed om hulp vragen. De buren van de naastgelegen boerderij moesten bijna met een koevoet bij de koeien komen om zo nu en dan even te kunnen invallen, zodat

Roffe even rust kreeg. Waarom was ze niet gegaan? Omdat ze moest werken. Ja. En omdat zij elk moment een eisprong kon hebben. Waarschijnlijk. Een bezoek aan Het Zonneroosje kon betekenen dat er geen kind werd verwekt. Nu werd er toch geen kind verwekt, en was er ook geen papa meer. En het probleem met de computer had Åsa binnen vijf minuten opgelost. Papa was toen dood.

Niet denken. Åsa wil niet denken. Aan de boerderij. Die grote, mooie falu-rode boerderij. Precies in de schaduw van het bos, maar met een stralend uitzicht over weilanden en akkers. Hoe moet mama... Hoe zal Irene daar kunnen blijven wonen? Alle dieren verzorgen, alle grond, de financiën en de tractors? Nee, niet denken. Weg! Regelen! Is er niets meer wat ze nog kan regelen?

Een beetje te gejaagd maakt ze de kast met schoonmaakmiddelen open, trekt alle schoonmaakmiddelen, borstels, boenders, emmers en zwabbers eruit. Ze kletteren op de keukenvloer. Klunzig en te snel giet ze zeep in de emmer, water erbij, kan het niet wat sneller stromen, stroom dan! Vul die emmer! Ze moet schrobben! Alsof ze ziek is. Alsof haar lichaam bezig is dood te gaan en het schrobben het medicijn is. Iets doen, iets aanpakken. Niet denken. De emmer is vol. Schrobben. Ze schrobt hard. Ze wrijft over de plavuizen in de keuken, heen en weer, heen en weer. Hard. Ze krijgt het warm.

Dat natte lamswollen vest uit. Ze slingert het op de keukentafel. Schrobt verder. De eetkamer in, die gewoon leeg is. Waarom heb je een lege eetkamer? Wat voor mens ben je dan eigenlijk? Als je in de duurste stad van Zweden woont, waar elke vierkante meter vijftigduizend kroon kost, en lege ruimtes hebt? Zinloze ruimtes. Ruimte zonder doel. Ze zou al haar kamers moeten vullen met vluchtelingen of met iets. Zich nuttig maken! Ze is nutteloos. Alles gewoon wegschrobben. Weg! De zwabber in het zeepsop. T-shirt ook uit. Ze drijft van het zweet. Niet denken. Schrobben!

Ze schrobt alsof ze in *fast forward* zit. Ze slaat hard met de zwabber tegen de plinten. Gaat op haar knieën zitten en schrobt onzichtbare vlekken weg. De olie van het walnootbruine parket verbleekt bijna door het harde schrobben. De jeans ook uit. Die blijft haken in de natte sokken. Alles uit. Slechts in haar onderbroek schrobt ze zich naar de grote badkamer. Geeft het toilet een tik met de stok van de zwabber. Weg met de gedachten. Weg! Wat is de gelijkenis tussen Åsa's leven en een toilet? Beide zitten ze vol stront. Haha. Of in beide zit geen leven, zo kun je het ook uitdrukken.

Åsa steekt de toiletborstel diep in het closet, op en neer, op en neer.

'Wat ben jij aan het doen?' Verwonderd en bijna een beetje bang gluurt Adam de badkamer in. Ziet Åsa half op de vloer liggen en slechts gekleed in haar grote lichtblauwe onderbroek de wc met de toiletborstel bewerken.

'Ik ben aan het schoonmaken. Het is hier zo verschrikkelijk smerig.'

'Valt toch wel mee?'

'Nee, het is zo! We wonen te groot! Dit appartement is toch om je rot te schamen. Een verschrikkelijke schande. We zijn twee zeer asociale mensen die op tweehonderd vierkante meter midden in de stad wonen. Ik hou niet van de stad. Jij? Wil je hier wonen? Wil je dat? Hier?'

'Ja, ik vind dat het...'

'Maar als we nu doen zoals je zei, kinderen uit ons hoofd zetten, dan kunnen we net zo goed verhuizen, toch?'

'Ik heb niet gezegd dat we kinderen uit ons hoofd moeten zetten... Ik heb alleen gezegd dat...'

'Ik weet wel wat je hebt gezegd! Je wilde scheiden! Toch?'

'Nee, dát heb ik echt niet gezegd!'

'Nou ja, wat heb je dan gezegd? Ja, dat dat gedoe met een kind alles alleen maar doodmaakt. Dat heb je gezegd.'

Åsa pakt de ingebouwde mozaïeken badkuip vast en probeert

overeind te komen. Haar lichaam beeft. Adam ziet haar schokkende benen. Met zijn sokken nog aan spettert hij de natte badkamer in en hij pakt Åsa's hand beet, buigt hem open en gooit de toiletborstel aan de kant.

Een beetje onhandig tilt hij Åsa op en sjouwt haar de badkamer uit. Haar handen houdt ze stevig om zijn nek. Haar benen slaat ze stijf om zijn middel. Zijn smalle, dunne middel. Ze zou die doormidden kunnen breken, gewoon even een klein knikje. Teder steekt Adam zijn gezicht in het haar van Åsa. Zijn armen beginnen te trillen. Shit. Het zou mooi zijn geweest als hij haar urenlang zo had kunnen vasthouden. Gewoon vasthouden en omhelzen. Maar nu begint hij te trillen. Computerarmen zijn niet zo erg gespierd. Met stijve benen strompelt Adam naar de bank in de woonkamer, probeert zich te bukken met Åsa in zijn armen, nee, dat gaat niet echt elegant. Hij laat haar los, van een wat te grote hoogte. Met een doffe bons landt ze tussen de kussens en Irenes gehaakte plaid. In haar natte onderbroek. Met heetgebakerde rode koontjes op haar wangen en met het door zweet vastgeplakte haar op haar voorhoofd. Adam bestudeert haar. Ze is zo klein. Kort. Een smal lichaam, maar sterk. Net als de superkleine mobieltjes: je ziet ze amper, maar ze zitten barstensvol power. Het is zoals het moet zijn. Of ja, misschien niet exact met een hysterische, verdrietige en wanhopige Åsa die in pure paniek de flat kapotschrobt. Maar meer zo... Dat ze hier bijna naakt ligt, met een natte onderbroek aan en zonder die eisende blik in haar ogen. Zonder die baby op haar netvlies. Zonder al haar verwachtingen die Adam niet kan vervullen. Adam buigt zich naar voren. Zet zijn bril af, laat hem vallen op het parket. Kust Åsa. Licht op haar mond. Omlaag. Haar borstkas. Koele lippen op haar buik. Åsa heeft maar één ding in haar hoofd. Dat ze nog niet echt een eisprong heeft en dat dit een volstrekt nutteloze geslachtsgemeenschap is.

1 1

Gekookt rundvlees, bruine saus, aardappelen en jam. Zoals altijd thuis. Altijd vlees. Altijd aardappelen. Altijd bruine saus. Soms jam, veenbessenjam als Irene veenbessen heeft kunnen plukken en er jam van heeft kunnen maken.

'Lekker, mama.' Åsa veegt haar mond af met een stukje keukenpapier.

'Ik weet niet. Ik proef niets. Het is Gull-Maj 5, niet echt pezig, papa heeft haar nog geslacht vlak voordat... hij stierf.' Irene snuit nog een keer haar roodglanzende neus. Er was niet veel gezegd tijdens de maaltijd. Marie, Åsa, Lena en Irene. Alleen zij vieren.

Ze zitten in de ruime eetkamer. Rond de mooie tafel. Zoals altijd, wanneer alle dochters thuis zijn, moet het een beetje chic zijn. Irene en Roffe dekten altijd in de eetkamer wanneer ze allemaal op bezoek waren. Dus nu ook. Maar er heerst geen feestelijke stemming. Marie heeft geprobeerd chique servetten te vouwen, maar het zijn wat knokige zwanen geworden. Åsa heeft kaarsen aangestoken en een schoon tafellaken over de tafel gelegd. Op de witgeverfde eetkamertafel, die alleen maar wordt gebruikt op kerstavond, verjaardagen of voor een groot familiediner. Verder is het helemaal stil en leeg. Slechts het tikken van de oude traditionele Mora-klok verbreekt de stilte.

's Winters wordt de verwarming in de eetkamer altijd afgesloten. Het heeft geen zin om ongebruikte kamers te verwarmen.

Lena neemt nog een slok melk. Ze ziet er getekend uit. Haar blik is bijna een beetje verwilderd. 'Is alles nu klaar voor de begrafenis, Åsa?'

'Ja, jullie hoeven alleen maar naar de kerk te gaan, hoeven nergens aan te denken. Ik had gedacht te vertellen wat er gaat gebeu...'

'Nee, ik wil het niet horen. Het heeft geen zin om onnodig te lijden, ik zie het dan wel.' Vermoeid staat Irene op, hangt de plaid waarmee ze haar benen heeft verwarmd over de rugleuning van de stoel en begint af te ruimen. Het gaat traag. Het snelle dat Irene altijd heeft gehad, is er niet meer. Hoezo wil het niet horen... Åsa probeert die vernederende tranen die achter haar oogleden drukken, terug te dringen. Ze heeft hier talloze uren met verschillende begrafenisondernemers gezeten om iets echt moois te vinden; geen gewone saaie rozen, geen gewone kist van gelakt grenenhout, en dan wil haar moeder niet onnodig lijden. Een beetje te hard schuift Åsa haar stoel naar achteren en begint de tafel af te ruimen.

Marie knikt naar Åsa. 'Ik was later wel af, zet het maar in de keuken.'

Lena trekt Irenes plaid naar zich toe, slaat die over haar hangende schouders. Steekt haar geklitte haar op in een staart die ze met een aantal slagen van het elastiekje tot een knotje draait.

Met een onhandige sprong klautert Otto op Maries schoot. Marie schudt haar manen naar achteren. 'Denk je dat ze het wel redt?'

Lena kijkt vermoeid naar haar oudere zus. 'Hoezo redt? Dat haar man dood is en dat ze in haar eentje met een hele melkveehouderij achterblijft? Goh, dat zou ik echt niet weten.'

'Nou zeg, je hoeft niet zo tegen me uit te varen.'

'Ik vaar niet tegen je uit! Maar stel niet van die domme vragen! Tuurlijk redt ze het niet! Maar jij wilt waarschijnlijk dat ik zeg dat alles weer goed komt. Jij kunt in Stockholm werken, ja tuurlijk! Voel geen verplichtingen, heb het alleen maar leuk, party, party.'

'Verdomme, wat doe je kattig. Wie heeft er hier vrij genomen van het werk, hè? Ik ben hier toch, of niet dan?' Marie drinkt geïrriteerd haar laatste melk op.

Lena trekt de plaid steviger om haar schouders en staart boos door het raam, maar het is donker buiten, dus ze kijkt boos tegen haar eigen spiegelbeeld aan, ziet haar verbeten gezicht. Ze ziet eruit alsof ze ergens opgenomen zou moeten worden. Mijn god. Met tegenzin draait ze haar gezicht terug de kamer in en staart naar de klok. De tijd tikt verder.

Marie fluistert, zodat Åsa en Irene, die in de keuken met de afwas bezig zijn, niets horen. 'Is dat wat je denkt? Dat ik de hele tijd alleen maar aan het feesten ben. Leg die bittere fantasieën toch eens naast je neer, verdomme. Ik zwoeg me te pletter! Het is verdomme net als het hebben van zeven melkveehouderijen, maar dan 's nachts! Als het hebben van stonede koeien!'

'Hoe denk je dat het is om vier kinderen te hebben? Net als het hebben van driehonderd straalbezopen koeien dag en nacht!'

'Maar waarom heb je dan zoveel kinderen genomen? Er zijn toch voorbehoedsmiddelen! Een pakje condooms kost verdomme vijftig kroon! Moet ik medelijden met je hebben omdat je nu plotseling kinderen hebt?'

'O, en waarom zit jij in die kroeg dan, als het zooooooo verschrikkelijk vermoeiend is?'

'Ik moet toch geld verdienen! Ik heb geen man die me onderhoudt, zoals sommige andere mensen.'

'Hij onderhoudt me niet, ik werk ook!'

'Los je soms met dat halve baantje bij de ica de hypotheek van het huis af, of wat?'

'Nee, maar...'

Irene schraapt haar keel en leunt vermoeid tegen een van de dubbele deuren die naar de eetkamer leiden. 'Marie, geen ruzie... Ik ga nu naar bed.'

Zwijgend bijt Marie zich op haar tong om niet iets brutaals terug te zeggen. Zij was niet aan het ruziemaken. Ze stopt gauw een portie pruimtabak onder haar lip. Åsa staat als een marte-laar met een hoop kabaal af te wassen in de keuken.

Kleine mama. Kleine, vermoeiende mama die altijd op míj vit. Altijd met de verdenking dat ik iets verkeerd heb gedaan. Niet Lena of Åsa, nee, nee. Irenes deugdzame dochters hebben nooit gerookt of genaaid achter de silo.

Wanneer Marie Irene daar in de deuropening ziet staan met haar grauwbleke huid, haar doffe ogen, haar vertwijfelde hou-ding, dan wil ze haar gewoon wel omhelzen, maar dat is moei-lijk. Alsof Irene het niet wil, alsof ze het niet kunnen. Alsof het gemakkelijker is en bijna mooier om het maar te laten. Marie zuigt op haar pruimtabak. Slikt. Ziet hoe Irene zich voortsleept om naar de bovenverdieping te gaan. Ach, wat ook.

Marie duwt Otto van haar schoot en wil net opstaan om haar moeder te omhelzen. Dan duikt Åsa op vanuit de keuken. Ze spreidt haar armen, die nat zijn van de afwas, en slaat ze om haar heen. Mama leunt met haar hoofd tegen Åsa's schouder en sluit haar ogen. Marie slaat op haar knie terwijl ze naar Otto kijkt en aangeeft dat hij er weer op kan springen. Hij blijft zitten. Åsa streelt de rug van haar moeder. Voelt zich rustig worden, nu ze de nabijheid voelt van een nog grotere orkaan dan die van haar-zelf.

Irene leunt met haar hoofd tegen Åsa's kleine boezem. Ze om-helst haar volwassen kind, haar kleine kind, dat kleine roze li-chaampje, zo zacht met al haar onderhuids vet en mooie, pie-kerige, blonde haren. Een klein kind dat met hoge stem giechelt als ze wordt gekieteld tussen haar huidplooien. Dat midden in de nacht in je bed kruipt en haar warme lichaam tegen het jou-we aandrukt. Dat met halfopen mond slaapt, volkomen veilig. Dat kleine kind, dat nu groot is, een eigen kleine boezem heeft waarop zíj haar hoofd kan laten rusten. Merkwaardig. Irene sluit haar ogen, laat haar ogen een poosje rusten. Åsa blijft haar vast-houden.

Kleine mama. Åsa voelt een sterke behoefte om haar op te tillen. Haar moeder in haar armen te nemen, de trap op te dragen, voorzichtig in bed te laten zakken en haar in te stoppen en misschien iets voor haar te zingen, of gewoon haar hand vast te houden. Misschien naast haar te kruipen, haar kleine lichaam te verwarmen, op de plek van haar vader gaan liggen, zodat die niet zo onbarmhartig leeg is. Haar moeder heeft nog steeds het bed niet verschoond. Zijn geur is er nog, hangt nog in de slopen. Zijn haren. De geur van zijn haren ligt daar. Verdwijnt elke dag iets meer. 'Het is nog maar halfzeven. Wil je niet nog even bij ons blijven zitten?'

'Nee... Ik kan het niet...'

'Weet je het zeker?'

Irene knikt vermoeid.

'Welterusten, mama.'

'Dank je lieverd, dank je...' Irene trekt haar vest over haar schouders en kijkt naar Lena. 'Ga je vanavond naar huis?'

'Ja... Åsa, zou jij niet met mee naar huis kunnen komen?'

'Vanavond?'

'Ja.'

'Moet ik je ergens mee helpen?'

'Ik weet niet... Ik...'

'Als het niet iets superbelangrijks is dan blijf ik liever hier bij mama.'

'Ja... Oké.' Lena slaat de deken steviger om zich heen.

Marie zuigt op haar pruimtabak en kijkt naar haar zusje, dat haar armen zo stevig om hun moeder heen heeft geslagen.

'Welterusten dan, mama. Slaap lekker, denk maar niet aan alle lastige dingen nu, ik ben hier en zal je helpen.'

'Dat is fijn, Åsa, je bent zo lief. Doen jullie straks het licht uit, meisjes?' Sloffend gaat Irene de trap op.

Marie kijkt naar Åsa en merkt op dat ze een droogdoek in haar handen houdt. Marie fluistert: 'Ik zei toch dat ík zou afwassen.'

'Maar je kwam nooit.'

'Hoezo kwam nooit. Ik was met Lena aan het praten! De afwas kan toch wel even wachten?'

'Ja, maar je weet toch hoe mama is. Als je het niet meteen doet, dan begint zij af te wassen. En ik vind dat ze dat nu niet hoeft te doen.'

'Maar dat vind ik ook. Ik zou afwassen, dus ik heb geen medelijden met je omdat jij het nu hebt gedaan. Het is jouw keuze, Åsa. Maar het is zo typerend. Ik heb hier bijna een week lang de boerderij draaiende gehouden, maar mama ziet zogezegd niets. En dan kom jij hierheen en begint ze te grienen over hoe lief jij bent. Zoals altijd. Ik word hier toch zo godverdomde moe van.'

'Maar ik heb het gevoel dat ik alles regel! De begrafenis! Denken jullie dat dat zo leuk is? Met een of andere vent tegenover je over papa zitten praten? Nadenken over zijn favoriete liedjes, over de kist en het eten en...'

'Maar wie heeft je gevraagd dat te doen? Jij neemt het gewoon over! Ik kan toch ook met een begrafenisondernemer praten! Was dan niet af, regel die begrafenis niet, laat ons anderen dat doen...'

'Koppen dicht!! Allebei!!' Lena staat op, de deken heeft ze over haar hoofd heen getrokken, ze ziet eruit als een kleine indiaan. 'Hoezo, Åsa doet alles? Åsa, wat doe je dan? Wat zo verschrikkelijk lastig is? Een beetje afwassen? Ik was elke dag weer af! Jullie zitten in Stockholm en leven gewoon verder. Ik blijf hier thuis achter, niets is zoals anders, ik heb mama hele dagen thuis gehad! En jullie zeuren over een beetje afwas. Schei toch uit! Jullie zijn zo verdomde verwend. En dat zijn jullie altijd geweest. Jullie zijn er gewoon vandoor gegaan. De hele tijd, gewoon ervandoor gegaan en hebben mij hier thuis achtergelaten. Denken jullie dat ik naar Stockholm had kunnen vertrekken en voor barkeeper had kunnen spelen? Nee! Want die plek was al bezet! De enige plek die nog vrij was, was hier thuis! Godverdomme, wat was die vrij! Leeg! En jij, Åsa! Jij wilt kinderen hebben! Ik heb kinderen! En ik heb het verschrikkelijk zwaar, dat weet je! Waarom ben je niet gewoon gekomen? Waarom heb je de kinderen niet voor een weekend meegenomen, iets leuks met ze gedaan? Nee, je hebt gewoon zitten jammeren in je verdomde directeursflat, terwijl hier kinderen zijn die hun peettante wel eens nodig zouden kunnen hebben! Godverdomme, is het enige wat ik zeg. Godverdomme! En jij Marie... Jij hebt alleen die kutbar maar. Je hebt er niets voor hoeven doen. Zoals papa altijd over je heeft gepraat, je tot in de wolken heeft opgehemeld. Je hebt er niets voor hoeven doen, hebt je alleen maar een paar siliconenborsten hoeven aanmeten en drankjes hoeven mixen. Ik heb hem de hele tijd geholpen, maar denk maar niet dat ik een bedankje heb gehad! Nee, ik was gewoon vanzelfsprekend. Zoals altijd. Dus zeur niet! Geen van jullie tweeën!' Lena snuift. Ze snuift in de deken terwijl het snot over haar bovenlip stroomt en de tranen rustig vallen. 'Ik ga nu naar huis.'

Met de deken achter haar aan slepend beent ze met rechte rug de eetkamer uit. Marie en Åsa kijken elkaar aan.

Åsa legt de droogdoek op de tafel. 'Ik geloof dat ik toch maar beter met haar mee kan gaan.'

12

Cujo! Cujo? Doet hij niet mee in een film? Een grote, afstotelijke, enge sint-bernardshond die een heel gezin naar binnen werkt. Cujo? Waar is ze?

Åsa gaat een beetje overeind zitten en aait de reuzenhond licht over zijn enorme kop. Overal in de kamer roze speelgoed. Emmers, manden, kisten, dozen, allemaal propvol met speelgoed. Ook op de vloer: gekortwiekte Bratz- en barbiepoppen, beren met luiers, schminkpoppen die helemaal grijs in hun gezicht zijn van al het oude poeder, posters met honden en katten in kleine schattige wollen hoopjes, een stapelbed. Lena!

Ze is immers bij Lena. Cujo is Vincent. Tuurlijk, dat is het. In het onderste nest slaapt Wilda. Haar blonde, dunne haren liggen als een sprietige waaier op het kussen. Haar wangen zijn warm van de slaap, haar duim in haar mond en een zware ademhaling.

Uit het bovenste nest steekt een van Engla's benen.

Åsa laat zich weer vallen op haar matras naast het stapelbed. Een dekbedovertrek met de Hulk. Ritselende, stijve lakens met daarop een enorme felgroene, brullende reus. De zon schijnt door het raam naar binnen en verwarmt haar gezicht. Mooi. Alsof alles goed zal komen. Een zwoele straal die zich als een schapenvacht over haar wangen heen legt. Zon? Mijn god, zou Lena hen niet allemaal om zeven uur wekken?

Åsa komt overeind, kijkt op de klok. Halfnegen. Halfnegen!?

Op die hijgende, kwijlende ademhaling van de hongerige hond na, is het onnatuurlijk stil in het hele huis. Lena was er gisteravond erg op gebrand dat iedereen naar bed zou gaan. Vóór tien uur lagen zelfs Åsa en Robert in bed. Lena was ontzettend opgejaagd, zweterig en fel geweest. Maar toen iedereen in bed lag, had ze nog lang op de rand van de bedden van haar kinderen gezeten. Ze had ze gestreeld en geliefkoosd, lieve woordjes gefluisterd. Bijna zoals ze vroeger was geweest. Ze had ze langdurig omhelsd. Daar moest Åsa aan denken. Eerst al die stress, ze ontplofte bijna toen Josefin naar een of andere televisieserie wilde kijken en helemaal nog niet wilde slapen terwijl het nog maar negen uur was. Welke tiener gaat zo vroeg naar bed? En toen iedereen goed en wel met redelijk schone handen en tanden in bed lag, overviel haar die enorme tederheid. Åsa had eventjes gedacht dat Lena zou gaan huilen.

Maar nu is het halfnegen 's ochtends en iedereen lijkt nog te slapen als een os. Voorzichtig tilt Åsa het Hulkdekbed op en ze sluipt naar de slaapkamer van Robert en Lena. Hebben ze zich verslapen?

Ze stapt over stapels wasgoed en aan snoeren knagende konijnen heen. Gluurt voorzichtig de slaapkamer in leeg. Geen Lena, geen Robert. Wat verdomme...

Snel sluipt ze het zoldertrapje op, opent de deur van Josefins kamer op een kier. Helemaal pikkedonker, een groot zwart stuk stof zit voor het raam gespijkerd en er klinkt een zacht gesnurk. Nou ja! Ze gaat het trapje af, kijkt in Hampus' kamer. In het scheve Ikea-bed slaapt Hampus onder het blauwe Bob de Bouwerdekbedovertrek, met knuffel Stitch in zijn armen. Ze loopt de trap af naar de benedenverdieping. Een paar konijnen springen sloom rond. Twee katten stuiteren meteen van de bank af waar ze hebben geslapen en geven al wild miauwend gas naar de lege etensbakjes toe. Met sommerende blikken porren ze met hun snuitjes tegen het pak droogvoer. Åsa strooit wat brokjes in hun bakjes, die ze onmiddellijk naar binnen beginnen te wer-

ken. Waar is Lena? Op de tafel staan de resten van het avondeten. Robert had waarschijnlijk macaroni gemaakt voor de kinderen en... en ja, hij heeft in elk geval ook iets gebraden. Lege
melkpakken, borden, glazen en ingedroogde macaroni op het
tafelzeil. En een brief. Tegen de koekenpan staat een witte envelop. *Robert*, staat erop, maar hij lijkt hem niet te hebben op-
gemerkt toen hij er vanmorgen vroeg vandoor ging. Åsa denkt
bliksemsnel na, pakt vervolgens een van de ketchup-rode messen en snijdt de envelop open.

Robert. Ik huil terwijl ik dit schrijf. Het is niet
gemakkelijk. Maar eigenlijk is er niet echt een keuze. Ik
moet weg. Ik hou het niet langer meer uit, het is alsof ik
alleen maar dood wil. Maar ik kan niet doodgaan. Ik heb
vier kinderen en dan mag je niet doodgaan. Hoewel ik
niet echt goed weet waar ik de puf vandaan moet halen
om nog verder te leven, maar ik zal het proberen. Er zijn
veel redenen waarom ik vertrek, maar voornamelijk
gewoon omdat het mijn enige alternatief is. Robert, alles
is zo donker! Snap je dat! Dat ik niets zie, het is gewoon
een zwart gat! Ik moet mezelf redden!
Nu mag jij voor alles zorgen, voor jouw eigen kinderen,
voor jouw eigen huis. Iemand anders jouw bedrijf laten
draaien, of iemand anders voor jouw kinderen laten
zorgen. De keus is aan jou. Nee, het is niet gemakkelijk.
Ik hou van mijn kinderen. Misschien hou ik ook van jou,
ik weet het niet. Maar het voelt alsof ik een alleenstaande
ben. Alsof alle verantwoordelijkheid bij mij ligt, zoals al
de hele tijd. Ik heb de laatste tijd om hulp geschreeuwd,
ik ben gestopt met wassen en afwassen en het is hier in
huis gewoon allemaal afschuwelijk geworden. Het enige
wat jij hebt gedaan, is Fanny bellen. Die hier dan
vervolgens komt om de videofilms in de verkeerde
lettervolgorde te zetten. Dus nu hou ik op met om hulp

roepen, nu ga ik. Dan mag jij in plaats daarvan roepen. Maar de duivel moge je halen als je de kinderen verwaarloost! Wat ik met ons tweeën wil, weet ik niet. Misschien jij ook niet. Daar moet ik over nadenken, ik weet wel dat ik nog liever als een echte alleenstaande leef, dan als een alleenstaande samen met jou. Dan weet ik in elk geval waar ik aan toe ben. Ik laat van me horen. Zeg tegen de kinderen dat ik van ze hou. Elke avond!

PS. Wilda heeft woensdag een schoolreisje – met lunchpakket. Engla heeft dinsdags en donderdags gymnastiek, vergeet de handdoek niet. Josefin moet haar huiswerk maken, mag niet spijbelen en mag niet bij Fredrik slapen. De crèche van Hampus sluit om 17.30 uur, kom niet later, want dan moet hij in de knuffelruimte slapen.

Lena.

Mijn hemel. Åsa kijkt weer naar de brief, naar het priegelige handschrift. Priegelig en op elke volgende regel steeds kleiner en ook nog schuin. Ze moet haast hebben gehad toen ze het schreef. Moesten ze daarom allemaal naar bed? Moest ze een trein halen? Een vliegtuig? Maar... Hoe...

'Kut! Waarom heeft niemand me wakker gemaakt?' Josefins hese stem stuitert door het huis. Snel propt Åsa de brief in het pak macaroni en begint de vastgekleefde borden los te wrikken van het tafelzeil.

'Hoezo ervandoor?' Marie schreeuwt in de telefoon.

'Ze is ervandoor, ze heeft waarschijnlijk een tas gepakt en is ergens naartoe gegaan, ik weet het niet!'

'Hoezo, heeft ze al haar kinderen in de steek gelaten?'

'Ja... maar hun papa is er toch.'

'Nu overdrijf je.'

Marie leunt tegen de falu-rode stalmuur en rookt. Het ochtendmelken is achter de rug, samen met de invallers ging het vrij snel. Het ontbijt zit achter de kiezen en als je al een sigaret verdiend hebt, dan is het dan wel.

Aan de andere kant van de lijn beent Åsa snel naar Roberts garage met de brief in haar jaszak. De kinderen zijn achtergelaten op de crèche en op school met ongepoetste tanden en een minuscuul ontbijtje in hun maag. Åsa wist niet goed wat belangrijker was: op tijd komen of gevoed en schoon zijn. Terwijl ze naar de garage kijkt, brengt ze de telefoon naar haar andere oor. 'Hoe dan ook, ze is ervandoor en ik weet niet waarheen. Haar mobieltje neemt ze niet op. Wat moeten we doen?'

'Hoezo wij? Ik ga over een paar uur terug naar de stad, dat is wat ik ga doen. Ik heb mijn deel echt wel gedaan deze week.'

'Maar je kunt mama toch niet achterlaten?'

'Hoezo achterlaten? Jij komt hierheen!'

'Maar nu is Lena weg en ik kan de kinderen niet achterlaten...'

'Maar ze hebben hun papa toch! Dat heb je immers zelf gezegd! Hij mag toch wel eens een beetje verantwoordelijkheid nemen. Wat denk je? Dat de kinderen verhongeren als hij de hele zooi regelt?'

'Nee, maar ik... Robert heeft zijn bedrijf, hij kan alles niet zomaar van het ene op het andere moment loslaten, en voor de kinderen is het toch traumatisch dat Lena zomaar vertrokken is. Mijn god, hoe leg je dat aan hen uit?'

'Je kunt gewoon zeggen dat ze met vakantie is en daarna weer thuiskomt.'

'Ja, dat heb ik ook ongeveer gezegd, geloof ik...'

'Ik moet in elk geval naar huis vanavond, als ik nog langer van mijn werk wegblijf, neemt een of andere kleuter mijn baan over.'

'Dus je gaat gewoon?'

'Wat Lena kan, kan ik ook. Dit is niet langer mijn verantwoordelijkheid. Ik heb mijn leven.'

'Nu ben je egoïstisch, Marie. Lena was compleet in paniek!

Jij hebt toch verdorie het recht om vrij te nemen! En hoezo niet jouw verantwoordelijkheid? Wanneer wordt het jouw verantwoordelijkheid dan? Geldt dat alleen als er iets met jou gebeurt?'

'Maar ik wil niet!'

'Neem mama dan mee.'

'Naar de stad?'

'Ja.'

'Je maakt een grapje zeker? Ze vertoont al ontwenningsverschijnselen als ze alleen al naar de Coop in Redäng rijdt.'

'Neem haar mee! Dan help ik Robert en de kinderen. Ik kan 's avonds wel een beetje werken, het is vrij rustig. In elk geval voor een week.'

'Nee, nee, nee, dat gaat gewoon niet.'

'Luister naar me, Marie...'

Åsa blijft staan, leunt tegen het tuinhekje en wiegt op haar schoenen heen en weer op het asfalt. Vijftig meter verderop is Roberts garage. Åsa's ademhaling is gejaagd, in en uit. Rustig nu. Rustig en mooi. Niet gaan schreeuwen nu, alleen maar uitleggen.

'Jij bent er altijd vandoor gegaan, altijd! Ik herinner me van jou vooral je rug toen we klein waren. Eerlijk! Je rug, hoe je wegrende, ertussenuit kneep. Maar nu knijp je er niet tussenuit, hoor je dat! Nu zorg je voor mama! Zo is het gewoon. Ik help Lena's kinderen, jij helpt mama. Daarna komt Lena terug, voelt mama zich beter en alles komt weer goed.'

'Weer goed? Ik weet hoe het gaat. Ik verhuis weer naar huis en word dan een melkboerin, of mama verhuist naar een klein eenkamerappartement in Uppsala en staart met hondenogen naar haar vreselijke dochters. Godverdomme! Het komt niet meer goed! Papa is dood en godverdomme, het is afgelopen! Shit, kut!'

Marie drukt haar telefoon uit. Gooit haar peuk naar de vorstige mestvaalt, steekt onmiddellijk een nieuwe sigaret op. Neemt drie snelle, diepe trekken.

Papa. Waarom moest je verdorie ook sterven? Had je niet met mama naast je kunnen autorijden toen je die hartaanval kreeg. Zodat jullie samen zouden gaan? Zodat moeder niet zo alleen achterbleef. Zo verschrikkelijk alleen.

Marie trapt hard tegen de stalmuur, een paar koeien loeien terug als antwoord. Het is godverdomme nog koud ook. Stomme kut-overall, Roffes dunne melk-overall. Met stijve vingers probeert ze de overall over haar borsten dicht te knopen, maar de knopen floepen de hele tijd weer open. Wat ís dat toch godverdomme? Kunnen ze niet eens een behoorlijke melk-overall naaien voor iemand met siliconentieten? Ze schopt nog een laatste keer tegen de stalmuur en klost woedend weg naar het hoofdgebouw.

Haar ogen zitten dichtgeplakt. Alsof een of ander kaboutertje zijn kleinste lijmtube tevoorschijn heeft gehaald en heel voorzichtig plaksel tussen haar oogleden heeft gedrukt. Lena probeert ze te openen. Niets. Met haar vingers peutert ze het zand uit haar ogen, pakt het beet tussen haar nagels en trekt het weg. Alsof er een deksel wordt weggehaald. Nu kunnen ze open.

Hoe lang heeft ze geslapen? Lena kijkt op haar mobieltje. Het is halftwaalf. Dan moet ze... dertien uur... hebben geslapen. Ze sluit haar ogen weer. Ze zou met gemak nog dertien uur kunnen slapen. En nog een keer. En nog een keer.

Ze heeft haar kleren aan: het dikke jack, het regenjack, de joggingbroek en de geitenwollen sokken. Ze wrijft haar voeten tegen elkaar, de bloedcirculatie komt een heel klein beetje op gang. Suf trekt ze het dekbed op tot aan haar kin en tuurt door de kamer. Het rolgordijn is donkerblauw zodat de kamer volledig in een grauwe waas rust. Een typische prepuberale jongenskamer: een stalen buizenbed, hockeyshirts op de wand bevestigd, vaantjes van het plaatselijke hockeyteam, colablikjes in een piramide langs de wand opgestapeld, stapels Batman-strips onder het bed gegooid, een bureau bezaaid met nog meer stripbladen, een paar bouwmodellen, een computer, koptelefoons en heel veel spelletjes. Lena doet haar ogen weer dicht.

Het was gister niet gemakkelijk. Wat was ze moe van alle kinderen, dieren, Robert en het huis dat nooit schoon wordt. Zo moe, zo ontzettend moe.

Maar toen ze de kinderen welterusten zou kussen... Toen ze hun zoete geuren opsnoof, alsof ze haar vingers in de honingpot had gehad, een beetje muf, maar toch lekker. Het was zo moeilijk toen ze hun geuren rook, toen ze hun schrale herfstwangen streelde, de glinstering in hun ogen zag, toen ze een tijdje op de rand van hun bedden zat en niet naar beneden rende, omdat het eindelijk avond was en ze een tijdje met rust werd gelaten en naar middelmatige televisieseries kon kijken.

Hampus die vertelde dat ze op de crèche Skåns leerden... Hij moet Josefin over Engels hebben horen praten en dus wilde hij ook een of andere taal leren. Dat moest dan maar Skåns worden. Wilda, die het alfabet opdreunde, en weer terug, achterstevoren. Josefin, die niet wilde praten, ze keerde zich zwijgend naar de muur en mokte dat ze de herhaling van *Idols* niet mocht zien. Engla, die zachtjes en plechtig vertelde dat God tegen haar had gezegd dat ze nu vier keer per dag moest bidden, anders werd hij boos. Praatte ze werkelijk met God? Dat had Lena niet gemerkt. Ze had niets gemerkt. Ze heeft alleen maar gevochten. Maar nu wil ze niet meer vechten. Nu wil ze alleen maar slapen. Van elk kind nam ze een kledingstuk mee. Eerst pakte ze hun enigszins schone kleren in, de weinige die er nog te vinden waren, maar die roken alleen maar naar wasmiddel en niet naar haar eigen kleine fantastische scheten van kinderen. In plaats daarvan rommelde ze tussen het vuile wasgoed op de televisiebank. Pakte Wilda's roze dalmatiërstrui met de bruine sausvlekken op de buik in, Engla's tuinbroek met modderige grasvlekken op de knieën en Hampus' piepkleine nachthemd dat ondergekliederd was met tandpasta en Josefins handbalshirt met nog een beetje de geur van een tikkeltje zweet en mierzoete parfum. Van Robert nam ze niets mee.

Ze moet denken. Over het leven. Wat er de bedoeling van is. Hoe het verder zal gaan. Hoe het zal eindigen. Voor de dood dus. Hoe het zal eindigen voordat er een eind aan komt. De kinderen... Mijn god. Ze heeft haar kinderen achtergelaten. Wat deden ze op dit moment? Stel je voor dat Robert de brief niet heeft gezien... Dat heeft hij vast niet. Daarom wilde ze ook dat Åsa zou blijven slapen. Åsa ontgaat niets. Åsa helpt de kinderen wel naar de crèche en naar school... Åsa praat met Robert. De kinderen zijn dol op Åsa. De kinderen zijn dol op... de kinderen...

Dan valt ze weer in slaap. Een erg zwarte, diepe en rustige slaap.

'Mama?' Voorzichtig tikt Marie op Irenes schouder. Ze zit te slapen in de bruine televisiestoel. Ze slaapt met een onregelmatige ademhaling, helemaal niet in overeenstemming met de ademhaling waarmee Irene anders altijd geslapen heeft. Irene met al haar gezichtscrèmes, een overblijfsel uit haar kappersleven. Gezichtswater met rozengeur, reinigingscrèmes, nachtcrèmes, antirimpelcrèmes, handcrèmes, voetenspray, papillotten, krultangen en verschillende soorten haardingen. De kast in de badkamer op de bovenverdieping is enorm. Irenes spullen staan op alle planken, behalve helemaal achterin waar een paar vierkante centimeters bestemd zijn voor Roffes deodorant en de Harley-Davidsonaftershave. Marie bestudeert de huid van haar moeder, die eruitziet als het mooiste en zachtste nappaleer. Een beetje zacht goudbruin, mooie diepe rimpels, kleine blosjes op haar wangen – op dit moment enigszins ingevallen. Mama, die van plan was te gaan lijnen in de herfst. Ja, dat is haar in elk geval aardig gelukt. In de weken sinds de dood van Roffe is ze zeker tien kilo afgevallen. Verdriet verbrandt vet beter dan welke *fatburner* ter wereld ook.

'Mama?'

Irene schrikt wakker, staart eerst een beetje verdwaasd om zich heen en ontdekt dan Marie. Marie: net gedoucht na het melken, onopgemaakt, haar lange geblondeerde haar in een natte knot boven op haar hoofd (het krijgt een mooi golvend volume als ze het daarna los laat hangen), Roffes oude knalgele, pluizige joggingbroek aan (die iedereen in het gezin altijd gehaat had en waarmee ze hem geplaagd hadden. Een knalgele softiebroek met de tekst LONDON, PARIJS, NEW YORK, BORGHOLM erop, de meest hotte plaatsen van de wereld op de meeste coole broek van de wereld...) en een strak roze hemdje met de tekst DON'T FUCK WITH THE BITCH over haar borsten.

'O, hoe laat is het, heb ik lang geslapen?'

'Ik weet het niet, een paar uur misschien...'

'Hoe ging het melken?'

'Goed, een eventuele uierontsteking bij Majvor 23. Het kalf van Sigbritt 27 staat nu bij de andere kalfjes, dat ging vrij goed. Sigbritt is misschien nog wat onrustig. Zeven koeien zijn tochtig, ik ga ze vanavond insemineren. Verder was het rustig. De invallers doen het meeste werk.'

'O, mijn god. Hoe zal het met de boerderij gaan, Marie, hoe zal het gaan... Mijn god...' Irene slaat haar handen voor haar gezicht. Blijft even zo zitten. Alsof ze probeert kracht te verzamelen. Ze trekt een stijve zakdoek uit haar zak en snuit haar neus. 'Het is ook een beetje daarom dat ik op ben. Niet alleen vanwege papa. Vooral om papa natuurlijk, maar ook de boerderij... Ik heb immers geen geld om iemand in dienst te nemen en ik kan niet jarenlang invallers inhuren en ik wil ook niet eeuwig een beroep doen op de buren. Mijn god.' Weer slaat ze haar handen voor haar gezicht.

'Er komt wel een oplossing, mama. De invallers hebben we immers verlengd, zodat ze hier tot aan de begrafenis zijn en nog een aantal weken daarna, later zien we wel. Denk er nu maar niet aan. We verzinnen wel iets.'

'Maar hoe moet dat gaan, Marietje? Zou je hier weer willen

werken, dan? Nee, dat geloof ik niet. En Åsa, ze is hier immers niet handig in, ze is wat dat betreft zo zwak. Lena heeft genoeg aan haar eigen kinderen en Robert, nee het gaat niet... Mijn god...'

'Trouwens, Lena... Åsa heeft gebeld...'

'Ja, zou ze nu niet gauw komen?'

'Ja, maar... Lena is er blijkbaar vandoor.'

'Nee, wat?'

'Weggegaan dus. Åsa heeft een brief gevonden, ze lijkt niet terug te willen komen. Ze was zo moe van alles en kon het niet meer opbrengen.'

'Ervandoor? Waarheen dan?'

'Geen idee, dat schreef ze niet.'

'Nee, maar... Mijn god... De kinderen, hoe moet dat nu met de kinderen, ik kan niet... mijn god... Ze kan er nu toch niet zomaar vandoor gaan, dom gansje.'

Weer haar gezicht naar beneden. In haar handen. Geen gehuil. Alleen maar stil gejammer. Ach, ach. Over de kinderen, de kleinkinderen, de koeien en de boerderij. En over Roffe. Marie streelt haar moeder een beetje onhandig over haar schouders, masseert haar. Masseren is gemakkelijker dan omhelzen. Masseren is actief, je doet iets, staat daar niet alleen maar... en wordt niet omhelsd. Marie begint in de schouders te kneden. Irene ontspant een beetje. Ach, ach. Buigt haar hoofd naar achteren, laat het tegen de rug van de stoel rusten. Marie pakt aan. Ze is altijd goed geweest in massage. Lange, sterke vingers. Echte druk. Goede kneep. Lange, sterke nagels. Een beetje krabben. Irenes spieren voelen aan als kabels. Harde, levenloze, dode spieren. Marie laat ze tussen haar handen rollen. Irene glimlacht bijna een beetje. Marie kneedt. Mamaatje, geniet je nu? Kan ik iets goed doen, kan ik je laten ontspannen? Ja, mijn hemel, hoe moet dat nu met de boerderij? Hoe moet dat nu met alles? Maries handen gaan verder omhoog naar Irenes hoofd. Met haar lange nagels masseert ze haar hoofdhuid. 'Ga met mij mee naar huis.'

'Wat? Naar Stockholm?' Irene spert haar ogen open.

Wow. Haar eerste directe reactie sinds het overlijden van Roffe. In elk geval iets. 'Ja. zou dat niet mooi zijn? De invallers de boerderij hier laten draaien en jij met mij mee naar huis. Ik werk immers alleen 's nachts, dus overdag kunnen we iets gaan doen, of we kunnen het gewoon rustig aan doen. Ik kan je masseren en een beetje eten koken.'

'Eten koken? Jij?'

'Nee... Maar ik kan misschien wat eten halen. Van een of ander restaurant.'

'Dat is mooi gedacht, Marie, maar ik weet het niet. Ik weet niets. Het is alsof niets me nog kan schelen. Ik kan thuis zijn, ik kan op de maan zijn, het maakt me niets uit. Jouw kleine flat is net zo goed of slecht als iets anders...'

'Dan ga je met mij mee. Ik beslis.'

13

Drie dagen geleden is Lena vertrokken. Zijn vrouw. De vrouw die een klein en belachelijk, maar vrij schattig kroontje op haar hoofd droeg toen ze trouwden. Die hem liefde in voor- en tegenspoed had beloofd. Wier hand hij had vastgehouden toen ze hun drie kinderen baarde. Voor wie hij zich uit de naad had gewerkt om ze allemaal te kunnen onderhouden. Toen Lena een veranda wilde, bouwde hij een veranda. Toen Lena een derde kind met hem wilde hebben, ja, toen regelde hij dat. Hij houdt immers van haar!

En dan gaat ze ervandoor. Foetsie, zomaar. Foetsie – weg. Waarheen? Hoe lang? Waarom? Waar moet je je op instellen? Een heel nieuw leven, of gewoon een weekend zonder Lena? Hoe moet je verdomme...

Ze komt terug! Iets anders kan ze niet doen. Dat gaat gewoon niet. Een week, daarna staat ze weer op de stoep te roepen. Dan zal hij lief zijn, vergevingsgezind en aardig. Geen enkele opmerking zal er over zijn lippen komen. Hij zal daar in het schoongemaakte huis staan, met alle netjes opgevouwen was, alle kinderen met volle buikjes en zeggen: 'Welkom thuis, schat!'

Geen bitterheid. Of...

Robert kijkt door het raam dat uitkijkt op het pompstation. In twee witte plastic potten twee plastic bloemen die nooit verwelken, alleen maar verstoffen. Een belachelijke klok in de vorm van een Volvo Duett. Dramatisch lelijke gordijnen. Hingen die daar al niet toen hij de garage kocht? Godverdomme. Kut! Je kunt toch de persoon met wie je getrouwd bent niet in de steek laten. Je kunt toch niet zomaar vertrekken en hem met alle kinderen en konijnen laten zitten, godverdomme! Toen die ochtend Lena's kant van het bed leeg was, begreep hij het niet. Dat het werkelijk leeg was. Hij dacht dat ze in Wilda's bed was gaan liggen, dat ze haar getroost had na een of andere nachtmerrie of zo. Hij had geen enkel vermoeden gehad dat ze ervandoor was, hem alleen achtergelaten had.

Moet hij iets kapotslaan? Is dat wat je doet? Of schreeuw je, huil je als een gek? Wat doe je, als je bent verlaten? Of zit je gewoon op je bureaustoel voor je uit te staren, je te verbijten. Het is niet Lena's fout dat ze is weggegaan. Robert heeft misschien niet... Heeft misschien niet zoveel meegeholpen. Nee, nu denkt hij verkeerd. Lena haat het wanneer hij meegeholpen zegt over zijn eigen huis en zijn eigen kinderen. Maar zo voelt hij het, alsof hij niet zoveel heeft meegeholpen als had gemoeten. Een beetje vaker de kinderen naar de crèche brengen en zo, wat schoonmaken zo nu en dan. Maar het is zo... verdomde saai en zij doet het zoveel beter. Iemand moet toch weten waar ze is. Åsa zou het moeten weten, maar Lena neemt niet op als ze bellen, bij niemand. Robert zakt nog een stukje verder onderuit in zijn leren stoel. Hij staart, vergeet met zijn ogen te knipperen, ze worden droog, kurkdroog. Knipper, knipper. Zo ja, nu komt er een beetje vocht in zijn ogen. Ze komt terug. Ze houdt van hem. Ze houdt van de kinderen. Kop op nu, Robert, verdomme.

'Ja, ja.'

Robert slaat met zijn grote, besmeurde handen op zijn knieën en zit dan weer stil. Hij zit maar wat heen en weer te draaien op zijn bureaustoel.

Verdomme, wat is Åsa goed bezig trouwens. In twee dagen heeft ze het hele huis op orde gebracht. De was is op kleur gesorteerd en wordt vervolgens gewassen. De wasmachine en de droger gaan dag en nacht tekeer in de kelder. Het haar van de kinderen is gekamd. Josefin heeft een compleet nieuwe hand-baloutfit gekregen met een fraaie trainingsbroek, schoenen en andere spullen. Voor de kleintjes had ze wat speelgoed gekocht en kennelijk had ze tegen hen gezegd dat het van Lena was. Groots. Werkelijk klasse en heel lief. Als Åsa niet... Nee, zoiets mag hij niet eens denken. Een beetje vreemd voelt het wel om helemaal alleen met haar te zijn, niet helemaal ontspannen. Maar de situatie is sowieso zo gespannen als een snaar nu Lena gewoon verdwenen is en Roffe ook weg is. Maar er is ook een andere spanning. Åsa is mooi en wanneer ze het huis en de kinderen verzorgt en daar staat als hij thuiskomt, en dat flauwe glimlachje op haar gezicht verschijnt, dan wordt hij... dankbaar en blij, hoewel hij verdrietig is. Maar hoe kan Lena verdomme ook zomaar vertrekken!? Hoe zit ze verdorie in elkaar dat ze gewoon maar verdwijnt zonder te zeggen waarheen! Waarom in vredesnaam heeft ze niet gezegd dat ze niet meer kan, dat ze helemaal op is, zodat hij iets had kunnen doen! De kinderen zijn helemaal in de war. Eerst opa weg en daarna mama als het ware.

De kinderen geloven dat Lena op Mallorca is en gewoon wat uitrust. Misschien is ze daar? Waarschijnlijk wel, want het geld voor Schilder Erik is immers weg, misschien heeft ze dat wel voor een charter gebruikt. Hij zal daar nooit iets over zeggen. Nooit. Als je helemaal cynisch wilt denken is dit misschien zo gek nog niet. Lena kan uitrusten in een of andere zonnestoel, Åsa mag een beetje moeder spelen, het huis komt weer in perfecte staat en ja, misschien is het goed wat er is gebeurd. Als Lena maar niets overkomt, als ze maar thuiskomt.

En als Lena weer thuiskomt, is iedereen uitgerust en zal Robert meer meehelpen.

Robert slaat zichzelf op de knieën, zegt 'ja ja', staat op en loopt naar de werkplaats om de Renault na te kijken.

'Ontbijt...' Conny klopt voorzichtig op de deur, zet hem op een kiertje en gluurt de jongenskamer in. Lena ligt in het bed, als een klein... of nee, als een reusachtige koolrollade. Ze heeft in elk geval haar kleren uitgetrokken en ligt nu in Conny's oude pyjama onder het dekbed. Ze slaapt diep. De vierde dag nu al waarop ze alleen maar slaapt. Stil sluipt Conny naar het bed, zet het dienblad op het nachtkasje en gaat op de rand van het bed zitten. 'Lena? Je moet wel wat eten...'

Alsof ze een klein dier was, als een lichtschuwe mol met een trillende snuit opent ze haar ene oog op een kiertje. Het andere oog blijft helemaal dicht. Met het turende oog fixeert ze Conny. Ze glimlacht een beetje en opent langzaam het andere oog.

'Kijk eens aan! Goedemorgen, het is bijna elf uur.'

Lena rekt zich uit in haar koolrollade. Ze wiebelt een beetje met haar tenen, strekt krakend haar armen en benen. De kinderen zitten in de hoek van haar oogbol en zwaaien naar haar zodra ze wakker wordt. Soms huilen ze in de bol, soms spelen ze monopoly met Robert en hebben ze het naar hun zin. 'Ook goedemorgen. Krijg ik alweer ontbijt op bed?'

'Ja, als Lena niet naar het ontbijt komt, moet het ontbijt maar naar Lena toe komen. Hetzelfde geldt voor de lunch, het avondeten en voor de koffie en de thee.' Conny glimlacht breed met zijn gulle mond. Hij is vrij mager onder al die ritselende ijsjasjes, tenger. Hij lijkt op de jongen van de Calvé-pindakaasreclame: kwiek als een jongen, maar toch een man. Voorzichtig zet hij het dienblad op haar schoot en schuift een boterham naar haar toe.

Lena glimlacht vermoeid. 'Waarom ben je zo lief voor me?' Ze perst haar rechterarm uit haar koolrollade en pikt een van de boterhammen met kaas en paprikaringen. De boterham verdwijnt in de koolrollade. De mol wil zijn buit in alle rust opeten.

'Waarom niet?'

'Ja, maar je kent me niet eens...'

'Nee, en jij kent mij ook niet.'

'Wel, je bent lief.'

'Misschien... En jij bent moe.'

'Mmm.'

'En ik had tegen je gezegd dat je mij op elk moment kon bellen en dat heb je gedaan.'

Lena neemt een grote hap van de boterham, pakt het koffiekopje en neemt een slokje. Heet, sterk en zoet. Ja, ze had hem gebeld. 's Avonds. Toen iedereen naar bed was gegaan, toen ze al haar kinderen welterusten had gekust en ervoor had gezorgd dat Åsa er was. Toen had ze die brief geschreven. Op een vreemde en rebelse manier was het mooi dat ze, in plaats van af te wassen na Roberts macaronimaaltijd, gewoon een brief had geschreven, die tegen het pak melk dat niet weer in de koelkast was teruggezet, had gezet en was vertrokken. Niet afwassen, niet bitter zijn, maar gewoon vertrekken. Toen had ze Conny gebeld. Wie had ze anders kunnen bellen? Mama? Nee. Stina van de ICA? Nee. Camilla of Bettan, twee loslippige vriendinnen? Nee. En hij had het gezegd. Dat ze hem altijd kon bellen, wanneer dan ook. Niemand anders had dat gezegd. En Conny had niet geaarzeld. Hij kwam gewoon. Niet met de ijscowagen, maar in een oude beige Saab. Over het grindpad van haar huis naar de weg lopen, in de auto gaan zitten, Conny met een knikje begroeten en haar huis achter zich steeds kleiner zien worden: dat was niet rebels mooi, dat was verschrikkelijk. De kinderen, die ze het afgelopen halfjaar tot elke prijs had geprobeerd te ontwijken, naar wie ze niet had kunnen luisteren, die ze niet had willen knuffelen, aan wie ze zich had gestoord als ze met open monden hadden zitten kauwen en hun eten met hun vingers in plaats van met hun vorken naar binnen hadden geschoven. De kinderen, die hun kleren laten rondslingeren, die in een egoïstische luchtbel leven, de kinderen, die ze alleen maar slapend in bed had willen hebben; ze wilde gewoon wel naar ze terugrennen. Ze had het beige Saab-portier willen openen en naar huis terug willen vliegen. Had in Wilda's bed willen kruipen om haar kleine knokige lichaam tegen haar eigen lichaam te voelen ademen. Maar ze deed het niet. Ze was nergens naartoe gerend. Ze was gewoon in slaap gevallen. In de auto, alsof ze acuut apathisch was geworden. Ze was een heel klein beetje wakker geworden toen Conny het portier van de auto geopend had en geprobeerd had haar zijn kleine huis in te helpen. Daarna was alles alleen maar zwart. Lena neemt nog een slok van de hete koffie met een beetje te veel suiker erin. 'Wanneer komt je zoon thuis, ik bedoel ik kan hier toch niet de hele tijd blijven liggen?'

'Hij komt pas volgende week, Elin ook. Dus dat is geen probleem en dan zien we wel weer.'

Lena glimlacht dankbaar en neemt nog een hap van haar kaasboterham. Ze kauwt langzaam. Mijn hemel, wanneer heeft ze eigenlijk voor het laatst rustig gekauwd? Dat moet ergens begin jaren negentig zijn geweest, voordat ze Josefin kreeg.

De kinderen. Vier dagen geleden is ze vertrokken. Nog nooit eerder is ze zo'n lange tijd van ze weg geweest, niet eens van Josefin. Lena ziet haar mobieltje liggen boven op een album met de stripfiguren Casper en Hobbes: hij staat uit. Hoeveel berichten zou ze hebben? Stel je voor dat niemand haar gebeld heeft... Nee, dat kan niet. Ze heeft niet de puf om ze nu af te luisteren. Voorlopig is Åsa even in de buurt. Een week zou ze op Het Zonneroosje blijven. Daarna kan ze de kinderen daarnaartoe brengen en dan kunnen zij en Irene... Tot die tijd is het rustig. Maar als Åsa naar haar eigen huis is gegaan en Robert het hele huishouden moet runnen... is het misschien niet zo rustig meer. Maar hij moet het doen, hij moet het redden! Hij moet nu alles doen! Hij moet uitgeput thuiskomen van de garage en meteen met het eten beginnen en na het eten moet hij afwassen. Na de afwas hebben de kinderen *Sesamstraat* gekeken en moeten ze als de wiedeweerga naar bed. Iedereen moet de tanden gepoetst hebben en de bips schoon, de pyjama aan en naar bed worden gebracht. Wanneer ze slapen moet hij een was draaien, Josefin helpen met haar huiswerk en pas daarna kan hij voor de televisie in slaap vallen terwijl hij kijkt naar een of andere herhaling van een advocatenserie. Om vervolgens zeven uur later wakker te worden en alles weer van voren af aan te doen. Arme Robert... Nee! Fout gedacht! Een foute, erg foute gedachte! Hij is niet zielig. Hij heeft tien jaar lang een verdomd luxe leventje geleid. Kon ongehinderd aan zijn auto's sleutelen, op elk moment opduiken, eten krijgen, de kleren in de wasmand gooien en daarna heerlijk in slaap vallen. Arme Lena, nee, domme Lena. Domme, domme, Lena die er niet eerder vandoor is gegaan of er niet vandoor had hoeven gaan als ze Robert, wat het huishouden betreft, had gedrild. Wat denken mannen eigenlijk wel niet? Dat ze maar wat met hun zaadcellen om zich heen kunnen spuiten en daarna naar het werk kunnen gaan, om de volgende keer doodleuk terug te komen als het weer tijd is voor de bevruchting. Nee!

Zorg voor jullie nakomelingen, jullie waardeloze kerels. Akelige, verwende...

Lena propt van pure woede ook de tweede boterham met kaas en paprikaringen naar binnen.

Conny giet nog wat koffie in haar kopje, glimlacht nogmaals zijn brede glimlach en haalt zijn hand een paar keer door zijn korte stekeltjeshaar. 'Oké, Goed. Ik moet er nu vandoor. Ik moet ijs uit het magazijn in de stad halen, wil je misschien mee?'

Lena schudt haar hoofd. Conny blijft even zitten, denkt na, streelt Lena voorzichtig over haar wang, kijkt haar goed aan, pakt het dienblad en staat op.

'Goed, dan ga ik nu maar. We zien elkaar vanavond. Ik kom rond acht uur thuis, denk ik. Rond etenstijd.'

Lena zwaait een beetje vanuit haar koolrollade, draait zich om, ziet op haar netvlies de kinderen monopoly spelen met Robert en valt als een os in slaap.

Åsa staat in de kelder te staren naar de vrieskist. Een enorme vrieskist die eruitziet als een opzichtige Amerikaanse auto: pistachegroen. Maar er klopt iets niet aan deze vrieskist. Hij zit helemaal vol, zo vol dat het deksel op een kier staat waar enorm veel dozen met ijs uitsteken: onwaarschijnlijk grote hoeveelheden smeltende Piggelins, hoorntjes, ijstaarten en... iets dat ijs is geweest, maar nu gesmolten is tot een grote onbestemde massa.

Het is een beetje als wanneer je bij je overgrootmoeder thuis bent en een voorraadkast opent waaruit alleen maar lege melkkartonnen naar buiten komen vallen. Waarom spaar je die? Waarom wil je vijfhonderdvijfentwintig lege, schoongespoelde melkkartonnen in een kast hebben, en nee, dit was nog voordat het afval gescheiden werd ingezameld. Waarom heeft Lena de hele vrieskist tjokvol ijs, veel meer ijs dat deze vrieskist kan hebben.

Åsa loopt de garage in, klautert over alle dozen en stoffige prullen heen, zoekt een oude vuilniszak en vindt een zwarte rol plastic onder de schaafbank. Met handschoenen aan smijt ze het ene pak gesmolten en bedorven ijs na het andere in de zak. Noggers, ijsboten, Dracula-ijs, bommen, prinsessentaart... Het houdt niet op. Was ze van plan een of ander groot feest te geven? Of is dit een psychose... Of... Het moet toch gigantisch veel geld gekost hebben terwijl ze het al helemaal niet zo breed hebben. Helemaal onderaan, op de bodem van de vrieskist, is het ijs nog steeds bevroren.

Ze zet de paar dozen die het hebben overleefd netjes in de vrieskist, doet het deksel goed dicht en knoopt de vuilniszak dicht. Ze zal Robert eens vragen over het ijs, hij weet er vast meer van. Met klepperende klompen loopt ze de keldertrap op, de ijszak met zich meezeulend.

Wat heeft ze staan schoonmaken. Het was zo smerig dat het weer erg leuk werd. Zoals stofzuigen wanneer je het geratel van al het gruis hoort. Geratel is erg leuk. Het was zoveel geweest dat het gewoon erg bevredigend was en op die manier hoefde ze ook niet na te denken. Ze heeft in deze vier dagen helemaal nergens aan gedacht. Niet aan haar kinderloosheid, niet aan haar vader, niet aan haar werk, niet aan haar moeder, en ook niet eens zoveel aan Adam. Ze heeft alleen maar schoongemaakt. Gestofzuigd, was opgevouwen, geboend, gedweild, gepoetst, afgewassen, gewassen, eten gekookt. Ze heeft gewerkt met haar handen. Ze is naar Uppsala gegaan om spullen te kopen voor de kinderen. Tassen vol kleren van de H&M. Ze heeft met alle kinderen tienerkleren in de rij gestaan bij de kassa alsof ze een moeder was, alsof ze kleren kocht voor haar eigen kinderen. De caissières hadden haar aangekeken en hadden geroepen dat kinderen in de herfst zo groeiden en dat ze vooral nu winteroveralls moest kopen, want floeps, ineens was het winter, waarop Åsa instemmend had geknikt, ja, dat klopte. Iedereen had gedacht dat ze voor haar eigen kinderen winkelde, niemand had iets anders gedacht. Ze zag er niet kinderloos uit, ze zag eruit als een moeder van vier kinderen, als een winnaar, niet als een verliezer van de ovulatiekalender. Ze heeft genoten van het uitsorteren van de veel te korte broeken van de kinderen en de verwassen truien, en van het weer vullen van de kasten met de nieuwe spijkerbroeken, de vrijetijdskleding, de witte bloesjes die ze niet had kunnen weerstaan, sokken die bij elkaar hoorden, onderbroeken met kikkertjes erop. Ze heeft genoten van de kleren netjes in hun pas schoongemaakte kleerkasten leggen. Het kapotte speelgoed is weggegooid en alle kussenslopen zijn gewassen. De planten heeft ze verpot, mest gegeven en met stokjes opgebonden. Ze heeft een goed slot op het konijnenhok getimmerd, zodat Engla ze niet meer de hele tijd kan loslaten. Eten heeft ze gekookt! Åsa, die anders alleen maar Cup-a-soup klaarmaakt! Nu heeft ze boodschappenlijstjes samengesteld nadat ze met haar neus in het oude huishoudkundeboek had gezeten. Ze heeft de koelkast gevuld met beleg, reuzenpakken sinaasappelsap, yoghurt, vlees en kaas. Toen ze bij de Coop groot insloeg was er ook niemand geweest die haar in twijfel had getrokken. Het was duidelijk: ze had een gezin, daarvoor hoefde je alleen maar te kijken naar de bomvolle winkelwagen. Het was fantastisch geweest om alleen maar met praktische zaken bezig te zijn in hoog tempo, achter elkaar door. Een beetje wrong het misschien toch wel. Dat zij Robert zoveel had geholpen, was misschien niet zoals Lena het zich allemaal had voorgesteld. Dat zij weggaat en haar grote zus in plaats daarvan het huishouden doet. De bedoeling van het geheel was dat Robert met het huishouden zou beginnen. Åsa ziet het als een inwerkperiode. Ze ruimt de ellende op en laat een functionerend huis achter, zodat Robert het in het begin een beetje gemakkelijker heeft, zodat de kinderen er niet de dupe van worden. Hij zal schoonmaken, eten koken en de kleren opvouwen, zijn tijd komt nog. Over een paar dagen.

Als Åsa er goed over nadenkt, zou ze zich kunnen voorstellen huisvrouw te zijn. Leven van haar miljoenen en alleen maar voor haar kinderen zorgen. Ze moet er alleen wel voor zorgen er eerst een paar te krijgen. Binnenkort de eisprong. Ze moet naar huis, naar Adam.

Naar haar zoemende werkkamer, naar haar klanten. En naar Adams zaadcellen. Adam. Hij is een man, daar valt niets op af te dingen, maar het is alsof dit hele geworstel om zwanger te worden... Ze voelt zich totaal onvrouwelijk, en Adam, wanneer hij thuiszit en hele dagen aan het werk is, net als zij... Robert is absoluut haar type niet, maar het heeft iets mannelijks dat hij thuiskomt, naar benzine ruikt en... Zo voorspelbaar damesromanachtig. Regelrecht pijnlijk, weg, weg, weg met zulke *Mijn geheim*-gedachten.

Robert denkt dat Lena gauw thuiskomt. Åsa twijfelt. Het is voelbaar in de muren dat ze is vertrokken, dat ze niet gewoon een charter heeft genomen, maar dat ze werkelijk alles in de steek heeft gelaten. Hoeveel keren heeft Åsa haar niet gebeld op haar mobieltje, misschien wel twintig keer? Er wordt niet opgenomen. Ze heeft ge-sms't, dacht dat het voor Lena misschien gemakkelijker was om op die manier te reageren. Maar nee, ook geen reactie. Maar Lena moet iets van zich laten horen, dat moet gewoon.

Åsa sjokt de tuin in en gooit de vuilniszak in haar auto, ze kan net zo goed een ritje naar de stortplaats maken nu ze toch bezig is.

Het voelde niet goed om Irene thuis achter te laten met de deken met daarop de Amerikaanse vlag over haar benen, het panterkussen achter in haar nek, Otto onder haar armen en de televisie voor haar neus. Marie had de tafel gedekt met een Vesuvio van Rockys pizzeria, een halve fles rode wijn en een beetje kaas. Irene had haar alleen maar aangekeken alsof ze een marsmannetje was dat voor het eerst een bezoekje aan de aarde bracht. Deze bleke kleine mama op die grote, rode pluchen hoerenbank, en boven haar hoofd het olieverfschilderij dat Led Zeppelin voorstelde tijdens een optreden in Central Park in 1972. Een kleinood dat Marie te pakken had weten te krijgen via een oude roadie in de bar. Zo boven Irenes keurig gepermanente kleine hoofd ziet het er helemaal niet zo cool en schitterend uit. Het ziet er vooral fout uit. Irene ook. Fout.

Marie heeft Irene een aantal keren laten zien hoe de afstandsbediening werkt, welke kanalen oude films uitzenden die ze waarschijnlijk graag ziet, maar Irene had niet geluisterd. Ze hield braaf de afstandsbediening vast, maar dat was het dan ook. Zo zat ze toen Marie haar achterliet. Ze staarde naar het raam en de Högbergsgatan, op de hoerenbank en met Led Zeppelin boven haar fontanel.

Wat een kutidee. Wat een verschrikkelijk, stom kutidee om haar moeder van Het Zonneroosje te halen en in een eenkamerwoning met slaapalkoof en hoerenbank in Södermalm neer te planten.

Marie gaat sneller fietsen. Het is glad. Alle regen die eergisteren is gevallen is opgevroren. Ze had in plaats van op de fiets op noren naar haar werk moeten gaan. En nu is Marie op weg naar haar werk. Gisteren was het werkelijk je reinste puinhoop geweest. Een paar dagen heeft ze vrij genomen. Zoals alle anderen dat doen. Maar als anderen vrij nemen loopt alles mooi door. Marie kent haar bar op haar duimpje, ze heeft maar een paar serveersters nodig die het smerige werk doen en dan kan zij het meeste zelf doen, ook al is het zwaar. Het is gewoon een kwestie van een tandje erbij gooien. Maar als Marie een paar dagen spontaan vrij neemt, stort de hele tent in elkaar.

Linus, een serveerster en Lisa zijn alleen geweest. God, wat heeft Linus moeite gedaan om extra personeel te vinden, maar het was hopeloos, dus zou je kunnen zeggen dat hij alles zelf heeft moeten doen. Lisa stond vooral in de bar munt te stampen en dikke schijven limoen te snijden. De serveerster werkte ook hard, maar Linus had de hele tijd een man te weinig. De kas was niet goed opgemaakt, er stonden nog lege kratjes in de bar, het ijs was niet aangevuld, de glazen waren slordig in de kast gezet en dat Marie niet per direct ontslag had genomen, moet als een geluk worden gezien, of eerder als teken van vermoeidheid. Ze kan een depressieve moeder, een weggelopen zus, een dode vader en tegelijkertijd haar maandloon te moeten inleveren niet aan. Ook al is dat salaris dan niet zo geweldig als de achtentwintigduizend van Lisa! Marie trapt harder. Hard, hard, hard. Het laatste stukje naar de club voert ze haar snelheid op tot veertig kilometer per uur, slipt de ingang in, zet gejaagd haar fiets op slot aan een van de koele regenpijpen.

Ze is nu al pisnijdig.

14

'Heerlijk Åsa. Werkelijk!' Robert schuift zijn bord weg en veegt zijn mond met een stukje keukenpapier af.

Pasta Carbonara. Eenvoudig te maken volgens het huishoudkundeboek: het spek knapperig bakken, de pasta koken, een eidooier en geraspte Parmezaanse kaas erdoor en nog een lekkere rauwkostsalade erbij. Voilà. Misschien wat minder lekker voor Robert, die het eten drie uur na de bereiding opgewarmd uit de magnetron kreeg, maar toch.

De kinderen slapen allemaal, Åsa heeft ze een nepansichtkaart voorgelezen op de rand van het bed. Ze had Lena's handschrift nagebootst en geschreven over de mooie badstranden en dat mama zo naar hen verlangde en niet wist wanneer ze weer thuiskwam, maar dat ze hoopte dat het allemaal goed met ze ging. Een leugen. Ja, maar Åsa kan niet anders. Ze kan niet naar de kinderen kijken en zeggen dat hun moeder is vertrokken. Zelfs niet tegen Josefin die dat Mallorca-verhaal niet echt lijkt te slikken.

Robert kijkt op. 'Je hebt het hier thuis echt mooi gemaakt. Je moet weten dat ik het echt heel erg waardeer.'

'Tuurlijk help ik jou en de kinderen nu ik hier toch ben. Maar overmorgen vertrek ik. Dat weet je toch?'

'Ja...'

Åsa staat op en begint af te ruimen.

Robert wrijft met zijn zwarte vingertoppen in zijn ogen. Hij wordt zwart onder zijn ogen en ziet er plotseling moe uit. 'Mijn god, stel je voor dat ze niet thuiskomt... Ik heb de hele tijd gedacht dat Lena weer thuiskomt als jij weggaat.'

'Ik zou daar maar niet op rekenen als ik jou was.'

Robert wrijft nog harder in zijn ogen. Door het vuil krijgt hij een duistere aanblik. Nu ziet hij er niet alleen moe uit, eerder ernstig ziek. Hij haalt zijn krachtige handen door zijn haar.

'Ik weet niet hoe het verder moet. Ik krijg het maar niet op een rijtje, wat ik ook maar bedenk. De garage moet blijven draaien, ik moet daar zijn, en de kinderen moeten eten krijgen en alles moet... Het gaat gewoon niet! Verdomme. Eerlijk, weet je echt niet waar ze is? Je moet het zeggen als je het weet!'

Åsa stopt de borden in de afwasmachine. 'Als ik het wist zou ik het je zeggen, dat zweer ik. Maar ik heb geen idee. Ik heb haar al duizend keer gebeld, maar ze neemt niet op.'

'Ik weet het. Ik heb het ook geprobeerd. Tweeduizend keer.'

'Maar ik heb het gevoel... dat ze een tijdje wegblijft. Ik weet het niet, maar dat voel ik gewoon. Natuurlijk komt ze terug, dat doet ze zeker, maar het kan misschien een tijdje duren. Ik denk dat je het hier wel redt, Robert.'

'Hoe dan? Hoe dan godverdomme?'

Åsa gaat bij de tafel zitten. Klopt Robert heel zachtjes op zijn arm. Op zijn krachtige, blonde, harige onderarm. Robert kijkt naar haar hand, zo klein en zacht, computervingers, geen droog eczeem of eelt. Hij herinnert zich die handen, hoe ze zijn handen weghaalden toen hij als enthousiaste puber met zijn handen onder haar trui wilde. Åsa legt haar hand terug op haar eigen knie. Kijkt Robert strak aan. 'Probeer goed na te denken. Ga eens na hoeveel kosten je elke maand hebt: de hypotheek, eten, elektriciteit enzovoort. Vergelijk dat met hoeveel je aan salaris opneemt. Misschien zijn er dingen die je kunt verkopen of waar je op kunt bezuinigen. Ik bedoel, je hebt immers heel wat auto's die je niet gebruikt. Verkoop die! Kleren voor de kinderen hoef je een tijdje niet te kopen, dat heb ik al gedaan en dat kan ik hierna ook nog doen. Het is gewoon erg leuk en dat bespaart je wat uitgaven. Vertrouw op de jongens die je in de garage hebt. Ga elke dag klokslag vijf uur naar huis. Als je dat alleen al doet, dan regelt de rest zich vanzelf. Misschien kan Fanny wel schoonmaken.'

'Naar huis om vijf... elke dag? Nee, dat gaat gewoon niet.'

'Waarom niet?'

'Omdat... Wie moet al die auto's repareren waar we voor vijf uur niet aan toegekomen zijn?'

'Iemand van je werknemers misschien? Of misschien moet je dan nee zeggen, zeggen dat je vol zit. Dat klinkt ook goed, alsof je goed bent!'

'Of traag... Stel je voor dat het niet goed gaat. Ik ben de beste van ons drieën en als het een keer fout gaat, dan krijgen we een slechte naam en dan is het gebeurd.'

'Dat geloof ik niet.'

'Ik wel!'

'Maar ik niet, je hebt de enige garage hier in de buurt, de mensen zouden ineens niet meer bij jou komen vanwege een klein foutje? Daar zijn ze te lui voor. En jij hébt toch een goede naam!'

'Åsa, je snapt het niet. Je weet niet hoe dat hier gaat.'

'Schei toch uit. Het klinkt alsof jíj dit nu niet kunt, je moet niet elke avond tot tien uur werken, dat is toch volkomen absurd.'

Robert wrijft zich weer hard in het gezicht. Åsa staat op en begint met een doekje de tafel schoon te maken. Robert tilt zijn handen op zodat ze de hele tafel kan doen. Zijn geur. Robert gebruikt nog dezelfde aftershave als op de middelbare school. Als ze haar ogen sluit en de geur opsnuift, ziet ze gewoon zijn tienerkamer voor zich en dat hij zo klein was. Hij was als het ware nog niet volgroeid. Klein, maar gespierd. Dat is hij eigenlijk nog steeds. Klein dus. Wat minder gespierd. Hij is nooit echt volgroeid, noch mentaal noch fysiek, maar hij is nog steeds aardig. En lief, op zijn zwarte monteursmanier. Åsa spoelt het doekje uit, ruikt er wat aan, (het ruikt zurig) en gooit het in de vuilniszak. 'Trouwens, waarom hebben jullie zoveel ijs in de kelder?'

'Veel ijs? Hoezo?'

'Ja, ik was in de kelder en toen gulpte er ijs uit de vrieskist. Ik heb bijna alles moeten weggooien. Zouden jullie een of ander feest hebben?'

'Feest? Nee... je bedoelt dat die hele kist vol ijs zat?'

'Meer dan vol.'

'O. Vreemd. Ik zal de kinderen eens vragen, misschien moeten zij iets mee naar school hebben. Maar wie heeft dat dan gekocht? We hebben daar niet echt het geld voor.' Robert staat moeizaam op en rekt zich uit zodat zijn trui wat omhoogschuift en er een klein buikje met blond haar wordt ontbloot. Hij ruikt een beetje naar benzine en naar die aftershave.

Åsa leunt tegen het aanrecht, kijkt naar Robert. Lacht in zichzelf. Wat vreemd, dat ze in een vorig leven een stel zijn geweest. Computer Åsa en Garage Robert. Niet vreemd dat het al stukliep voor ze elkaar amper hadden begroet. Robert die alleen maar wilde vrijen of een beetje met een bal wilde spelen. Åsa die het liefst binnen zat om nieuwe commando's voor computers te bedenken. Al starend naar Roberts geeuwende lichaam, verdwijnt Åsa in gedachten. Ze zweeft weg naar haar kleine kamer op Het Zonneroosje met die mooie, enorme computer die als een koningskroon pronkte op het kleine bureau dat Roffe voor haar had getimmerd.

Robert klopt zachtjes op haar schouder en lacht. Alsof hij in haar hersenen zat. 'Ja, stel je eens voor, dat je in hetzelfde bed hebt gelegen als dit rijzige lichaam! Jij kleine mazzelkont.' Robert grijnst vol zelfkritiek en tikt op zijn buik zodat die een beetje schudt.

Åsa wordt wakker, buigt gegeneerd haar hoofd en begint de vuilniszak dicht te knopen. Robert pakt de zak uit haar hand en schuifelt traag naar de buitendeur.

Terwijl hij zijn laarzen aantrekt, roept hij de keuken in. 'Dus je verlaat ons overmorgen?'

'Ja, ja, ik moet wel.'

'Maar dan maak ik morgen het eten klaar. Wanneer krijgen de kinderen altijd honger?'

'Tja, na *Sesamstraat*, rond halfzeven.'

'Dan eten we dan. Ik kan wat vlees halen bij Irene en Roffe... bij Irene, bedoel ik.'

Het ging niet meer. Toen Lena haar telefoon afluisterde, had ze ontzettend veel berichtjes van Robert. Robert huilt, Robert is verschrikkelijk boos, Robert smeekt, Robert huilt weer, Robert is onverschillig, Robert is gemeen, Robert is poeslief. En ontzettend veel berichtjes van Åsa, een paar halfhartige van Marie en een paar ongeruste van haar moeder. En dan de laatste, van Wilda. Wilda's dunne stemmetje dat vroeg of Lena het leuk had op Mallorca. Of ze misschien een mooie ketting voor haar mee kon nemen, en een 'Ik hou van je, dag.' Toen kon ze het niet meer. Lena koos het nummer van Åsa.

Nadat de telefoon een keer was overgegaan nam Åsa op. Lena begon meteen te huilen zodra ze Åsa's stem hoorde. Ze zag Åsa voor zich, in Lena's huis, met Lena's kinderen. Hoe ze de kinderen sprookjes voorlas voor het slapen gaan, eten kookte en... De tranen bleven maar stromen. Maar Åsa begreep dat het Lena was die aan de andere kant van de lijn huilde. Dus begon ze te vertellen hoe goed het allemaal ging. Dat ze kleren voor de kinderen had gekocht, had opgeruimd, had schoongemaakt, het deurtje van het konijnenhok had gerepareerd, dat Lena thuis kon komen, dat alles nu weer op orde was. Lena huilde. Åsa wilde weten waar ze was, zodat ze Robert en de kinderen gerust kon stellen. Een goed idee, geruststellen. Lena vertelde, een beetje. Ze vertelde dat ze bij een vriend woonde en dat ze zich niet ongerust hoefden te maken, maar dat ze gewoon even alleen moest zijn om na te denken. Dat Robert moest leren om vader te worden. Daarna beëindigde ze het gesprek en ze zette haar telefoon uit.

Zes dagen was ze nu van huis. Ze had vijf dagen geslapen, op de zesde was ze wakker geworden.

Hoe had ze vijf dagen kunnen slapen? Vijf hele dagen, vijf hele nachten. Een eindeloze diepe slaap, bijna zonder dromen. Soms had ze vaag gedroomd, over papa. Roffe en de kinderen zijn de enigen die vaag ergens in haar onderbewuste aanwezig zijn. Soms was ze wakker geworden van iemand die haar had geroepen, een kind dat had geplast, een man die zijn onderbroek niet kon vinden. Maar toen ze naar ze had gezocht waren ze er niet geweest, was er niemand geweest die ze de bips kon afvegen, niemand voor wie ze de onderbroek kon zoeken. Slechts Lena in een jongenskamer. En Conny, die drie keer per dag bescheiden had geklopt en met een dienblad met eten was binnengekomen en een beetje met haar had gebabbeld. En naderhand altijd weer was weggegaan, altijd weer de deur achter zich had dichtgetrokken. Nooit eisen had gesteld. Gisteren hadden er zelfs gewassen kleren netjes opgevouwen op de rand van het bed gelegen.

Conny. Een engel zonder vleugels, maar met ijs. Een engel zonder stralenkrans, maar met een groot kloppend hart onder zijn ritseljack met reclameopdruk. Misschien zitten daar wel een paar vleugels onder? Het ziet er immers een beetje lomp uit. Lena rekt zich uit in het bed en trekt het blauwe sterrendekbed een stukje omhoog en boort zich in het ruisende veren kussen. Over een paar dagen komen Conny's kinderen thuis. Dan kan ze niet meer in het bed van zijn zoon liggen, dan moet hij hier liggen en Spiderman lezen. Conny had iets gezegd over het gastenhuisje lenen, maar dat voelt niet goed. Hij heeft twee kinderen. Hij heeft ook een leven. Lena kan niet zomaar bij hem intrekken met haar angst en een nestje gaan bouwen. Zij moet het oplossen, ze moet het zelf oplossen. Conny is te aardig, hij zou haar nooit het gastenhuisje, avondeten inbegrepen, weigeren.

Ze moet... Misschien als ze nog heel even zou slapen... Langzaam sluit ze haar ogen, maar de slaap wil niet komen, niet zo snel als die haar anders heeft overvallen. Het lijkt wel alsof er nu iets een beetje aan haar ooglid trekt en het weer omhoog wil hebben. De kinderen. Hampus, Wilda, Engla en Josefin trekken aan haar oogleden en schreeuwen: Je kunt niet van huis wegvluchten en alleen maar slapen! Sta op en doe iets. Niet slapen, mama. Niet slapen! Lena opent haar ogen weer. Haar lichaam is nu een beetje lichter alsof het een paar dieploden kwijt is. Er zijn er nu nog tweehonderdzesendertig stuks over, maar een paar is ze er in elk geval kwijt. De kinderen. Ze moet naar huis, naar haar kinderen. Niet nu, maar binnenkort. Zodra ze weer kan denken. Ze moet opstaan. Heel langzaam komt ze overeind, ze hijst zich overeind, slaat het dekbed opzij, slingert haar benen over de bedrand en blijft even zo zitten terwijl ze met haar benen heen en weer schommelt. Ze raakt heel even met haar tenen de vloer aan en schommelt nog een beetje, grijpt dan haar Helly Hansentrui, die aan haar voeten ligt, en trekt die langzaam over haar hoofd. Zet haar voeten op de vloer. Tijd voor een beetje actie.

Het is stil in huis.

Conny zal wel met de ijscowagen op pad zijn. Een hele week heeft ze in dit huis op bed gelegen, maar eigenlijk heeft ze geen idee waar ze is. Een bungalow. Opgeruimd. Orde. Parketvloer. Het aanrecht blinkend schoon. Lena's ontbijtblad staat op de keukentafel. Gebloemde gordijnen, glad gelakte grenen tafel en keukenstoelen en een kleine kandelaar. De woonkamer met een hemelsblauwe suède hoekbank, een glazen tafel, een oriëntaals kleed van Matt-Svenssons, een paar groene planten, een fruitschaal met twee sinaasappels, een schilderij van een boot die op het strand ligt, een paar kranten. Een roze meisjeskamer met ballerina's op de versierstroken. Conny's kamer. Een enorm tweepersoonsbed. Keurig opgemaakt. Twee sierkussens. Kleerkasten met spiegeldeuren. De luxaflex een beetje open en naar beneden getrokken. Een badkamer met een douchecabine. Een zeer luxe douchecabine met een kleine zitplaats en heel veel gaten in de wanden waaruit massagestralen kunnen spuiten. Lena staart woest naar de douchecabine. Zal ze zichzelf misschien versteld doen staan en die mieterse cabine uitproberen? Voorzichtig trekt ze haar kleren uit en stapt het douchewonder in. Zeventien verschillende knoppen! Ze wil gewoon een douche nemen, waar zal ze eens op drukken? Wat kan het ook schelen, ze heeft een flinke beurt nodig. Lena drukt alle knoppen in die ze kan vinden. De cabine begint te reutelen, te hoesten, te flikkeren en te schudden en vervolgens te spuiten. Met volle kracht spuit het water uit alle gaten, waar ook nog muziek uitkomt. Niet echt een massage, eerder een zachte en warme poging tot moord.

Lena houdt zich krampachtig vast aan een van de handvatten, gaat op het ingebouwde krukje zitten en laat zich door het water afranselen, op de maat van de superhit 'Het doet pijn'. Opfrissend is een understatement. Opzwepend! Lena zit daar in de drukcabine en neemt een besluit. Het besluit haar eigen leven weer ter hand te nemen. In elk geval te stoppen met door Conny gevoerd te worden en in plaats daarvan hem te voeren. Hem echt goed te bedanken en een echt lekkere maaltijd te maken, zodat hij haar niet alleen maar ziet als een slapende, vieze koolrollade wier maag de hele tijd gevuld moet worden. Lena is geen vieze koolrollade. Ze is een vrouw in de bloei van haar leven. Het tij moet keren. Nu moet het keren. Haar leven moet een u-bocht maken en daar moet ze zelf voor zorgen.

'Lisa! Die kratjes de kelder in, nú! Dit kan toch godverdomme niet!' Marie scheldt en tiert naar Lisa die aan het pauzeren is in de kleine keuken. Pauzeren waarvan eigenlijk? Houdt ze niet een grote, eeuwigdurende pauze? Akelig kutkind.

Ze schopt wat te hard tegen de muur. Verdomme, dat deed zeer aan haar tenen. Godverdomde kutzooi. Twee dagen lang heeft Lisa gepauzeerd in de keuken en heeft Irene bij haar thuis gezeten, wezenloos voor zich uit zitten staren op de hoerenbank en zitten klagen dat ze alleen maar afhaaleten krijgt, terwijl Marie duizend longdrinks voor de klanten heeft gemixt en wel met duizend ideeën is gekomen om samen met Irene te kunnen doen. Alles: van museum (shit, wanneer is Marie voor het laatst in een museum geweest, dat moet in een of andere glasblazerij in het openluchtmuseum Skansen zijn geweest toen ze tien jaar was) tot een rustige wandeling langs het Södermälarstrand. Ze kreeg zowel van Lisa als van Irene dezelfde blik terug: morsdood en niet-begrijpend. Ze kan Lisa niet meer achter de bar hebben en ze kan haar moeder niet meer thuis op de hoerenbank hebben. Irene ziet er bij Marie thuis zo mogelijk nog bleker uit dan in haar eigen televisiestoel op Het Zonneroosje. Shit. Shit, shit, shit. Marie knoopt het knalroze schortje extra stevig om haar middel, schikt haar tieten, maakt een smakkend geluid met haar lippen en gaat weer verder. Het zweet stroomt over haar rug en langs haar zij.

'Drie bier en een dubbele Jack Daniel's!'

'Tuurlijk, een moment!'

'Vier white russian, met drie delen wodka!'

'Ze worden bij je tafel gebracht. Vijf minuten!'

'Vijf Bavaria!'

'Komt er zo aan, schat.'

'Een bier.'

'Vijftig ballen.'

'Mix maar een drankje, wat je maar wilt, als het maar niet bitter is. Of ja, maar niet te zoet!'

'Kom maar terug als je weet wat je wilt hebben, makker.'

'Vijftien dropshots voor de meiden daar in de hoek!'

'Zevenhonderdnegentig kroon voor dat blad.'

'Hallo! Nu heb ik hier verdomme toch zeker al een kwartier gestaan, ben ik onzichtbaar of zo? Een gin-tonic, nu, godverdomme.'

Marie rent heen en weer tussen ijsemmer, gootsteen, koelkast, krat bier, tap, limoenbakje, mixer en spuugt ondertussen een portie pruimtabak uit, stopt er een nieuwe in, schudt met haar haar, trekt haar t-shirt naar beneden, ijsemmer, de fooi in het zakje van haar schort, het vaatdoekje in de gootsteen, koelkast, krat bier. Godverdomme! Wat doet Lisa eigenlijk? Hoe lang heeft ze nog pauze? De muziek dreunt. 'Born to be wild.' Laatste zaterdag van de maand. Ze drinken als gekken. Benauwd als de hel. Sterke geuren: zweet, parfum, leer, shampoo, haren, lichamen, drank.

Marie wenkt naar Linus dat hij haar deel van de bar ook moet doen. Hulpeloos spreidt Linus zijn armen, met zijn eigen bargedeelte redt hij het nauwelijks, maar Marie maakt het teken dat ze naar de keuken gaat om Lisa te vermoorden en dan glimlacht Linus breed en zet er een tandje bij. De hogere versnelling, die de prof van de amateur onderscheidt. Uit pure frustratie duwt Marie nog een portie pruimtabak onder haar bovenlip, nu heeft ze er twee – wat extra kracht. In volle vaart stormt ze de kleine keuken binnen. Lisa kijkt op van haar *Story*. Marie kijkt haar strak aan, zuigt een beetje sap van de pruimtabak op en knikt met haar hoofd zodat haar haar schudt. 'Jij bent godverdomme ontslagen. Verdwijn uit mijn ogen.'

Lisa staart haar schaapachtig aan. 'Wat?'

Marie buigt zich over haar heen en brult: 'Je bent ontslagen! Loop naar de hel, alsjeblieft!'

'Ik heb recht op een pauze, dat staat in het contract.'

'Maar sinds wanneer heeft een contract met de werkelijkheid te maken? Jij hebt geen pauze meer nodig, jij kunt vertrekken. Nu!'

'Jij bent mijn baas niet, dat is papa.' Lisa bladert verder in haar tijdschrift. Een tikkeltje beverig nu.

'Ja, ik ben verdomme wel degelijk je baas. Ik ben de barmanager en ik kan geen snotneus gebruiken die roddelbladen leest op de laatste zaterdag van de maand als iedereen zijn salaris komt opzuipen. Dus *piss off*!' Marie rukt Lisa's jas, sjaal en wanten van de haak aan de muur. Smijt ze naar Lisa. 'Verdwijn godverdomme, voordat ik een ongeluk bega.'

'Ik bel papa.'

'Ja, doe dat. Wie interesseert dat. Hallo? Is er iemand die dat interesseert?' Marie roept theatraal naar de bar. Uiteraard is niemand daar ook maar een beetje in geïnteresseerd. 'Maar bel dan!'

'Ja, dat doe ik, want jij bent niet degene die hier de beslissingen neemt.' Lisa haalt haar mobieltje tevoorschijn en begint op de knopjes te drukken. Met een woeste uithaal schopt Marie de achterdeur open en ze beent de binnenplaats op. Verdomme, wat is het koud, en ijzig. Als een cobra spuugt ze de twee porties pruimtabak uit, trekt een sigaret uit haar achterzak en steekt hem op. Ze beeft. Niet van de kou, maar van woede. Akelig klein kutkind, vreselijke, kleine zeikrat. Godverdomme. Nu belt ze haar pappie. Vlatko. De vader met het waardeloze geweten en geen rooie cent op de bank van vertrouwen. Voor wie zou hij het opnemen? Voor zijn dochter of voor zijn barmanager?

'Gooooodverdooooomme!!!' Marie brult uit alle macht zodat het echoot tussen de huizen. Ze schopt tegen een paar arme verwelkte struiken aan, maar er liggen stukken ijs onder en Marie glijdt uit en landt plat op haar holle rug (au!), maar met de sigaret nog stevig tussen haar vingers. Die verliest ze niet. Ze ligt op de grond met haar handen tegen haar pijnlijke holle rug en schreeuwt: 'Goooooodverdooooomme!!'

Als een wankelende Bambi staat ze weer op, klopt de verdroogde struikresten van haar strakke leren broek. Nu kan ze kiezen. Of ter plekke terechtgesteld worden of de zooi met geheven hoofd verlaten, nu ze de kans heeft.

Ze kan zich door Vlatko de les laten lezen en Lisa's walgelijke zelfingenomen gezicht zien. Door blijven werken met Lisa. Doorgaan met Vlatko als baas. Doorgaan als onderbetaalde lijfeigene. Of 'm gewoon smeren. Nu meteen. Haar jas pakken en gewoon gaan. En dan mag Lisa aan haar pappie uitleggen waarom de barmanager ermee ophoudt, dan mag zij ter verantwoording worden geroepen. Dat gevoel is zo gek nog niet. Linus in de steek laten, nee, dat voelt niet zo goed. Maar Linus redt zich wel. Hij wordt barmanager en krijgt er misschien een paar duizend in de maand bij. Maar Marie dan? Waar moet zij naartoe? Meteen door naar het arbeidsbureau en zich voor een of andere duffe computercursus aanmelden? Of naar een andere rotbar gaan om slavenarbeid te verrichten. Of...

Ach, kutverdomme ook. Hoe dan ook: alle alternatieven zijn beter dan een uitbrander van Vlatko met zijn glimmende gangsterschoenen, en van Lisa zou ze uiteindelijk maar ongelukkig worden. Een levenslange gevangenisstraf is ook niet zo aanlokkelijk.

Marie blaast de laatste rook uit en schiet haar sigaret weg. Kijkt naar alle huizen, alle ramen, die ze zo goed kent. Met haar rinkelende zilveren armbanden duwt ze haar haar op, stift een beetje dieprode lippenstift op haar lippen en stopt een, nee twee, porties pruimtabak onder haar lip. En daar gaat ze. Ze loopt de keuken in, grijpt haar nepbontje met panterpatroon en glimlacht flauwtjes naar Lisa die in de telefoon praat. 'Zeg je pappie maar dat ik er nu mee ophoud.'

'Wat?'

Marie buigt naar voren en roept in de telefoon. 'Zeg je pappie maar dat Marie er nu mee ophoudt! En dat hij de pot op kan!'

'Wat?' Lisa kijkt haar als een onnozele hals na.

Marie! Godverdomme, wat ben je cool! Honderd procent! Ze trekt haar bontje aan, dringt langs de bar naar buiten en zwaait naar Linus. 'Ik heb ontslag genomen. Nu mag jij barmanager worden, schat! Succes!'

Linus kijkt haar alleen maar na, terwijl hij tegelijkertijd een milkshake in de shaker schudt. Marie werpt hem een handkus toe en gooit de barsleutels in zijn richting. Als een ruige panterkoningin schrijdt ze door de langharige mensenzee naar buiten. De stilte en de kou in.

15

'Maar wanneer komt mama thuuuuuuis?' Wilda hangt aan de achterzak van Roberts spijkerboek, terwijl hij tegelijkertijd de oven opent om de aardappelgratin erin te schuiven.

'Ik weet het niet, heb ik toch gezegd... Ze rust gewoon goed uit.'

'Hoezo uitrusten?' Wilda klautert als een lenig aapje Roberts rug op. Ze zet zich met haar hielen af in haar vader en hijst zich omhoog, slaat haar armen om zijn nek en haar spichtige benen in de nieuwe grasgroene maillot om zijn middel. Robert duwt met zijn voet het deksel van de oven dicht en omhelst Wilda.

'Tja, ze rust uit. Ze ligt misschien in een bed na te denken, ik weet het niet.'

'Is ze dood?'

'Nee, nee, maar ze is wel verdrietig dat opa dood is. Dat is toch genoeg, dat ze in een of ander gezellig hotel aan opa ligt te denken. Daarna komt ze thuis! We redden ons tot die tijd toch prima, of niet?'

'Maar Åsa gaat morgen weg...'

'Ja, maar ik ben er toch!'

'Ben je niet.'

'Tuurlijk ben ik dat wel.'

'Helemaal niet. Jij bent weg. Jij bent altijd weeeegggg! Jij kunt niet voor kinderen zorgen, dat heeft mama gezegd!'

'Ja, ja, maar het komt wel goed, het komt wel goed.'

Robert zet Wilda op de grond. Een schone vloer. Geen konijnenkeutels. Dat nieuwe slot voor het konijnendeurtje was precies wat het gezin nodig had, geen enkel kind krijgt het open en het huis is keutelvrij.

Hij was gisteren even op Het Zonneroosje om vlees te halen. Het was helemaal verlaten en leeg. Verdomme, hij mist Roffe ook. Irene is helemaal gefocust op haar eigen verdriet, alle zussen op hun moeder, maar Robert... Robert mist zijn schoonvader. Zijn intens warme schoonvader. Irene mist hij ook. Ze is verdwenen samen met Roffe. En Lena. Zij is ook verdwenen. Mist hij haar? Misschien. Misschien ook niet. Moeilijk te zeggen of hij haar mist of dat hij het meest geschokt is over het feit dat ze weg is. Eerlijk gezegd is alles beter geworden sinds ze weg is. Of beter gezegd: alles is beter geworden sinds Åsa bij hun thuis is. Ze heeft gewoon alles gedaan en leek het nog leuk te vinden ook. Toen Robert haar eten opat, zat ze gewoon naar hem te kijken, hoopte dat hij het eten lekker zou vinden. Ze was helemaal niet bitter. Meer gewoon blij. Blijer dan hij Lena noch Åsa in lange tijd heeft gezien. De laatste jaren was Åsa een grijze muis, maar nu... Åsa glimt gewoon een beetje, net als het hele huis, behalve de kinderen, die misschien niet. Zij missen Lena. Wilda is ontzettend lastig, is woedend op alles en verdrietig. Dat begrijpt hij. Daar hoef je geen psycholoog voor te zijn om dat uit te dokteren. Zelf is hij gekwetst. Waarom belt zijn vrouw Åsa, en niet hem? Waarom staat de telefoon altijd uit als hij belt? Altijd. Moet hij dit persoonlijk opvatten? Moet hij hier de conclusie uit trekken dat ze wil scheiden? Hij begrijpt het niet. Begrijpt de signalen niet. Ze stuurt verdomme ook geen signalen! Lena. Hij kan haar zich nog precies herinneren zoals ze in het begin was. Toen ze meestal in haar kamer op de boerderij sliepen. Haar lach, niet zo mooi misschien, meer een troep meeuwen, maar toch, ze lachte. En kleine Josefin die hij overal mee naartoe sleepte, alsof het zijn eigen kind was.

Robert snijdt dikke plakken van het vlees, een bloederige biefstuk. Al sinds zijn jeugd is dat zijn favoriete gerecht en nu, getrouwd met een boerendochter, kan hij het op elk moment eten, en nog gratis ook. Gebraden biefstuk met aardappelgratin. Het succesgerecht van Robert. Het enige gerecht van Robert, naast de snelkookmacaroni met een kant-en-klaarproduct naar keuze.

'Kunnen we al eten?'

Engla is met een Pippi-pruik op in de keuken aan het touwtjespringen.

'Even wachten... Trouwens, weet jij waarom de hele diepvries zo vol zit met ijs?'

'Mama heeft ontzettend veel ijs gekocht.'

'O ja. Waarom dan?'

'Weet ik niet. Maar ze heeft heel veel van die ijscoman gekocht.'

'Van Mehmet?'

'Nee, een nieuwe. Hij had wit haar! Net ijs, haha.'

'Hoe vaak heeft mama dan ijs gekocht?'

'De hele tijd. Soms elke dag! We mochten zoveel eten als we wilden. De clown met de kauwgomballenneus is het lekkerst. Die wil ik als toetje hebben!' Engla springt naar de woonkamer.

Elke dag? Heeft ze elke dag ijs gekocht? Van een nieuwe witharige ijscovent. Zo verdomde veel ijs dat het de hele kelder in stroomde. Het geld. Waar had ze verdomme dat geld vandaan? Het geld van Schilder Erik, dat misschien helemaal niet was opgegaan aan een charterreis... Is het rechtstreeks de diepvries in gegaan? Robert voelt een rilling in zijn maagstreek, net een acute maagzweer. Hij legt het bloederige mes neer en gaat zitten. Heeft Lena met de ijscoman geneukt? Met een godverdomde ijscoman? Was het allemaal slechts kletspraat, dat het zo zwaar is geweest. Wil ze alleen maar een tijdje met die ijscoman neuken in alle rust? Gaat het daarom? Of... is ze zo ongelukkig geweest dat het ijs troosteten is geweest? Een tijdlang. Enorme hoeveelheden. Of wilde ze de kinderen stil hebben? Wilde ze altijd precies dat ijsje kunnen geven dat ze graag wilden hebben?

Of neukt ze met die ijscoman? Nee... Lena niet. Lena heeft de laatste tijd nu niet bepaald zin in seks gehad. Het zijn vast steekpenningen. Smeergeld. Robert staat op en gaat verder met het vlees in dikke plakken snijden.

'Hallo?' Een koude windvlaag stroomt de keuken in vanuit de hal. Åsa komt thuis. Ze heeft de hele middag op de boerderij doorgebracht. Ze heeft in alle stille, koele kamers rondgelopen, heeft op de wc gezeten en had in de doos met kranten naast de wc een oude *Expressen* gevonden, en toen ze naar de datum had gekeken had ze zich gerealiseerd dat haar vader die krant nog gekocht moest hebben. Ze heeft geprobeerd te voelen wat Roffe voelde toen hij hem las, heeft geprobeerd in Roffe te kruipen. Gehuild heeft ze ook, toen ze de slaapkamer van Roffe en Irene binnenstapte. Onder Roffes bed lagen zijn halters en een paar warme, pistachegroene, lelijke sokken. Ach, die sokken, en met die sokken op haar schoot begon ze te huilen. Huilde en huilde en huilde. Ze ging aan zijn kant in het bed liggen. Rook aan zijn kussen. Ze rook vaag de geur van Roffes Harley-Davidsonaftershave. Als ze haar gezicht diep in het kussen boorde dan was die geur er nog wel, maar hij was al bezig te vervagen. De laatste adem van Roffe. De sokken trok ze aan. Daarna verschoonde ze het bed en gooide het vuile beddengoed in de wasmachine. Irene zal thuiskomen in een verschoond bed, een schoon huis en een nieuw... Een nieuw leven. Of nee, eerst de begrafenis, daarna een nieuw leven. Hoe dat er dan ook maar uit mag zien.

'Ik ben thuis!' Åsa schopt haar laarzen uit en hangt haar dikke jas op de kapstok. Het ruikt naar romige aardappelgratin.

Conny bestudeert Lena. Kijkt haar diep in de ogen. Hij glimlacht voorzichtig en plukt een haarlok weg die vast is blijven zitten in haar mond. Het kriebelt. Lena giechelt. Daar liggen ze dan, op het brede tweepersoonsbed, boven op de sprei. Twee brandende, flakkerende kaarsen voor het raam, verder is alles in de zware novemberduisternis gehuld.

Toen Conny 's avonds thuiskwam, werd hij getrakteerd op een diner. Hij was stomverbaasd. Zijn mond stond wagenwijd open en al snel verscheen er een brede glimlach om zijn mond. De aanblik van een lekker ruikende Lena in horizontale positie, die haar haar los draagt, zonder die oude Helly Hansentrui aan, deed hem versteld staan.

Lena was met moeite onder de keiharde douche vandaan gekomen. Ze had de kinderen voor zich gezien, had haar stijve lichaam gedwongen haar jas aan te trekken, was buiten voor de kleine bungalow gaan staan en had eerst naar rechts en daarna naar links gekeken. Waar was ze in hemelsnaam terechtgekomen. Alleen maar kleine bakstenen huisjes, welke kant ze ook op keek. Kleine bungalowtjes op bijna net zulke kleine vierkante gazonnetjes.

In welke richting was het centrum dat dit kleine dorp toch hopelijk had? Eerst sjouwde ze naar links, er stonden steeds minder bungalows en er kwam steeds meer bos. Ten slotte was er aan weerskanten van de weg alleen nog maar bos, dat zich soms opende voor een of andere akker. Ze keerde terug en liep naar rechts. Bos, bos, akker, bos, bungalows, huizen met twee verdiepingen, school, kerk en ja, daar was een piepklein centrum, maar groter dan het centrum van Braby.

Een kleine ICA met van die kauwgomautomaten. Lena's spontane gedachte was om voor ieder kind een grote klapkauwgum te kopen, maar nee... Bij een nog kleiner bloemenwinkeltje kocht Lena een boeket rozen. Bloemen zijn eigenlijk zo overbodig en veel te duur, anders koopt ze nooit bloemen, maar nu... Nu is het wel een goed moment voor een boeket gele rozen. Er was ook een bank en een piepkleine bakker die zijn pand deelde met een druk bezochte gok- en wedwinkel. Het voelt onwennig om buiten te zijn, om in beweging te zijn en de kou in het gezicht te voelen. Het is te koud geworden. Het vriest al een week lang. De rode bladeren liggen als stijve harten op de grond. Wanneer de herfstwinden aan haar rukken, kan ze met moeite overeind blijven.

Kaarsen, biefstuk, aardappelen, knoflook, tomaten, twee biertjes, gele rozen, room en een briefje had ze mee naar huis genomen. Op het briefje stond een nummer van een vrouw die Gerda heette en kennelijk een kamer in haar huis verhuurde. Altijd goed om te hebben. Binnenkort komen Conny's kinderen thuis. Ze moet Gerda bellen.

Gebakken biefstuk met aardappelgratin. Het favoriete gerecht van Robert. Dat moest ook wel effect hebben op Conny, had ze zo beredeneerd. De man die geen biefstuk eet, woont niet hier, maar in Stockholm en werkt moeizaam sojabiefstukken naar binnen.

Ja, het werkte. Hij at heel veel, schepte een paar keer op. Vroeg aan een stuk door pratend hoe Lena zich voelde, vertelde welke ijsjes hij had verkocht, vroeg zich af hoe Lena dacht, vroeg of ze naar haar kinderen verlangde, was attent en ja, hij zag er erg gelukkig uit. Alsof hij de dokter was van zijn in de boksring uitgeschakelde patiënt die binnen tien tellen weer rustig opgestaan was, en nu een aardappelgratin in elkaar geflanst had.

Hij dronk zijn laatste bier op en pakte Lena's handen. Lena's hart klopte heel even in haar keel toen hij dat deed. Alsof hij haar een aanzoek ging doen. Het was de aanzoekhouding, met brandende kaarsen en rozen in een veel te kleine vaas. Robert had haar een aanzoek gedaan toen ze op een late nacht samen hadden gezwommen in het Stora Svansjön-meer. Josefin sliep veilig bij Irene en Roffe op de boerderij en Lena had Robert en de tractor meegenomen naar het meer. Er scheen nog een warme zon hoewel het al laat op de avond was. Ze hadden naakt gezwommen met het zoete, zachte water direct op hun naakte lichamen. Zoenen met koele lippen tussen vochtige badlakens. Toen, op die plek, vroeg Robert haar ten huwelijk. Naakt en met een klein knakworstpiemeltje van het zwemmen zat hij geknield op de avondkoele rotsen en vroeg of zij, Lena, met hem wilde trouwen. Gebruld had ze: jaaaa!! Na het aanzoek doken ze nog een keer in het water, na de duik in het lauwe water vrijden ze zich een beetje warm op het gesteente, reden op de tractor naar huis en vielen in een mooie, diepe slaap in Lena's kamertje met Josefin tussen hen in, om daarna om vier uur op te staan om te gaan melken. Ze waren klaarwakker geweest, ondanks te weinig slaap. Waarschijnlijk had ze nog nooit met zoveel genoegen gemolken, lauwe spenen gewassen alsof ze Roberts... Eigenlijk wil ze nu Robert bellen. Hem vragen hoe het met de kinderen is, hoe het gaat, maar ze weet... dat als hij zegt dat het zwaar is, dat de kinderen elke avond huilen... dat ze dan meteen naar huis zou gaan en weer in het oude patroon zou vervallen. Er zou niets veranderen. Nee, zij praat met Åsa, die vervolgens met Robert kan praten. Dat is de enige manier.

Maar Conny deed haar geen aanzoek tussen de rozen en de aardappelgratin. Hij bood haar als nagerecht een massage aan. Hij had kennelijk in de jaren tachtig ooit als masseur gewerkt. 'Je moet je trui wel uitdoen, anders kan ik er niet goed bij.'

Ze voelt zich verlegen. Vierendertig jaar en verlegen. Omstandig wurmt ze zich uit haar trui, maar ze houdt haar bh aan. Ze gaat op haar buik liggen. De koele, kunstzijden sprei tegen haar naakte huid. Massage. Lena en Conny. Helemaal alleen in zijn huisje met een of andere ouwe taart die kalm en hees op de achtergrond zingt. Brandende kaarsen. Schone lichamen. Dit is waarnaar ze stiekem had verlangd. Wat ze had gezien toen ze op een avond op de bank lag en zichzelf een beurt gaf. Wat ze op haar tong voelde toen ze die bijna ontdooide prinsessentaart at. Conny. Met zijn witte haren, zijn witte tanden, zijn goedheid, zorgzaamheid en zijn ijscowagen. De kinderen. Robert. Daar thuis is Robert aan het worstelen en hij weet niet waar ze is. De kinderen huilen misschien. Nee, ze horen nu te slapen, geen gehuil. Ze slapen nu elk in hun eigen bed. Of slapen ze allemaal in het grote bed? Ja, waarschijnlijk wel. Robert slaapt misschien op het onderste bed van het stapelbed.

Conny schuift Lena's haar van haar rug. Het kriebelt. Dat is lang geleden, dat iemand haar zo heeft aangeraakt. Iemand die ouder is dan zeven jaar en geen kleine kleverige handen heeft. Een volwassen man. Conny maakt de sluiting van haar beha los, waarna hij aan weerszijden van haar rug omlaag glijdt. De kinderen fladderen weg uit Lena's gedachten en voor haar innerlijk treden twee ongeschoren, zwaar behaarde oksels naar voren. Ook twee ongeschoren kuiten, inclusief de wat harige bovenbenen, en een ongeschoren schaamstreek! Conny knijpt wat eucalyptusolie in zijn handen, wrijft ze tegen elkaar en drukt zijn handpalmen op Lena's rug. Zijn handen zijn erg warm, bijna heet van die olie. Vaste handen, die drukken, kneden, trekken en een beetje strelen. Ze wordt warm, op die bijzondere manier. Een aangenaam prikkelende warmte kronkelt zich als het ware over haar lichaam. Begeerte! Het is begeerte! Lena krijgt zin zich gewoon om te draaien, haar beha van zich af te rukken, haar broek en de hele sprei door het raam te gooien en Conny op te eten.

Waar is ze eigenlijk mee bezig? Ze maakt een romantisch diner bij kaarslicht voor een man die ze nauwelijks kent. Ligt in zijn tweepersoonsbed met opgeschudde sierkussens en krijgt halfnaakt een massage. Ze hoort zijn zware ademhaling. Zijn masserende handen die omlaaggaan naar haar heupen en onderrug. Het zijn verwachtingsvolle handen. Handen die meer kunnen, meer dan alleen maar masseren. Handen die naar haar ongeschoren, intieme delen willen. Conny. Aardig, goed, mooi, sproeterig en waarschijnlijk de beste man ter wereld. Ze voelt vederlichte lippen op haar rug, een warme ademhaling. Heerlijke kussen, die over haar ruggengraat wandelen. De kinderen, Robert, strelingen, rillingen, ongeschoren kuiten, een kus op haar onderrug, de kinderen, de kinderen, de kinderen, kus, kus, kus, de kinderen, bovenbenen, hij streelt haar dijen, zacht, hard, de kinderen, weg met die kinderen, de kinderen hebben hier niets mee te maken, de kinderen, zijn kinderen, Conny is Conny, nu begint het hier echt goed te voelen, Robert mag zichzelf verwijten maken, Robert heeft zijn kansen gehad, nu nadert hij haar borsten ook!

Conny kust haar nek. Zuigt een beetje op haar oorlelletje. Intens teder pakt hij haar schouder beet en draait haar om. Ze valt op haar rug, de bh glijdt als water van haar af. Conny's huid is helemaal goudkleurig in het lichtschijnsel. Zijn grote mond. Nu buigt hij zich over haar heen. Nu! Nu komt hij met zijn lippen dichterbij. Godverdomme! Mijn god, sinds de jaren negentig heeft ze alleen Robert gekust! Conny's lippen zacht op die van Lena. Een kus op elke wang! Verdomme! Nog meer vederlichte kussen kan ze niet aan, het licht prikkelende is overgegaan naar een dof gegrom en nu wil ze geen vederlichte kussen meer. Ze wil seks hebben! Seks! Ze wil seks hebben! Pronto!

Ongegeneerd duwt ze Conny weg, duwt hem op zijn rug. Vlug gaat ze boven op hem zitten, friemelt aan de riem van zijn spijkerbroek, kust hem buiten adem en begerig. Conny ligt gelukzalig op zijn rug en glimlacht als ware het de verlosser zelf die de spijkerbroek van zijn lijf probeert te rukken. Terwijl Lena Conny's spijkerbroek naar beneden trekt, probeert ze haar eigen broek uit te trappen en ze grijpt Conny's handen om hem te laten zien waar ze die wil hebben. Op haar lichaam. Op haar vurige borsten. Nu. Alleen nog maar slipjes en onderbroeken. Weg ermee. Uit. Weg. Ze landen boven op een klein rood lampje met een fluwelen kap waardoor het rode schijnsel van de lamp een tikkeltje donkerder wordt.

'Heb je ontslag genomen?'

'Ja.'

'Maar meisje toch, je kunt toch niet zomaar ontslag nemen!'

'Maar ik had geen andere keus! Of ik was eruit geschopt of ik kon zelf ontslag nemen. En dan voelt het toch verdraaid veel beter zelf ontslag te nemen, vind ik. Enige trots heb ik in elk geval nog wel!'

'Soms ben je zo onverantwoordelijk dat ik niet begrijp... Ik snap niet waarom je zo bent geworden. Hoe moet je nu rondkomen? Je flat, eten en alles betalen? Marie... Dit is niet goed.' Irene zet haar leesbril goed op haar neus, een zo goed als ongelezen detective ligt op haar buik.

Marie neemt een grote slok koffie. Het is twee uur 's nachts, Marie zit op de rand van haar bed, Irene ligt in het bed in haar roze nachtjapon met de Eiffeltoren erop, een cadeautje van Åsa uit Parijs. Marie trekt een beetje aan haar beenwarmers. Wat was er eigenlijk gebeurd?

Marie had zich gedragen als een verschrikkelijke puber, als een echte drakerige *drama queen*. Ze had zomaar ontslag genomen. Bij een bar waar ze binnenkort al twee decennia werkte. Een club waar ze altijd van heeft gehouden. Steengoede muziek. Supercoole bargasten. Goede ligging vlak bij haar flat. Haar flat... vijfenveertighonderd pegels per maand. Eten... eten hoeft niet duur te zijn. Aardappelsoep is lekker.

Nee... Dit was niet goed. Welk alternatief heeft ze nu?

Ze is nooit lid geweest van een vakbond. Het werkloosheidsfonds is voor luie domkoppen, zo heeft ze altijd gedacht. Niet zo slim misschien... Dus voor haar geen uitkering. Niets. Ja, in een nieuwe bar beginnen. Misschien zou ze morgen wel een te gek baantje kunnen krijgen. Misschien niet meteen als barmanager, maar als gewone barkeeper. Onder het juk van een of andere rotzak. Misschien in een club waar ze jarentachtigmuziek of soul draaien of nee, godverdomme. Nee, dan zou ze een acute hersenbeschadiging oplopen. Een hele avond met Alphaville en Toto, dat trekt ze gewoon niet. Illegale clubs? Nee, daar is ze te oud voor. Zich helemaal laten omscholen, met een dikke studieschuld architect of ingenieur worden? Ja, hallo. Tuurlijk. De flat onderverhuren voor achtduizend pegels per maand en haar moeder met de boerderij helpen? Een boer tegenkomen, kinderen krijgen en de rest van haar leven spijt hebben?

En dan de blik van Irene. Die gekwetste, teleurgestelde blik.

Marie herkent hem weer, heeft hem eerder gezien, elke ochtend, tien jaar lang. Elke keer wanneer Marie zich verslapen had, wanneer Marie gespijbeld had, wanneer Marie achter de silo gerookt had, wanneer Marie achter de silo gerommeld had, wanneer Marie achter de silo gerommeld én gerookt had, wanneer Marie van huis vertrekt, wanneer Marie in een bar begint te werken, wanneer Marie naar Stockholm verhuist. Wat ze ook doet, altijd die teleurgestelde blik. Bijna nooit harde woorden, maar dat was ook niet nodig. Nee bedankt, de boodschap is duidelijk genoeg, geen probleem. De boodschap dat Marie hopeloos, slordig, losbandig en niet rijp genoeg is om verantwoordelijkheid te nemen, is wel overgekomen. Wat weet Irene daar nou verdomme van? Heeft ze ooit geprobeerd te begrijpen waar Marie mee bezig is? De wereld zou stoppen als elke ziel boer werd! Er zijn ook barkeepers nodig. Niet iedereen kan hetzelfde leven leiden. Godverdomme! Marie begint sneller te ademen, gaat bijna hyperventileren. Haar ademhaling is niet te stuiten. Haar borstkas gaat op en neer en op en neer.

Irene duwt haar leesbril naar het puntje van haar neus en kijkt Marie onderzoekend aan. 'Hoe is het?'

'Goed. Goed. Ik ga even naar buiten, wat hardlopen.'

'Nu? Het is toch midden in de nacht?'

'Ja, maar ik moet eruit.'

'Maar denk toch aan al die verkrachters en overvallers!'

'Geloof me mama, als er vanavond iemand probeert iets met me uit te halen dan mag je medelijden hebben met die persoon. Godverdomme, wat zou die er dan van langs krijgen.'

Met een wat overdreven ongerust gezicht kijkt Irene boos naar Marie. Moeilijk kind om mee te praten. Zoals altijd. Gaat er gewoon vandoor. Wordt het te ingewikkeld, dan gewoon ervandoor. Ontslag nemen of buiten hardlopen, altijd dit vluchten. Irene leunt weer achterover in het kussen, trekt het dekbed naar haar kin en bestudeert vermoeid haar dochter.

Ze wil haar hand uitsteken. Wil het dekbed optillen en Marie vragen in haar warmte te kruipen. Ze wil een arm om haar heen slaan, haar strelen over dat gepermanente haar en zeggen dat alles goed komt, dat ze natuurlijk niet ergens moet werken waar ze stom tegen haar doen, dat ze haar alle goeds wenst. Maar het dekbed ligt stil. Irene zegt die omarmende dingen niet. Het gemok van Marie roept dat als het ware een halt toe. Alsof Irene haar eigen dochter niet een beetje warmte kan gunnen midden in al dat gemok. Mijn god, een vrouw van over de veertig die zit te mokken. Wat is dat voor iets? Irene ziet toch dat Marie verdrietig is, dat ze om begrip vraagt. Warmte! Waarom kan ze haar dat niet gewoon geven? Die wilde, ongecontroleerde vrouw is toch Irenes kind?

Marie slaat met haar hand op haar bovenbeen, Otto komt aanrennen met zijn riem in zijn bek en zwaait enthousiast met zijn staart.

Irene opent haar mond om die lieve dingen te zeggen, maar er komt uit: 'Kun je me morgen naar huis brengen? Ik moet naar huis.'

'Tuurlijk. Geen probleem.'

'Misschien kun je mee naar Het Zonneroosje en tot aan de begrafenis blijven, nu je toch geen werk hebt, bedoel ik.'

'Ik weet niet... Moet het nakijken.'

'Je hoeft toch niet veel na te kijken. Je bent nu toch werkloos.'

'Ja...'

'Ach sorry, zo bedoelde ik het niet, maar je hebt toch geen werk en er is veel te doen op de boerderij en...'

'Ik weet het niet, mama! Hou op te zeuren. Ik breng je thuis, zodat je niet meer in mijn afgrijselijke flat en bij je lastige dochter hoeft te zijn. Het is goed! Ik zal zorgen dat je thuiskomt! Maar je beslist niet over mij.'

Marie trekt haar grijze jack aan, zet haar muts op, doet haar sjaal en reflectoren om, trekt haar beenwarmers op, knoopt haar joggingschoenen dicht en pakt haar wanten en de gewichten voor haar handen. En dan snel naar buiten. Otto moet echt aanpoten. Het vriest een paar graden en het is knisperig koud. Het is een heldere nacht. De sterren zijn onzichtbaar vanwege het licht in de stad, maar thuis bij Het Zonneroosje hadden ze kristalhelder gefonkeld. Er ligt een dunne laag poedersneeuw. Forceren, forceren, forceren, forceren. Naar Långholmen, voorbij alle slapende huizen in de Hornsgatan, alle donkere winkels en een open kebabtent waar een lange rij voor staat. Tempo. Springen over oude dozen die op het trottoir liggen, de weg op om langs een paar beschonken meidengroepen te hollen, knieën omhoog, zigzaggend tussen een paar taxi's door. Rennen. De smaak van bloed. De kleine brug over, in het water spugen, tussen de boten door die met hun winterdekkleden op het droge liggen. Het is alsof ze een uitgezet parcours aflegt. De boten lijken wel dode walvissen. Grote walvismagen die op kleine stellages rusten. Het hout van de boten kraakt en de wind fluit langs hun sneeuwhoeden. Het bos in.

Kom maar op, verkrachters, kom de bosjes maar uit. Probeer het maar! Kom maar! Ik trap die koppen van jullie er zo af, komt er maar uit. Eruit! Hier ben ik! Kom op, dan schop ik godverdomme die schedels van jullie eraf!

Marie schopt tegen de bomen die ze voorbijrent.

Het bruggetje weer op. Verder naar Hornstull, richting Västerbron. Ze zal godverdomme rennen tot ze erbij neervalt. Otto hijgt, een tikkeltje moe. Over Västerbron, naar Rålambshovsparken, Kungsholms Strand, City, Gamla Stan en weer naar Söder. Otto sleept zich verder achter haar aan. Marie trekt aan de riem. Kom op, hond!

Irene wil haar mee naar huis hebben, wil dat ze daar blijft en op haar past tot aan de begrafenis. Wil dat ze voor haar zorgt, dat ze de lege plek van Roffe opvult, dat ze haar moeder gezelschap houdt. Mama. Nee! Niet terug naar de boerderij. Dat gaat niet! Het is zo stil daar, zo eenzaam, die eenzaamheid is te griezelig. Je gaat te veel denken. Je wordt gek. Mama wil haar daar hebben, wil dat ze daar blijft tot haar vader begraven is. Is dat te veel gevraagd? Ja, dat is inderdaad te veel gevraagd.

Papa. Papa! Kom terug. Doe net als Jezus, kom terug! Lieverd, herrijs. Kun je niet aan de keukentafel zitten met je rode koffiekopje als we terugkomen? Kun je dat niet? Gewoon daar in je groene overall zitten alsof er niets gebeurd is. Dan zet ik mama af in de keuken en zorg jij voor haar en dan leven jullie de rest van jullie leven nog lang en gelukkig. Papa. Doe het voor mij. Waarom antwoord je niet? Waarom ben ik niet een beetje helderziend zodat ik met mijn vader kan praten?

Ze remt af naast Roffes oude Volvo die vlak voor haar poort in de Högbergsgatan staat geparkeerd. Op de motorkap ligt een dun laagje sneeuw. Papa's oude Volvo. Marie heeft geen lucht meer. Ze leunt zwaar tegen de auto aan, probeert een vorm van ademen te vinden. Iets regelmatigs, een soort ritme. Een soort toon, maar ze vindt niets. Ze braakt. Recht naar voren, over papa Roffes auto heen. De koffie, de worst met brood en de angst op de motorkap.

Otto snuffelt voorzichtig aan het braaksel dat op de grond drupt. Hij is waarschijnlijk ook misselijk na dat nachtelijke joggingrondje.

Nog een week voor de begrafenis. Oké. Een week blijft ze op de boerderij met Irene. Geen seconde langer. Na de broodtaart rijdt ze weer terug naar huis. Marie strekt haar benen en rent de trappen op in het nachtelijk stille trappenhuis om wat zeepsop en een dweil te halen.

16

'Ik weet niet waar het allemaal fout gegaan is. We hadden het in het begin fantastisch en later ook nog goed. Maar nu, misschien het laatste jaar, of misschien de laatste twee jaar... Lena is als het ware van me weggedreven. Alsof ze in een luchtbel heeft gewoond, kun je dat zo zeggen? Wanneer ik eraan denk, is het alsof we al jaren niet meer met elkaar zijn omgegaan. Alsof we gewoon met elkaar samenwoonden, maar niet meer dan dat. Jij en Adam dan? Hebben jullie het goed?'

Robert leunt weer achterover op de bank en schenkt nog wat rode wijn in. Hij trekt zijn benen op en gaat lekker liggen. Åsa schuift nog een kussen onder haar hoofd en zet haar glas wijn naast zich op de grond. Ze ligt op het zachte, ruige kleed waar nu geen enkele konijnenkeutel meer ligt. Hoeveel glazen wijn heeft ze eigenlijk al op?

De avond was vrij nuchter begonnen. Roberts romige ovenschotel met ontzettend veel knoflook, voorn en bloederig vlees van de boerderij en een of andere duffe salade met een vinaigrette uit een fles van de Konsum-supermarkt. Alle kinderen aten en Åsa en Robert praatten over niets, daarna kwam er een of ander spelletjesprogramma op de televisie dat de kinderen graag wilden zien. Robert en Åsa keken ook en dronken nog wat wijn. Ja, Åsa dronk echt veel wijn. Zoals ze dat in jaren niet had gedaan, omdat het misschien haar vruchtbaarheid zou beïnvloeden.

Maximaal één glas, dat is Åsa's mantra geweest. Maar nu. Wat kan het ook schelen, er komen toch geen baby's. Het doet er niet toe wat ze eet, drinkt of hoe ze praat of zich niet laat opjagen, er komen toch geen kinderen! Dan kun je toch net zo goed een beetje aangeschoten worden op een zaterdagavond, dat moet toch kunnen.

Daarna kwam er een speelfilm. *Top Gun*. Åsa heeft hem nu voor de vierde keer gezien in haar leven. De kleintjes vielen een voor een in slaap. Josefin fietste naar een vriendin om daar te blijven slapen. Robert trok nog een fles wijn open. Åsa dronk met grote slokken. Het was goede wijn. Een aangename warmte verspreidde zich. De kinderen werden naar boven gedragen, in bed gestopt, de televisie ging uit, de stereo aan en er werden een paar kaarsen aangestoken, die helemaal achter in het buffetkastje lagen. Robert ging op de bank liggen, Åsa op de grond, en ja, daarna werd er nog een fles wijn opengetrokken. Robert ligt op de bank. Met een witte joggingbroek, een wit T-shirt, blauwe lippen van de rode wijn en zwarte vingertoppen ondanks de douche. Åsa neemt nog een slok wijn.

'Ja, wel goed.'

'Eerlijk zeggen. Ik vertel jou ook gewoon de waarheid.'

'Tja, het is waarschijnlijk wel goed. Ik weet het niet. Een beetje krampachtig misschien.'

'Krampachtig?'

'Ja, dat met proberen kinderen te krijgen en zo. Alles is er zo op gefocust, om precies op die en die tijd met elkaar naar bed te gaan. Daardoor wordt het allemaal vrij geforceerd en wordt alles er als het ware door beheerst.'

'Vervelend. Ook al hadden Lena en ik dat kindprobleem dan niet, wij waren ook niet zo spontaan meer. Mijn god, we zijn helemaal niet meer met elkaar naar bed geweest de laatste tijd.'

'Vervelend.'

'Tja, uiteindelijk heb ik er amper meer aan gedacht. Maar, hou je nog van Adam?'

'Ja. Hoewel misschien vooral van zoals hij vroeger was, zoals we het vroeger hadden. Niet zoals nu. Of ja, ik hou nu ook van hem, maar onze hele relatie... Ach, ik heb geen zin om erover te praten.'

Åsa neemt nog een slok wijn. Heerlijk om gewoon maar schijt te hebben aan die eileiders. Misschien moet ze ook nog maar een sigaret opsteken. Er zit toch geen logica in het leven. Mensen kunnen de hele tijd wortels knabbelen en toch maagkanker krijgen en anderen kunnen heroïne spuiten en nauwelijks eten, en toch zwanger worden.

Robert vouwt zijn handen achter zijn hoofd. 'Oké. We gaan over iets anders praten. Iets anders. Oké! Wat vind je het mooist aan jezelf?'

'Ik kan niet zeggen wat ik het mooist aan mezelf vind. Zo zie ik mijzelf niet.'

'Maar je moet toch iets kunnen zeggen! Zijn het je ogen, je kont, je haar, of wat anders? Wanneer je je extra mooi gaat maken voor Adam, waar besteed je dan extra aandacht aan?'

Mijn eileiders, denkt Åsa stilletjes voor zichzelf daar op de grond. Mijn eileiders zijn het enige wat ik oppoets. 'Nee, ik weet het eigenlijk niet. Jij dan? Jij eerst. Waar ben jij het meest trots op bij jezelf?'

'Hm.' Robert neemt een grote slok wijn, kijkt naar het plafond en denkt wat na. 'Toen ik jong was, was dat mijn lichaam, maar nu niet meer, haha. Waar ik het meest trots op ben... Mijn ogen, denk ik. Of dat is wat de mensen zeggen als ze iets aardigs willen zeggen. Ik heb blauwe ogen en daarbij heb ik ook nog vrij lange wimpers... ja, ik neem de ogen! Nu moet jij iets zeggen!'

Åsa probeert na te denken. Echt goed na te denken door haar lichaam en haar gezicht langs te lopen en te kijken wat er mooi aan is. Haar ogen... Nee, dat zijn immers een paar gewone ogen... Misschien haar schouders, ze zijn toch... Nee... Haar mond? Te klein... haar buik, haar neus, haar benen, haar tenen, haar navel, haar handen... Nee. 'Ik kan dat niet, Robert. Kun jij het niet zeggen?'

'Maar ik heb toch al iets gezegd!'

'Ik bedoel iets over mij zeggen?'

'Over jou? Oké.' Robert gaat op zijn zij op de bank liggen en kijkt naar Åsa, die op haar rug op de grond ligt met twee kussens onder haar hoofd, met ook een beetje blauwe lippen van de rode wijn en Roffes oude sokken aan haar voeten.

Robert glimlacht naar haar. 'Oké. Jouw lippen zijn prachtig. Vrij groot, zonder vlezig te zijn, als je begrijpt wat ik bedoel. Meer gewoon zacht en zo'n mooie kleur. Roze toch? En jouw ogen, groen. Dat is mooi. Jouw lichaam is ook mooi! Nee, echt, hoe kun je zonder enige beweging zo goed gevormd zijn? Je zit toch eigenlijk maar een beetje op je computer te tikken en dan heb je toch zo'n mooi lichaam. Het is... het is sexy. Je bent helemaal mooi, als ik er goed over nadenk. Maar dat ben je altijd geweest.'

'Ach, ik ben altijd een nerd geweest.'

'Ja, maar wel een mooie en een sexy nerd, haha. Nu moet je iets over mij zeggen!'

Warm. Haar lichaam is warm van de wijn. Van wat Robert zei toen zij daar zo lag en hij naar haar keek. Anders krijgt ze vooral een onbehaaglijk gevoel als iemand haar observeert, maar nu niet. Niet met de wijn. En met Robert. De man van haar zus. Dat is ongevaarlijk. Er kan niets gebeuren. Åsa giet de laatste wijn uit haar glas naar binnen. Ze zakt een beetje theatraal weg in haar kussens en fixeert Robert met haar voor die avond groene en ontzettend sexy ogen. Sexy ogen? Had ze dat vroeger ook al? Een sexy lichaam? Adam heeft wel duizend keer tegen haar gezegd dat ze mooi en fantastisch is, maar niet zoals Robert het heeft gezegd. Sexy. Dat heeft Adam nooit gezegd. Niet zo duidelijk. Åsa strekt haar sexy benen en zwaait een beetje met haar sexy tenen.

'Robert... Het mooiste aan jou is... dat je een... eenvoudige man bent. Jij bent net een tiener in het lichaam van een man. Jij kunt een joggingbroek zo dragen dat het er echt mooi uitziet, hoewel het maar een joggingbroek is. En...' Op dat moment realiseert Åsa zich dat ze zich zoals ze daar ligt ook daadwerkelijk een beetje sexy voelt tegenover de man van haar zus en bezig is ontzettend intieme dingen over hem te zeggen. 'Of, ja, je bent gewoon mooi.'

Snel afgerond! Åsa probeert de laatste druppels uit haar lege wijnglas te likken. Robert schuift de wijnfles naar haar toe en ze vult haar glas weer. Åsa grijnst. Dronken. Ze begint gewoon dronken te worden! Haar lippen zijn gevoelloos en haar lichaam is zwaar, of ontzettend licht, een beetje afhankelijk van...

Robert grijnst ook. 'Nee, nee, zo gemakkelijk kom je er niet vanaf. Je moet met details komen, niet alleen met dat ik knap ben in joggingbroek en op een puber lijk. Dat is toch niet leuk! Ik ben toch een man! Een echte kerel! Geen verdomde puber. Eerlijk zeggen nu. Mijn god, we zijn toch niet met iets bezig wat niet door de beugel kan? Ik kan hierna zeggen wat ik mooi vind aan Adam. Vertel op, nu!'

'Oké. Je hebt een mooi achterwerk, mooie o-benen, een mooi bovenlichaam en ja, je hebt inderdaad mooie ogen. En wimpers! Zo!'

'Kijk eens aan! Dat ging toch goed. Zo moeilijk was dat toch niet? Bedankt trouwens, voor het compliment.'

'Het was geen compliment, ik werd ertoe gedwongen.' Åsa glimlacht flauwtjes en drinkt nog wat wijn.

Robert raakt haar even aan met zijn tenen, en glimlacht ook een beetje. 'Herinner je je onze eerste kus nog? Die op het schoolfeest?'

'Nee.'

'Vast wel! Mij hou je niet voor de gek. Het was je eerste kus, dus die kun je niet vergeten zijn!'

'Oké, ik herinner het me nog!'

'En toen we boven op je kamer aan het rommelen waren.'

'Ja...'

'Je was goed, dat herinner ik me nog. In het zoenen. Voorzichtig, maar toch... Gretig... Of...?'

'Ja, misschien. Ik weet het niet.'

'Ik herinner het me nog precies. Vreemd ja, nog steeds. Je had zo'n gele lamswollen trui aan. Vrij strak. Daar kon je moeilijk onderkomen met je handen. Ja, verdomd, wat zat die strak.'

Ja, die zat inderdaad strak. Åsa weet het nog. Zij en Robert. In haar smalle, behoorlijk krakende, bed. Robert erg enthousiast. Hij wilde zo graag, wilde met zijn handen overal naar binnen. In haar truitje, haar broek, haar kousen, als hij maar binnen was. Dat truitje was een bewuste keuze. Dat zat erg strak, dat was waar. En Åsa had daar maar gelegen. Ze wilde wel. Wilde erg graag. Ze verlangde naar zijn handen daarbinnen. Maar toch ook niet. Ze was bang voor hoe het zou zijn als dat met zijn handen ophield. Als hij meer naar binnen wilde hebben. Dus had ze meteen nee gezegd. Ze vraagt zich af hoe het geweest zou zijn als ze ja had gezegd. Als ze hem binnengelaten had. Åsa herinnert het zich, ze glimlacht.

'Je rook erg naar Lagerfeld, die zoete aftershave.'

'Ja, die heb ik nog steeds, hoewel ik nu geen drie liter per keer meer over me heen giet. Die aftershave bleek een echte meidenmagneet te zijn. Had je Lagerfeld op, dan kwam alles in orde. Ik herinner me nog een feest met twee meiden die hadden besloten om alleen maar te vrijen met de jongens die Lagerfeld gebruikten. Na die avond gebruikte elke jongen op school die aftershave.'

'Ik vond hem wel lekker. Nog steeds. Net damesparfum, maar dan voor mannen. Welk parfum had ik... Date Isabelle! Net een zak snoepgoed.'

'Je rook zo lekker. Dat doe je trouwens nog steeds.'

'Ha, ha! Mijn god, Date Isabelle stonk toch, ruik ik nog steeds zo? Je bedoelt dat ik stink...'

'Nee, ik bedoel dat je lekker ruikt. Van jezelf, of hoe je dat dan ook zegt.'

'Van mezelf, hoe bedoel je?'

'Jouw lichaam. Dat rook naar vanille, zo herinner ik het me in elk geval. Wacht. Laat me eens ruiken!'

Robert veert op, komt overeind uit zijn liggende houding op de bank en laat zich vlug op de grond glijden. Zijn joggingbroek glijdt ietsje naar beneden en hangt op zijn heupen. Hij glimlacht sluw, kruipt naar Åsa toe en gaat dicht bij haar zitten, pakt haar hand, die hij naar zijn neus brengt. Alsof hij ruikt aan een dure wijn uit een mooi jaar of snuffelt aan een klein viooltje. 'Ja, je ruikt echt naar vanille. Ruik je het zelf niet?'

Åsa snuffelt aan haar eigen handen. Ze ruikt niets, behalve Roberts Lagerfeld en een lichte wijnadem. De wijn. Ze voelt het in haar hele lichaam. Alsof ze het bewustzijn heeft verloren, of met massageolie is ingesmeerd. Mama, papa, Adam, Lena, Lena's kinderen, Åsa's ongeboren kinderen, iedereen voelt erg ver weg. Alsof ze er niet zijn. Robert is duidelijk. Hij is zo dichtbij. Zijn grote sterke handen met zwarte vingertoppen. Die joggingbroek die heel gemakkelijk helemaal naar beneden zou kunnen glijden. Zijn blote voeten. Hij is altijd knap geweest. Niet echt haar type, maar knap. Een eenvoudige man. Niets meer, niets minder. Geen intellectueel, maar met een warm hart en een sterk lichaam. Misschien niet iemand met wie je over het leven kunt praten, maar... Robert houdt Åsa's hand nog steeds vast. Streelt hem zachtjes. Wat zijn ze aan het doen? Zit Åsa met haar hand in die van Robert? Die ogen. Zijn blauwe ogen met zwarte lange wimpers en mooie rimpeltjes eronder. Ze hoort zijn ademhaling. Die is diep. Die van haar ook. Alsof ze buiten adem is.

Wat is verraad eigenlijk? Is het verraad als je je eigen verlangens volgt? Als je voor een keer iets doet wat helemaal zonder bijbedoelingen is, maar wat gewoon lekker is voor het moment. Net als een warme douche nemen hoewel je net nog in bad bent geweest, alleen maar omdat je douchen lekker vindt. Is verraad je aangetrokken voelen tot de man van je zus? Wanneer je zus hem eigenlijk heeft verlaten, vertrokken is, ervandoor is gegaan en de boel de boel heeft gelaten. Is het verraad als je je eigen man ontrouw bent? De man die je trouw en samenzijn hebt beloofd. Of is het een nog groter verraad wanneer je jezelf nooit, maar dan ook nooit een stukje van de duurste soort chocolade gunt?

Åsa ziet het stuk chocolade heel erg duidelijk voor zich, draait zich snel om naar Robert en kust hem. Een enorm diepe kus. Grijpt zijn dikke haar en drukt haar neus tegen zijn hals. Snuift zijn geur op. De geur die hij altijd heeft gehad. Voelt hoe zijn handen de weg vinden onder haar truitje dat niet meer zo strak zit als vroeger. Zijn handen tegen haar borst. Zoenen. Er komt geen eind aan. Hoe lang zoenen ze elkaar? Urenlang? Een paar minuten? Zachte kussen. Diepe kussen. Vederlichte lippen die elkaar vluchtig raken. Tongen. Ademhalingen. Haar handen enthousiast op zoek naar de opening van zijn broek, verder zijn witte boxershort in. Handen. Overal handen. Kleren uit. Weg ermee. En met elk vallend kledingstuk, valt ook de 21e eeuw. Robert en Åsa stappen 1985 binnen, ze liggen daar allebei op het vloerkleed, als hijgende, kussende tieners. Alsof alles maar een droom, een spel is, en niet echt.

Stil ontbijt. Conny kauwt zijn broodjes erg zorgvuldig. Zijn kaakbeen beweegt zich in een gelijkmatig ritme, als een herkauwend beest. Lena heeft al zeker honderdvijfentwintig keer haar theezakje in het lauwe water gedompeld, alleen maar om iets te doen te hebben.

'Wat ga je vandaag doen?'

'Werken.'

'Welk district moet je rijden?'

'Liljekullen, Hallen en Braby.'

Lena dompelt haar theezakje voor de honderdzesentwintigste keer in het water. Wikkelt het zakje om het lepeltje en drukt het vocht uit de theeprut. Conny heeft zijn blik strak gericht ergens ver weg in het novembergrijze, lege speeltuintje voor het raam. Lena heeft net gedoucht. Het is een van Lena's nieuwe punten in haar leven. Het douchen niet verwaarlozen. Zich blijven verzorgen, de stank weghouden. Heeft ze dat niet bij *Dr. Phil* gehoord? Dat het een teken van depressie is, wanneer je je niet meer wast? Nou, dan moet douchen een teken van gezondheid zijn. Lena – tegenwoordig een gezond mens! Zonder zijn blik te laten wijken neemt Conny nog een hap van zijn broodje en kauwt langzaam. Vanachter haar theekop gluurt Lena naar Conny, naar zijn open gezicht, zijn vlasblonde haar en alle sproeten.

Gisteren was het allemaal zo verschrikkelijk ingewikkeld. Nadat ze met elkaar hadden gevreeën, was het tijd voor nagenieten, ja, wanneer je erg dicht naast elkaar ligt, elkaar in de ogen kijkt en al die lieve, mooie dingen zegt die je in de hitte van de passie niet hebt kunnen zeggen. Precies toen, op dat moment begon Lena te huilen.

Het vrijen met Conny ging goed. Ja, erg, erg goed zelfs. Lena's hersens waren volkomen leeg geweest. Noch de kinderen noch Robert hadden in haar hoofd gezeten en om aandacht gevraagd. Ze was in het hier en nu geweest en had alleen maar aan haar eigen genot gedacht. Maar daarna. Toen het vuurwerk was gedoofd en het feestgedruis was geluwd, toen werd het moeilijk. Wilda, Hampus, Engla en Josefin zaten boven op Conny's kleerkast naar haar te kijken en vroegen of ze hen daarom in de steek had gelaten, om met een ijscoman naar bed te gaan. Klopte het dat ze zichzelf moest vinden, dat ze een innerlijke rust en de zin van haar kutleventje moest vinden? Moest ze zich naar het inzicht neuken? Toen ze daar zo boven op de kleerkast zaten, zag ze dat hun haar in de war zat. Robert had niet de tijd gehad ze te kammen. Ja, Robert. Al gauw stond hij erg dicht naast haar, zoals hij er had uitgezien toen ze elkaar voor het eerst hadden ontmoet. Hij stond naast het bed, streelde haar haar en vertelde dat hij zijn best zou doen, dat hij begreep waarom ze was weggegaan en dat hij hoopte dat ze binnenkort thuiskwam.

Conny, die met zijn gladgeschoren wang op haar borst rustte, speelde een beetje met haar vingers en streelde haar zachte buik. Conny, die glimlachte in het donker, legde een extra kussen onder Lena's hoofd en begon over de toekomst na te denken. Hij begon hardop te fantaseren hoe ze samen zouden wonen, van elkaar zouden houden en dat dit misschien het begin van de rest van hun leven was, en hoe grappig het was dat ze elkaar hadden ontmoet en hoe gelukkig hij was dat ze die nacht had gebeld toen ze zo verdrietig was geweest. Dat soort dingen. Eerst probeerde ze te doen alsof Robert daar lag, dat Robert daar naast haar lag en al die mooie complimenten gaf. Het werkte niet. Het was Robert niet, het rook niet naar Robert en het klonk echt niet als Robert. Toen werd het tijd om zich te verbijten, zich gewoon te verbijten en niet beginnen te huilen. Luisteren naar wat Conny allemaal afratelde, vriendelijk glimlachen en daarna gewoon maar proberen te slapen, slapen, slapen. Misschien dat het morgen beter voelde. Maar dat ging ook niet. Hoe Lena ook probeerde haar tranen te verbijten. Ze probeerde te gapen, te doen alsof ze moe was. Ze probeerde de tranen van vermoeidheid uit haar ogen te vegen. Conny moest hardop lachen dat ze al om halfelf zo slaperig was; hij wilde haar trakteren op nog een heerlijke beurt. Toen dat met nog een beurt ter sprake kwam, begonnen er zoveel tranen te stromen dat geen enkele vermoeidheid ter wereld die vloed veroorzaakt kon hebben. Tja. Toen lagen zij en Conny daar naakt tussen de sierkussens en het pas gewassen beddengoed. Lena huilend, Conny troostend, maar zonder echt goed te weten waarom hij troostte. Lena probeerde het uit te leggen. Ze probeerde uit te leggen dat ze hem echt leuk vond, maar dat ze alleen moest zijn, dus puur lichamelijk alleen, en dat ze moest denken en geen nieuwe man nodig had en dat ze er spijt van had dat ze signalen had uitgezonden, en daarmee verwachtingen had gewekt waaraan ze niet kon voldoen. En dat ze er spijt van had dat ze met hem naar bed was geweest, eigenlijk dat ze dat misschien niet had moeten doen. Dat het zeker heerlijk, gezellig en vurig was geweest, maar nee.

Conny hield op met troosten. Het is moeilijk iemand te troosten die bedroefd is omdat ze net met iemand naar bed is geweest. Conny huilde niet. Conny staarde naar het plafond, voelde zich een idioot. Of hij voelde zich bedonderd door die vrouw die zoveel ijs van hem had gekocht, hem zoveel wenken en lange blikken had gegeven en hem werkelijk het een en ander had beloofd. Die verwachtingen bij hem had gewekt. Op wie hij echt verliefd was geworden. Die kleine vrouw met haar verlegen glimlach en ferme blik. Hoe had hij zo dom kunnen zijn? Een vrouw die haar man en haar kinderen ontvlucht. Hoe hadden ze samen een toekomst kunnen hebben? Wat had hij eigenlijk gedacht? Dat ze gewoon bij hem zou blijven? Nooit meer naar Braby zou vertrekken?

Toen voelde Conny zich de slechtste mens op aarde en begon hij Lena weer te troosten, om vergiffenis te vragen. Hij zei dat hij het begreep, hoewel hij er eigenlijk niets van begreep. Uiteindelijk vielen ze in slaap. Gezouten door Lena's tranen, bezweet door de liefdesdaad en loom door de hele situatie.

Lena neemt een slok van haar lauwe thee. 'Ik heb onlangs Gerda Larsson, een oudere vrouw, gebeld. Zij verhuurt een kamer. Dan hoef je mij hier niet te meer hebben. Jouw kinderen komen binnenkort toch ook thuis.'

Nu houdt Conny op met naar buiten te staren. Hij probeert te glimlachen. Tegen Lena te glimlachen. Vergevingsgezind te glimlachen. Teleurgesteld. Hij voelt zich teleurgesteld. Toen hij de kamer van Lena binnenkwam, toen ze in de kamer van zijn zoon sliep, toen hij haar drie maaltijden per dag gaf, deed hij dat immers omdat hij verliefd was, omdat hij hoopte dat wanneer Lena wakker zou worden, ze met open armen wakker zou worden.

Dus natuurlijk is hij gekwetst. Toen ze met elkaar aan het vrijen waren, voelde dat zo intens. Alsof er geen enkele twijfel bestond. Maar die was er wel.

Ze zitten elk in een stoel. Irene in het zachte zwartleren exemplaar. Marie in de geruite, ingezakte stoel van Roffe die deint als een erg grote, luchtige schommelstoel.
Ze kijken naar *The Bold and the Beautiful*. De duizendzoveelste aflevering. Minstens. Iemand is met een brandweerman naar bed geweest, die op zijn beurt verdriet heeft over zijn gestorven alcoholistische fotomodelvrouw, die eigenlijk niet dood is, maar die er gewoon vandoor is. Zo ongeveer. Irene kijkt niet, ze heeft haar ogen dicht. Het is twee uur 's middags en ze slaapt. Rond deze tijd deed ze meestal de boekhouding, of misschien maakte ze een praatje met de jongens van de melkauto, stopte ze een paar sokken of misschien lag ze te 'rusten' met Roffe, maar ze zat nooit met haar mond open te slapen voor *The Bold and the Beautiful*. Marie staat op, loopt naar de keuken, opent de koelkast en staart naar de lege rekjes. Ketchup, mosterd, een half potje pesto, een kan melk, een beetje boter en twee pakjes ingedroogde oude gist. Nog vier dagen voor de begrafenis. Nog een week en dan vertrekken de invallers naar nieuwe klussen. Een week nog. Iemand moet nieuwe invallers regelen. Misschien kan Åsa dokken? Er is geen enkele kans dat Irene het met de koeien en al het andere hier klaarspeelt. Ze moet een psycholoog bellen. Haar moeder naar een psycholoog sturen. Ze moet ook het arbeidsbureau bellen, zichzelf naar een computercursus of iets dergelijks sturen. Shit. Nu is daar die gejaagde ademhaling weer.

Wat bezielde haar om ontslag te nemen! Marie sluit de deur van de deprimerende koelkast, zwerft doelloos rond in het stille huis, alleen de overduidelijke stemmen van *The Bold and the Beautiful* echoën: '*Why did you leave me? You never loved me, it was always, you, you, you! Watch out – he's got a knife!*' Of *wife*, wat dan ook. Marie loopt mopperend naar haar moeders naaikamer met stoffen, knopen, garen en spulletjes op haakjes, de naaimachine op het kleine tafeltje. Waar haar moeder 's avonds altijd zat toen Marie klein was. Een of andere overall repareerde, een kostuum voor school naaide of een sjaal haakte. Mama's kamer. Zo gedempt en zacht en de geur van stof en lavendelzakjes.

Ze loopt verder naar de eetkamer met de grote tafel, de tikkende klok, de koele onopgewarmde vloer. De gastenkamer. Met tweepersoonsbed. Mama's witte, gehaakte sprei met de kleine knopjes, die eruitzien als tepels of misschien als heel kleine, witbevroren frambozen. Koud daar ook. Verder. Papa's kantoor met de enorme leren stoel, ingelijste foto's van alle dochters en zijn favoriete koeien. Ja, Roffe fotografeerde al zijn koeien, wreef hun vachten op, smeerde de uiers in zodat ze glommen en fotografeerde ze met Irenes rozenperken als achtergrond. Roffe was er stellig van overtuigd dat de koeien het beste uitkwamen op een achtergrond van roze rozen. De boekenkast staat vol met mappen. Er staat een computer, een akelig grote, en er hangt een rooklucht, een papalucht. Roffe mocht op zijn kamer of buiten roken. Marie doet de deur dicht en gaat op de koude leren stoel zitten, maakt de bovenste la van het bureau open en pakt de sigaretten. De aansteker in de vorm van een koe, die vuur schijt als je op de buik drukt, ligt ernaast. Ze steekt de sigaret op, de koe schijt om meteen weer te stoppen zodra ze de vinger weghaalt. Ze neemt een diepe trek en legt haar voeten op het bureau. Nog steeds heeft ze niet gehuild. Niet één traan. Het verdriet schuurt als een steen in haar maag, drukt zwaar, maar meer niet. Vreemd. Was papa niet meer dan een steen? Nee, hij was meer. Hij was de Mount Everest. Nu begint haar ademhaling weer te jagen. Marie buigt haar hoofd achterover en probeert het tempo van haar ademhaling omlaag te brengen.

Ze moet zichzelf misschien ook naar de psycholoog sturen. Als ze niet werkloos was. Eerst werk, daarna de psycholoog. De sigaretten zijn zo droog als de hel, ze liggen waarschijnlijk al erg lang in de la. Al die mappen over de boerderij. Marie heeft het zich nooit eigen gemaakt. Åsa en Lena kunnen een willekeurige map openslaan en begrijpen dan precies wat er staat en wat er gedaan moet worden, vinken af wat afgevinkt moet worden en bestellen wat besteld moet worden. Marie niet. Die mappen staren haar alleen maar doods aan. Nog een diepe trek. Wat weet ze eigenlijk? Noord-Korea, waar ligt dat? Een regering, hoe werkt die? Hoe kun je door de telefoon met elkaar praten? Hoe kun je een relatie laten slagen? Waar zit het hart, aan de linker- of aan de rechterkant? Marie voelt met haar hand. Waar zit haar hart? Ze voelt niets slaan. Die dure siliconenborsten, dat plastic dempt alle geluid. Ongerust laat Marie haar hand glijden in de gleuf tussen haar borsten en probeert haar hart te vinden en dan voelt ze daar ergens een zwak bonzen. Ze laat haar hand even liggen. Keboenk, keboenk, keboenk. Marie weet hoe je snel een drankje mixt. Hoe je mensen in een bar zich op hun gemak kunt laten voelen. Marie kan dansen als een godin wanneer de sfeer goed is. Ze kan ook precies het juiste nummer vinden voor precies dat ene moment in de bar. Het barleven. Dat is wat ze kan. En honden. Vrouw, veertig plus, goed in bars en met honden zoekt baan zonder vroege ochtenden en domme meiden.

Een foto van Marie. Met bruine huid, superkorte jeansshort, klein hemdje, blond ouderwets pagekapsel. Zittend op de brede koeienrug van Majken. Hoe oud zal ze daar geweest zijn? Veertien? Twaalf? Papa moest het nauwlettend in de gaten hebben gehouden. Een foto hebben genomen toen ze daar voor een keer in de buurt van de koeien was en tegelijkertijd glimlachte en niet op de vlucht was, ver van Het Zonneroosje vandaan.

Lena en Josefin. Josefin is nog maar een paar jaar oud, of is ze nog een baby? Marie ziet het verschil niet. Lena is nog steeds een tiener. Allebei hebben ze een melksnor. Åsa. Met een dikke bril en een beugel, arm in arm met haar moeder en een enorme teil vol met knapkersen voor hun voeten.

Papa en mama. Irene en Roffe springen van de steiger, allebei bevroren in de lucht, papa met zijn mond wijd open en gekke koeienogen. Irene met dichtgeknepen ogen. Allebei jong.

Hier zat Roffe. Toen hij niet dood was. Hij keek naar zijn gezin, rookte terwijl hij de financiën in orde maakte. Het gezin ziet er zo mooi uit. Zo hecht en op één lijn. Alle foto's duiden daarop. Vrolijk, gezond en altijd een koe in de buurt.

Mis. Het gezin lijkt op een saus die is gaan schiften. Eenzame schilfers die uiteenvloeien en weer terugstromen.

Marie neemt een laatste trek, wrikt het hoge raam omhoog en gooit de peuk naar buiten.

Ze ziet de stapel telefoonboeken op de grond, hurkt en bladert er een beetje doorheen: Spoedeisende Psychiatrische Hulp, Bar Minerva, Volwasseneneducatie. Ze hoeft maar te kiezen. Marie, wat voor leven kies je? Tata! Aan haar de keus! Ja, dag!

Marie slaat de boeken weer dicht en zwerft verder door het huis. Nu vult *The Bold and the Beautiful* de stilte niet meer, maar een of andere vrolijke kok die iets hakt 'dat zooooo knapperig en vers is en laat de kinderen meehelpen in de keuken, kinderen zijn doooool op hakken.'

Ze loopt de trap op. Åsa's kamer. Lena's kamer. Maries kamer. Alle drie ijskoud. De badkamer, de grote slaapkamer, de speelkamer (die tegenwoordig gewoon een lege ruimte is, zonder speelgoed), de enge grote kleerkast en het balkon.

Ze loopt de grote slaapkamer in. Marie gaat op het bed zitten aan Roffes net opgemaakte kant. Onaangeroerd. Alleen een vage geur van wasmiddel. Geen geur van Roffe meer. Roffe hield van zijn uitzicht vanuit bed. Hij kon daarvandaan de hele stal zien. Soms deed hij het raam open en loeide hij hartstochtelijk naar zijn koeien: 'Koeien, koeien, koeien?' En dan hoorde je als antwoord de koeien terugloeien vanuit de stal: 'Roffe, Roffe, Roffe.'

Otto rent daar nu vrolijk jankend rond. De invallers komen voor het avondmelken. Ach, verdomme. Marie staat op, opent

Roffes kleerkast, trekt er een van zijn oude overalls en een dikke trui uit. Liever naar buiten en melken dan dat ze in een leeg huis zit te hyperventileren en nadenkt over de Spoedeisende Psychiatrische Hulp.

17

Eerst richting het centrum. Dan een paar honderd meter over een kleine weg naar het bos. En daarna een pad. Daar aan het einde van het pad, midden tussen de duizelingwekkende hoge bomen, staat een heel klein huisje met sprookjesachtig, over het dak wervelende sneeuwvlokken. Een krakkemikkig huisje met een horizontale, wit geschilderde houten betimmering dat er in de zomer waarschijnlijk helemaal betoverend uitziet. Lena ziet al alle bloemen en fruitbomen voor zich die nu hun winterslaap houden onder die dunne poedersneeuw. Is er plek voor twee mensen in zo'n piepklein huisje? Haar neus drupt een beetje en Lena veegt hem af met haar want. Ze staat bij het lage hekje voor het paadje dat naar het houten huisje leidt. Een smal paadje met aan weerszijden nu verlepte rododendronstruiken. Een trapje naar de met ijsbloemen bedekte glazen veranda die vol staat met gesnoeide geraniums die wachten op de lente en de knoppen. Lena loopt met kleine stapjes naar de veranda met op haar rug de rugzak met de kleren van de kinderen, een paar schone kleren voor zichzelf en een iets te dun jasje op haar lichaam.

Voor ze de veranda heeft bereikt, gaat de deur met spijltjes al op een kier open. Een verkreukeld hoofd met dun grijs kroeshaar steekt naar buiten. 'Lena?'

'Ja.'

'Kom gauw de warmte in.'

De warmte in. Eerst de schoenen en de jas uit en de rugzak

af in de koele glazen veranda. Gerda legt haar jas op het bankje dat tevens dienstdoet als kledingkist. Haar haar is net een rag-
fijn spinnenweb. Vol, maar toch vermoed je haar roze huid daaronder. Hoe oud zal ze zijn? Lena gluurt naar alle rimpels. Er
zijn alleen maar rimpels. Geen enkel glad plekje op haar hele
gezicht. Kortom: een pratende rozijn.

'Zo. Was dat alles?'

'Ja.'

'En dan nu een kop koffie.'

Het plafond is zo laag dat Lena bijna moet duiken. De deur
van de veranda wordt geopend en ze stappen in een piepklein
tussenhalletje. Daarvandaan kun je of de keuken in lopen of naar
een kleine slaapkamer of naar een nog kleiner slaapkamertje, een
piepklein kamertje met een bed. Het is net een poppenhuis. De
geur van zeep. Rode gewatteerde dekens op de bedden met witte lakens eronder, en kaarsen. Po's onder de scheve grenenhouten bedden. Overal geweven voddenkleden op de vloer, over elkaar heen. Inzetramen tegen de kou en wat katoen tegen het
buitenraam. In de keuken wordt de lucht gevuld met het ge-
pruttel van de koffieketel. Een degelijk op hout gestookt fornuis, knapperend en heet.

'Ga zitten. Heb je melk in de koffie?'

'Ja, alstublieft.'

'Suiker?'

'Ja, graag.'

'Misschien ook een drupje van iets sterkers?'

'Ja, graag.'

'Kaneelbroodje?'

'Ja, graag.'

'Ja, ja. Wij zullen het vast wel met elkaar kunnen vinden.'

Gerda opent de voorraadkast, pakt een kannetje met melk,
een koperen blikje met suikerklontjes, een mandje met kaneelbroodjes en een grote fles Jack Daniel's, van alle soorten sterkedrank uitgerekend die. De fles ziet er tegen al dat kleine erg

groot uit, alsof hij de halve keuken in beslag neemt. Een klein oud mensje, een kleine keuken en een reuzenfles rock-'n-roll sterkedrank.

Lena kijkt om zich heen. Strekt haar handen uit naar het fornuis om een beetje extra warmte te stelen. Kijkt naar Gerda, die heel behendig de koffie in Lena's kopje giet.

'Waarom verhuurt u een kamer?'

'Waarom wil jij er een huren?' Gerda glimlacht zodat haar gezicht zo mogelijk nog rimpeliger wordt, schenkt een scheutje melk in Lena's kopje en maakt het af met een drupje whisky.

'Ik heb een kamer nodig om... omdat ik ergens moet zijn...'

'Waar niemand je kent?'

'Zo ongeveer.'

'Ben je een crimineel?'

'Crimineel? Nee, nee, ik ben gewoon... in de war. Ik heb vier kinderen, een man en van alles en nog wat, maar ik was gewoon op. En nu moet ik uitzoeken hoe ik verder moet. Ja... zo ongeveer.'

'Dat begrijp ik goed. En ik verhuur een kamer simpelweg omdat ik er een overheb. Ik wil hier niet zitten met heel veel ruimte voor mezelf, terwijl er mensen op straat wonen. Een kaneelbroodje?'

Lena pakt een broodje uit het mandje, neemt een hap en mengt het met een slokje sterke koffie. Moet ze veertig vierkante meter van een krakkemikkig huisje delen met een pratende rozijn die Jack Daniel's drinkt? Oké. Het is immers niet voor eeuwig.

Tot kerst, had ze gedacht. Op kerstavond moet Lena haar levensraadsel hebben opgelost. Geen denken aan dat ze kerst viert zonder haar kinderen. Hier in het kleine arbeidershuisje tussen de bomen voelt het alsof de tijd stilgestaan heeft. En dat komt goed uit in een tijdcapsule zitten en alleen maar denken. Alsof de tijd niet verstreken is. Alsof de kinderen haar niet zullen missen, alsof hun tijd ook bevroren is en pas ontdooit als Lena thuiskomt. Over een paar dagen wordt Roffe begraven. Papa. Om 09.45 uur in de Braby Kyrka en daarna broodtaart in het kleine zaaltje van het dorpshuis. Ze moet naar de begrafenis. Dat moet gewoon.

Weg met die troep! Marie duwt het oude stalen bed door het raam, geeft het een laatste zet en ziet het bed naar beneden donderen tussen alle bevroren brandnetels. Een heerlijke val. Het heeft iets zalig triomfantelijks om de grote meubelen naar buiten te smijten en ze op de grond kapot te zien vallen!

Ze kan ook net zo goed dat oude Ikea-kastje eruit trappen. Marie schopt ertegenaan. Hard. De zijkanten vallen op de grond. Ze schopt nog een keer. Zo, ja, nog een stapeltje triplex om op de berg te gooien. Weg met die troep, door het raam, boven op de brandnetels: het bed, de schurftige biljarttafel, haar oude halve solarium, kapotte lampen, ledikantjes, autobanden, mappen en een enorme gouden lamp die ze ooit eens in New York heeft gekocht, maar waar ze al genoeg van had zodra ze thuis was. *Breaking the law! Breaking the law!* Judas Priest dendert, of beter gezegd rammelt uit het kleine knalroze cassetterecordertje, de oude van Marie, door de kamer. Onder het bed in haar meisjeskamer heeft ze een doos te gekke hardrockcassettes gevonden. Judas Priest. Betere muziek bij het opruimen bestaat er niet.

Marie gaat zitten op een van de gammele Windsor-stoelen die ze nog niet uit het raam heeft gegooid. Ze probeert de knoop over haar borsten vast te maken, maar dat lukt haar niet, zoals gewoonlijk. Ze moet verdomme haar moeder toch maar eens vragen tussenstukken in de overall te naaien.

Marie denkt terug aan Roffe. Hoe duidelijk hij altijd naar Irene toe was. Hoe hij duidelijke opdrachten gaf en met zijn hele hand aangaf wat er gedaan moest worden. Hoe zeker Irene daarvan werd. Hoe ze ervan hield dat te pakken waar hij om riep. Het is heel simpel: Marie moet Roffe worden. Wijzen met haar hele hand of met haar borsten of waarmee ze dan ook maar het eerste wijst. Zodat Irene geen keus heeft. Zodat ze weer wat snelheid krijgt. Een beetje levenslust of tenminste een aanzet tot leven.

Marie zet het geluid van het cassetterecordertje wat harder, steekt een sigaret op en leunt uit het raam. Rob Halfords hoge piepende castraatstem krijst over het erf. Oude jeugdherinneringen: Judas Priest en koeien. Marie ziet Irene heel langzaam met Otto het bos in lopen. Nou ja, ze beweegt in elk geval.

Die vleugels van de boerderij zijn vrij groot, dat ze er nooit eerder aan gedacht heeft. Ze moeten toch minstens honderd vierkante meter groot zijn. En de garage! Mijn god, ze zag het pas toen ze alle oude tractors die het niet meer deden eruit had gehaald, plus de antieke motorfietsen van Roffe die nooit meer zullen rijden en waar Roffe tijdens zijn leven niet eens op heeft gereden. De garage is gigantisch, en ook nog met een zolder!

Zeker driehonderd vierkante meter en een plafond van misschien wel vijf, zes meter hoog.

Marie leunt nog wat verder uit het raam, staart naar de garage.

Het lijkt een gewone stal, wat sjofeler misschien, met vrij kleine, maar wel veel ramen, en zonder enige logica. Moeten ramen zijn geweest die Roffe van een buurman heeft gekregen. Eigenlijk, als je er goed over nadenkt, ziet het er volstrekt idioot uit, helemaal niet als een gewone stal. Een geweldige concertruimte, trouwens. De concerten die je daar zou kunnen geven! Behalve dat er aan de andere kant van de muur tweehonderd koeien staan die door het geluidsvolume acuut geen melk meer zouden geven. Wat een gezicht! Vijfhonderd headbangende hardrockers in een garage op de muziek van een of andere heavy band.

Morgen wordt haar vader begraven. Marie wil hem eren door op te ruimen. Spullen opruimen, waarvoor hij zelf nooit de puf had, wat hij niet wilde of waar hij niet aan toekwam, of spullen waar hij geen afstand van kon doen. De tractors die maar een paar meter kunnen rijden, voordat ze morsdood tot stilstand komen. De oude afgedankte meubels van Marie en haar zussen die allang weggerot of in verval geraakt zijn. En prullen. Duizenden prullen.

Marie draait zich om, blaast de rook de kleine schattige ruimte in. Zonder gouden lampen, koelkasten van computers, solaria die het hebben begeven, stapels bedden en rotzooi, is het een mooie kamer met een open haard in het midden van de lange muur en twee kleine sierlijke spijlenramen. Stel je eens voor: een te gek panterbehang hier op de muren. Marie moet een beetje lachen, neemt nog een laatste verkwikkende trek van haar sigaret en schopt de peuk en de gammele windsorstoel tussen de brandnetels.

'Moeten we in het zwart?'

'Nee, je kunt aantrekken wat je wilt.'

'Wat doe jij aan?'

'Ik weet het niet. Iets roods, denk ik.' Åsa vouwt haar rode, gebreide wollen vest in de koffer. Geen zwart. Niet op de begrafenis van haar vader. Rood. Liefde. Dat is de juiste kleur. De kleur van Roffe.

Åsa vouwt haar pyjama op. De dikke, want het is verrekte koud op Het Zonneroosje. Adam gooit zijn enige colbert, een donkerblauwe, over de pyjama in de tas. Åsa vouwt hem op en drukt hem netjes in de koffer.

Adam kijkt peinzend naar Åsa. 'Zullen we onze wandelschoenen meenemen? Denk je dat we daar tijd voor hebben? Om even het bos in te gaan?'

'Ik weet het niet.'

'Ik neem ze mee voor het geval dat. Zal ik die van jou ook pakken?'

Adam loopt de slaapkamer uit, naar de hal, waar hij in de ingebouwde kleerkast gaat rommelen. Kartonnen dozen ploffen op de grond en worden verplaatst.

Åsa gaat met haar volle gewicht op het grote tweepersoonsbed zitten, dat een beetje inzakt. Ze strijkt met haar hand licht
over het zachte dekbedovertrek. Adam, ik hou van je. Ik hou van
je, Adam. Jij bent het mooiste op de hele wereld, Adam. Jouw
handen, jouw hals, jouw rode, verfomfaaide haar, jouw wandelschoenen, jouw lelijke blauwe colbert. Ik hou van je.

Ze laat zich vallen. Geeft toe aan de zwaartekracht en valt
achterover op het bed.

Ze wil er niet aan denken. Ze wil alleen maar vergeten, uit-
wissen, maar zodra ze haar ogen sluit, ziet ze Robert voor zich,
met zijn joggingbroek op zijn enkels, ontbloot bovenlichaam en
halfdichte ogen. Ze ziet haar eigen handen in zijn haar, op zijn
rug, ziet haar nagels die zich in zijn billen boren. Ze knippert
met haar ogen. Weg met die beelden. Walgelijk. Walgelijke beelden zijn het.

De tranen beginnen te stromen. Weg ermee. Stel je voor dat
Adam komt en vraagt waarom ze huilt. Ja, ik huil omdat ik met
je zwager naar bed ben geweest. Ik heb er spijt van. Begrijp je
het? Ik ben voor het eerst in mijn miezerige leventje ontrouw
geweest. Ik heb de belofte verbroken! Ik heb je verraden!

Nee, de tranen willen niet ophouden met stromen. Adam
roept blij dat hij helemaal achter in de kleerkast hun wandelschoenen heeft gevonden. Weg met de tranen. Åsa veegt ze weg.
Ze blijven stromen. Veegt ze weer weg. Het houdt niet op. Ze
blijven maar gutsen. Nee!

Adam duikt op, zwaait met de schoenen. 'Maar... Ben je verdrietig?'

'Nee, er is niets aan de hand. Wat mooi dat je de wandelschoenen hebt gevonden. Super!' Wanhopig monter springt Åsa
op van het bed en holt naar de keuken. 'Even een goede plastic
zak zoeken!'

Ze roept terwijl ze tegelijkertijd de tranen droogt die weigeren te stoppen. Ze druppelen neer tussen de plastic zakken. Het
is troebel, ze ziet niets. Ze spoelt snel haar gezicht af onder de

keukenkraan. Snuit haar neus in haar handen en klopt een beetje op haar oogleden.

Adam komt haar achterna de keuken in, laat zijn wenkbrauwen zakken en buigt zich voorover. 'Hé, lieverd. We redden het wel samen, jij en ik. Oké?'

Åsa stuift op Adam af. Alles komt eruit, al het verdriet, ze stort het over hem uit. Ze omhelst hem stevig, heel stevig. Boort haar snotterige neus in zijn hals en ruikt Adams geur. Zwijgend streelt hij haar rug en geeft haar een beetje van zijn kracht, kust haar licht op haar wang. Ja, ze is verdrietig om morgen. En om gisteren. En om... en om dat ze vanavond naar de boerderij vertrekken. Haar moeder en Marie zullen zien. Robert en de kinderen zullen zien. Misschien Lena zullen zien, als ze komt. En dan Åsa, die hen in de ogen moet kijken, terwijl ze de hand van Adam vasthoudt. Ja, ze is verdrietig om morgen.

18

Nog maar een paar dagen geleden had Åsa het hele huis schoongemaakt en alles wat maar opgevouwen kon worden netjes in de kasten gelegd. Nu is alles alweer rommelig en overhoopgehaald. Verdomme. Robert checkt snel zijn mobieltje terwijl hij tegelijkertijd probeert de stekker van het strijkijzer in het stopcontact te stoppen. Nee, geen berichten. Geen kik van Åsa. Geen enkel teken van Lena. Verdomme. Wat ging dat de laatste keer vreemd, met Åsa. Zij was begonnen. Hij zou nooit de eerste stap hebben gezet, ook al had hij het nog zo graag gewild. Zij kuste hem, met haar tong en de rest. Ze duwde hem op de grond en begon haar vest los te maken. Ja, en toen was het moeilijk niet te reageren. Dus vrijden ze met elkaar, en naderhand kusten ze elkaar heel voorzichtig en subtiel waarna ze in slaap waren gevallen. Hij in elk geval, want later, 's ochtends, was hij wakker geworden op het vloerkleed in de woonkamer met zijn broek op zijn knieën en drie hongerige kinderen over hem heen gebogen, die zich afvroegen waarom hij daar in zijn blote kont lag, of hij misschien in slaap was gevallen toen hij van de wc kwam, of misschien was flauwgevallen, en toen wilden ze weten waar Åsa was en of ze een film mochten huren. Ja, waar was Åsa?

Ze was verdwenen. Dat het niet zo fraai was wat ze hadden gedaan, dat begreep hij. Maar op welk schaamteniveau het lag, dat wist hij niet zeker. Hij wilde vóór de begrafenis met haar praten, maar ze nam haar mobiele telefoon niet op. Ja, ja. Het is allemaal toch al klote, een beetje meer maakt ook niets meer uit. De kinderen worden als laatste opgehaald van de crèche, ze eten hun macaroni op terwijl ze naar *Sesamstraat* kijken, en van die gezellige momenten voor het slapengaan komt helemaal niets terecht aangezien Robert zo gestrest is en alleen maar wil dat iedereen gaat slapen, en er in de werkplaats nog vijftien auto's staan die half klaar zijn. Lenaaaa! Kom naar huis!!

De strijkplank staat wankel en zwaait heen en weer terwijl Robert met een heet strijkijzer zijn overhemd en de kleren van de meisjes strijkt. Åsa had nieuwe kleren voor ze gekocht, speciaal voor de begrafenis, zelfs een klein pak voor Hampus, dat hij nooit zal aantrekken. Hij zal in zijn Spiderman-pyjama zijn opa naar zijn laatste rustplaats brengen. Wat maakt het ook uit.

'Ik wil dat mama thuiskomt, nu.'

'Ik ook Wilda, maar nu hebben we een beetje haast, je weet dat we naar de kerk moeten om afscheid te nemen van opa en...'

'Ik wil niet! Ik wil niet, ik wil niet! Ik wil dat mama thuiskomt! Ik ben gek!'

Met een stijf lichaam werpt Wilda zich op het tweepersoonsbed van haar ouders en schopt woedend om zich heen. Hampus gaat in de deuropening staan met zijn handen in zijn zij en een zeer vastbesloten gezicht. 'Ik trek dat pak niet aan, ik wil Spiderman zijn.'

'Oké, dat is goed.'

'Trouwens, Engla heeft gemorst in de keuken met zo'n augurk.'

'O. Oké. Goed. Of nee, niet goed, bedoel ik. Ik kom.'

'Ik ben geeeeek!' Wilda schopt bijna psychotisch om zich heen.

Robert strijkt in paniek verder zodat er stijve vouwen op de voorkant van de kleren ontstaan. 'Wilda, mama komt thuis, we moeten alleen nog even wachten. Ze komt. We hebben het toch goed, of niet?'

'Neeee!'

Josefin steekt haar hoofd om de deur. 'Ik neem Bella mee.'

'Wat? Nee, geen vrienden mee naar de begrafenis, alleen wij.'

'Ik neem Bella echt wel mee! Zeker nu mama er niet is. Zij gaat mee!'

'Oké, oké, neem Bella dan maar mee.'

Josefin wikkelt de handdoek om haar natte haren en verdwijnt.

'Mammmaaa!' Nu begint Wilda ook te huilen. Robert zet het strijkijzer neer en pakt zijn dochter vast. Ze stribbelt tegen. Hij omhelst haar. Ze vecht. Ze wil zich losmaken. Haar lichaam is net een bevroren visstick. Met al zijn kracht slaagt Robert erin Wilda om te draaien, hij houdt haar zo stevig vast waardoor ze geen enkele mogelijkheid meer heeft om te spartelen. Ten slotte ontspant ze. Ze laat haar lichaam slap worden en omhelst een beetje terug. Ze snikt, huilt, maar zonder gekte.

'Ik mis mama ook, meisje, maar tot die tijd moeten we elkaar helpen. Je weet dat ik goed ben met auto's, maar jij moet mij laten zien hoe je kinderen verzorgt en zo.'

'Het rookt.'

'Ja, het is koud buiten, dan lijkt het soms alsof er rook is, dat klopt.'

Robert is trots op zijn pedagogische stem die hij zonet gebruikt heeft en bedenkt dat hij daar vaker gebruik van zou moeten maken, omdat die klinkt alsof hij luistert en geïnteresseerd is.

'Het strijkijzer rookt.'

Het strijkijzer, godverdomme! Robert schiet omhoog, tilt het walmende strijkijzer op en ziet dat hij zojuist een erg spannend en vers patroon op Wilda's nieuwe jurk heeft gemaakt.

Stilletjes sluipt Lena de kerk in. Nog twee uur voor de begrafenis. Een vroege ochtend. Conciërge Ernst is bezig de vloer aan te vegen. Lena trekt haar muts ver over haar gezicht heen en hoopt dat Ernst haar niet zal herkennen.

Zonder op te kijken veegt hij nauwkeurig verder. 'Gister was er een belijdenis. Wat ze allemaal wel niet laten rondslingeren, alsof ze in de bioscoop zitten en niet in het huis van God.'

'Ja, ja, dat is niet zo mooi. Mijn vader wordt vandaag begraven, hij ligt in de kist die daar helemaal vooraan staat. Het lijkt misschien een beetje merkwaardig, maar ik vroeg me af of ik ergens zou kunnen zitten waar ik niet te zien ben. Het is een beetje ingewikkeld...'

'Kleine Lena, tuurlijk wil jij je verstoppen. Robert zomaar met alle kinderen achterlaten. Wat is er tegenwoordig toch met de mensen aan de hand? Ja, ja, je zult je redenen wel hebben, meisje.'

'Ja, die heb ik inderdaad.'

Lena zet haar muts af en staat ermee in haar hand als een arme bedelaar. Ze gluurt naar de kist. Hoe zal haar vader daar liggen? Welke kleren heeft hij aan? Zijn pyjama? De groene overall? Alleen maar een laken? Alsof hij naar zijn eerste en laatste blotebillenfeestje gaat? Papa. Oost-Indische kers, korenbloemen en goudsbloemen op de falu-rode kist. Mooi. Zoals papa. Åsa heeft het goed gedaan. Lena wil net naar voren lopen en de kist een beetje strelen als Ernst theatraal zijn keel schraapt.

'Kom hier maar, meisje, ik zal je laten zien waar je kunt zitten.' Hij pakt Lena bij de hand, loopt een klein trapje op naar het orgel en wijst naar een ingezakte fluwelen fauteuil in een donkere hoek. 'Hier heb ik heel wat keren gezeten. Je hoort alles wat de dominee te zeggen heeft en als je wilt kijken, hoef je het gordijn maar op een kiertje open te doen en dan kun je alles zien.'

'Bedankt Ernst. Echt. Bedankt. En ik kom gauw thuis.'

'Ja, ja, Gods wegen zijn ondoorgrondelijk.' Langzaam laat Ernst zich weer naar beneden glijden om de rotzooi van de wilde belijdenis verder op te vegen.

Met haar hand veegt Lena de kleine leunstoel af, overal kruimels. Heeft Ernst hier op Ballerinakoekjes zitten knabbelen terwijl hij genoot van bruiloften en begrafenissen? Blijkbaar.

Ze gaat zitten, legt haar wanten en muts weg en knoopt haar jas open. Het fietsen door Braby was spannend. Het is hier altijd rustig, zo goed als oorverdovend stil op de zondagochtenden, zo ook toen ze piepend op de oude middeleeuwse fiets van Gerda door het dorp reed. Het was nog donker om zeven uur in de ochtend. Vervolgens zat ze een paar uur op een verscholen bankje bij het kleine kerkhof en zag ze Ernst op zijn brommer knetterend over het kerkpad dichterbij komen.

Ze was helemaal vanaf Gerda naar Braby komen fietsen. Een rit van toch zeker dertig kilometer.

Gerda. Honderdvijfentwintig kroon per week wil ze voor de kamer hebben en dat is inclusief ontbijt. Het water haalt ze uit de pomp bij de weg en een paar kippen leggen elke ochtend een paar eieren. Lena heeft een beetje het gevoel dat ze bij de oude grootmoeder van Kajsa Kavat woont en ze zou absoluut niet verbaasd zijn als Gerda op een ochtend zuurstokken ging rollen die ze later in papieren puntzakjes stopt. Het is zo stil in het schattige kleine huisje. Je hoort alleen de wind die over de dakpannen giert. Gerda heeft haar hele leven in het huisje gewoond. Ze is in het kleine kamertje geboren en heeft besloten dat ze daar ook zal sterven. Ze heeft een zoon die in Gothenburg woont en ook hij is zo oud als Methusalem. Lena bood aan om wat hout te hakken voor het fornuis en de kachels. Het was heerlijk om gewoon hout te hakken. Later, toen ze 's avonds in het smalle bed in het kleine kamertje lag, met een flakkerende kaars voor het raam, de kleren van de kinderen onder haar kussen en het dekbed opgetrokken tot aan het puntje van haar neus, had ze een visioen gekregen. Ze zag zichzelf anderen helpen. Lena lag onder de rode deken met witte lakens te turen, probeerde te zien.

Het licht gaf schaduwen op het plafond. Misschien lieten ze iets zien? Met een onzekere blik probeerde Lena de slingerende schaduwen te volgen, maar toen kwam ze tot zichzelf. Mijn god, daar lag ze in een klein huisje bij een oud vrouwtje thuis en probeerde ze haar toekomst af te lezen aan de hand van scha- duwen. Binnenkort zou ze waarschijnlijk ook proberen haar ei- gen toekomst te voorspellen uit het koffiedik. Maar er was iets wat in de stilte van het kamertje tegen haar fluisterde. Ach, ze moest het de volgende keer maar in haar koffiedik nakijken.

Vijf ansichtkaarten had ze verstuurd. Eentje voor Josefin, Wil- da, Engla, Hampus en Robert. Ze had geschreven dat het goed met haar ging (niet echt waar) en dat ze met kerst thuiskwam (dat moest gewoon waar zijn), dat ze niet ongerust hoefden te zijn en dat ze van hen hield. Dat laatste stond echter niet op de kaart voor Robert.

Nog een uur voor de begrafenis. Ze kon net zo goed even sla- pen.

Toen was het tijd om te gaan. Nog maar vijf minuten. Irene als in trance, gekleed in haar mosgroene, gebreide lange jurk en zwarte mantel, haar haar net geföhnd, een beetje als een hard- rocker, volgens Maries stijl van föhnen. Marie in een zwartleren broek, zwarte hooggehakte veterlaarzen, een klein, kort nep- bontje met panterpatroon en lang kroeshaar. Robert, nog rozig van het douchen, zoekt met zijn blik naar Lena en heeft zijn ar- men om Engla, Hampus en Wilda heen geslagen. Ze zijn alle- maal gekleed in verschillende stadia van gestreken, kreukelige of verschroeide kleren. Josefin en Bella huilen allebei al met uit- gelopen make-up. Åsa en Adam: Åsa in een rood lang wollen vest, Adam in zijn blauwe colbert en een jeans met iets te kor- te pijpen. Niemand weet echt goed wat te zeggen. De dood komt hen als rook van een perfect smeulend vuurtje van onder de kerk- deur tegemoet. Daarbinnen ligt Roffe, morsdood, gekleed in zijn mooiste pak, zijn zondagse pak. Åsa en Marie wilden hem de groene overall aantrekken, maar dat wilde Irene niet. Op je laat- ste reis moet je netjes gekleed zijn.

Kelen worden geschraapt, er wordt gehoest en er worden

vriendelijke woordjes gezegd, fluisterende vragen gesteld of ze een goede reis hebben gehad en of iemand een zakdoekje nodig heeft. Niemand vraagt naar Lena. Niemand zegt iets over Roffe. Het is nu zaak om dit te overleven: nog een laatste keer degene zien van wie je houdt, de kist kussen, naar de muziek luisteren en proberen de hele plechtigheid niet te overstemmen met dat luide gehuil dat pijn doet, dat knapt, in je borst.

Ernst maakt de kerkdeur open. Vooraan in de kerk staat de kist. De dominee glimlacht mild naar hen en Lena kijkt door een kier van het gordijntje. Ach, mijn hemel, daar zitten ze. Josefin, kleine, grote, mooie Josefin, wat huil je toch. Geef haar nog een zakdoekje, Robert, dat zie je toch, ze heeft een zakdoekje nodig! En moet Hampus helemaal in zijn eentje aan het uiteinde van de bank zitten, in zijn Spiderman-kostuum? Ach, scheet van me. Engla ziet er helemaal behuild uit. Mist ze haar moeder misschien? Huilt ze 's nachts om haar? Kruipt ze over naar het lege bed waar ze duimzuigend in gaat liggen. O, mijn god, wat heeft ze gedaan? Lena bijt in haar hand, smoort het luide huilen in haar jas en probeert in de stoel te kruipen.

Robert. Wat voelt ze? Nog een groot zwart niets. Geen liefde of vermoeidheid of woede. Gewoon niets.

En daar ligt Roffe in zijn kist, maar de tranen die op Lena's jas vallen zijn niet om hem. Niet echt. Ze zijn om Engla, Hampus, Wilda en Josefin en om zichzelf.

Marie staart naar de kist, mompelt stilletjes, nauwelijks hoorbaar, voor zich uit. 'Hij ligt daar toch! Daar ligt hij! In zijn kist. Dood! Koud en zonder enig leven. Zijn lichaam is grauw en zijn ogen zien niets. Snap je dat, Marie? Hij ligt daar in de kist, wordt verbrand, wordt gewoon tot stof, tot niets, nada. Huil dan, godverdomme! Laat het komen! Een schaaltje as! Wat ben jij voor mens, die niet kan huilen en daar volkomen onaangedaan zit met je snikkende zus aan de ene kant en je helemaal gebroken moeder aan de andere kant. Zelf laat ze gewoon geen traan.

Marie reikt Åsa nog een papieren zakdoekje aan en staart naar de dominee die spreekt over Roffe als iemand die elke dag met vreugde plukte.

Sorry, Adam. Sorry. Hoe kun je mijn hand zo stevig vasthouden? Hoe kun je mijn schouders zo warm omhelzen, als ik met de man naast je naar bed ben geweest. Je kunt hem aanraken, je kunt mij aanraken. Zonet heb je hem nog een zakdoekje gegeven. Je deelt je met ons beiden. Mijn hemel.

Åsa verbergt haar gezicht in haar papieren zakdoek, alleen haar tranen zijn te zien, die druppen op haar rode vest. Adam omhelst haar wat steviger.

'Lieve Roffe' staat er met garnaaltjes op de broodtaart geschreven. Of Kajsa is een broodtaartgenie of ze is gewoon compleet gestoord. Hoe kom je op de gedachte met garnaaltjes te schrijven? Binnenkort boetseert ze waarschijnlijk bruidsparen van leverpastei of bouwt ze een kist van mayonaise.

Marie tipt haar sigaret af in de harde wind. Ze ziet de kleine schilfertjes wegvliegen in de duisternis, over het kleine grasveldje, naar de weg en verder naar het centrum van Braby. Het is kil in het dorpshuis. Algot had zo mooi gedekt met kleine gevouwen servetten en van alles erop en eraan, maar was vergeten de kachel aan te zetten. Dus zaten ze in dikke, ritselende jassen Kajsa's broodtaart te eten, zwijgend, stijf, met rode neuzen en kleumend. Alsof niet alleen Roffe was overleden, maar de hele familie. Adam was de enige die praatte, terwijl hij anders nauwelijks een woord zei. Hij hield zelfs een toespraak, tikte voorzichtig tegen zijn glas. In de stilte klonk het alsof er een heel servies op de grond kletterde. Adam vertelde lief en met zachte stem wat Roffe voor hem betekend had. Hoe leuk hij het had gevonden dat zijn schoonvader hem bij zijn lurven pakte en hem zijn bos, boerderij en beesten liet zien. Hoe Adam zich bij Roffe altijd geborgen had gevoeld en altijd welkom. Het was een vrij klassieke begrafenisrede. Aardig. Niet echt om te lachen, maar dat is waarschijnlijk ook niet de bedoeling van een begrafenisrede, een matte lach. Ze zeggen dat het soms, na de plechtigheid zelf wel een beetje uitbundig kan worden, maar nee, dat gold niet voor de koffietafel op Roffes begrafenis. Die was doods. Koud. En stil.

Marie neemt nog een trekje en blaast rookkringen die richting centrum vliegen.

Wat was er toch met Åsa aan de hand? Alsof ze van het ene op het andere moment letterlijk moslim was geworden en niemand in de ogen durfde te kijken, en zichzelf helemaal in een rode kaftan had gewikkeld. Ze rouwt waarschijnlijk op haar manier. Marie rouwt zonder tranen, Åsa rouwt gehuld in haar vest en met neergeslagen blik.

Marie trapt haar sigaret uit met de punt van haar laars, het voelt niet goed om hier peuken weg te gooien. Algot zou ze een voor een met de hand oprapen. Ze kan de sigaret net zo goed mee naar binnen nemen.

'Ik ga even een eindje lopen, oké?' Adam kijkt vragend naar Åsa en omhelst haar. Åsa trekt haar vest nog steviger om haar lichaam, mijn god, wat is het koud in dit lege, holle zaaltje.

'Tuurlijk. We vertrekken misschien over een uurtje naar het huis van mama.'

Adam knikt, streelt Åsa nog een keer over haar schouder, trekt zijn Fjällräven-jas aan en klost naar buiten, het zaaltje uit, dat koude, kale zaaltje. Åsa kijkt om zich heen. Een plastic vloer uit de jaren zeventig in dat groene, slangvormige patroon. Oranjebruine, licht doorschijnende synthetische gordijnen, drie tafels die in een rij staan opgesteld, stalen buizenstoelen met bruine plastic zittingen en helemaal niets aan de wanden, behalve een amateuristische aquarel van de Braby kerk. De kinderen zitten op de grond te spelen met de cadeautjes die Åsa had meegenomen: verschillende soorten viltstiften, een blocnote, schattige gummetjes, stickers, plakband, lijm met aardbeiengeur en mooie, sierlijke lintjes. Wat een prachtige kinderen. Hoe kan Lena die in de steek laten? Net goed dat... Nee.

Bella en Josefin zijn al vertrokken. Irene zit in een van de stoelen met een wollen deken om zich heen geslagen, ze slaapt bijna. Marie zit dicht bij haar en babbelt wat geforceerd. Lena is niet gekomen. Hoe kun je niet op de begrafenis van je eigen vader komen? Moet zij nodig zeggen! Hoe kun je naar bed gaan met de man van je zus? Ja, dat zou je je kunnen afvragen. Ze kan net zo goed even naar het toilet gaan, dan is dat maar weer gebeurd. Dat ze niet nodig moet plassen doet er niet toe, ze kan daar in elk geval even in alle rust zitten en een Finse waarschuwingstekst op het verwarmingselement lezen.

Net wanneer Åsa aan de deurkruk wil trekken gaat de deur open. Robert. Hij heeft waarschijnlijk ook in alle rust de Finse waarschuwingstekst zitten lezen. Ze heeft hem ontweken. Het was haar bedoeling zich heel normaal te gedragen. Hem te groeten, omhelzen en vragen hoe het met de kinderen ging en daarna om papa te huilen en broodtaart te eten, maar dat normale vond nooit plaats. Toen Robert met al zijn prachtige kinderen opdook, ging het gewoon niet. Toen hij aan kwam lopen leek het alsof er een groot zwart slecht geweten op haar afkwam. Op het moment dat Adam naar voren stapte en Robert omhelsde, moest Åsa bijna braken. Ze moest haar hand voor haar mond houden om te voorkomen dat haar ontbijt eruit kwam en over het hele kerkhof heen spoot.

'Hoi.' Robert glimlacht enigszins vragend.

'Hoi, hoi.' Åsa pakt de deurkruk beet en probeert zo snel mogelijk naar binnen te glippen, maar Robert weet zich naar binnen te persen, Åsa's hand beet te pakken en de deur achter hen dicht te trekken. Åsa wikkelt haar vest om zich heen, houdt krampachtig haar bovenarmen vast.

Robert doet weer een poging om een beetje te glimlachen en haalt nerveus een hand door zijn haar. 'Tja... Wat we hebben gedaan, dat was niet goed, hè?'

'Nee. Dat was erg slecht.'

'Ja, dat was het. Ik wil alleen maar zeggen dat...'

'Fluisteren! Je moet fluisteren.'

Åsa voelt dat misselijke gevoel weer terugkomen. Ze houdt haar hand voor haar mond. Robert gaat zachter praten.

'Ik wil alleen maar zeggen dat niemand dit te weten hoeft te komen. Ik zeg het tegen niemand en jij ook niet. Dan is er toch niets aan de hand? Niemand weet het en niemand krijgt er een rot gevoel over.'

'Hoezo? Is er niets aan de hand omdat je het gewoon niet hardop zegt? Je bent verdomme met de zus van je vrouw naar bed geweest!'

'Ja, maar ze heeft me toch godverdomme gewoon verlaten! Jij bent getrouwd en gaat met de man van je zus naar bed. Jij bent begonnen.'

'Nietes.'

'Ja, jij bent begonnen. Jij begon me te kussen.'

'Fluisteren!! Of hou er gewoon over op, praat er niet over! Ik wil het niet!'

'Oké. Oké, oké.'

Robert trekt zijn stropdas recht om iets te doen te hebben. Åsa knijpt hard in haar vest. Gesuis uit de ventilatie. Hoe heeft ze met hem naar bed kunnen gaan? Hoe heeft ze überhaupt ook maar enigszins opgewonden kunnen raken? Een dikke automonteur met zwarte handen. Hoe heeft ze met hem naar bed kunnen gaan in plaats van gewoon de auto te pakken en naar Adam met zijn tedere handen te gaan en met hem te vrijen. Wijn. Wijn! Hoe heeft ze bijna twee flessen wijn leeg kunnen drinken? Was ze die avond nuchter geweest, dan had ze hier vandaag nóóit zo op het toilet gestaan. Geen schijn van kans. Robert streelt Åsa wat onhandig over haar schouder, ze schrikt op alsof hij haar net een vuistslag heeft uitgedeeld.

'Maar Åsa, we kunnen toch nog wel vrienden zijn. Jij bent toch gek op de kinderen en ze verlangen naar je.'

'Hoe gaat het thuis dan?'

'Ik weet het niet... Ik heb het gevoel dat ik paranoia begin te worden. Of ze er niet met een of andere nieuwe vent vandoor is of wat de werkelijke reden ook is. Wat denk jij?'

'Ik weet het niet. Geen idee, maar ik ben eigenlijk niet ongerust. Ze duikt wel weer op. Hoe gaat het met de kinderen?'

'Ja, ze missen Lena uiteraard. Ik maak vies eten klaar en was de verkeerde kleren en haal ze te laat op en lees de boeken te snel en niets gaat goed. De werkplaats ook niet. De jongens zijn zoveel verantwoordelijkheid niet gewend, ik weet niet. Kun jij niet een weekend komen en je een beetje met de kinderen bezighouden?'

'Thuis bij jou? Nee, dat gaat niet. Niet nu.'

Stemmen. Buiten voor het toilet. Marie en Irene lopen naar de auto. Marie blijft nog een nacht op de boerderij slapen. Åsa en Adam ook. Morgen gaan we weer over tot de orde van de dag, dan moet alles weer normaal zijn. Roffe is begraven, komt nooit meer terug en nu gaat het leven verder of het loopt mank, draait, rolt, wringt of hoe het dan ook verder zal gaan.

19

Hoe vaak heeft ze haar vader eigenlijk ontmoet als volwassene? Ze hadden toch vooral een feestrelatie. Ze zagen elkaar op verjaardagen, met kerst en 's zomers een keer op Het Zonneroosje. Tussendoor kwam Marie nooit thuis. Roffe heeft ook nooit zijn hooimachine gepakt om naar Stockholm te gaan. Waarom is ze nooit naar huis gegaan? Gewoon voor een avond, om een keer mee te eten? Gewoon met haar lieve vader naar *Jeopardy* kijken, misschien de buren helpen met het binnenhalen van de oogst of zomaar met een keer de koeien ophalen voor het melken. Hoeveel moeite was dat nu geweest? Een keer in het kwartaal de koeien melken, schoonspoelen en voeren? Het is net als het andere werk van haar, alleen in plaats van rockers zijn het koeien, het maakt niets uit, ze zijn net zo dorstig en net zo luidruchtig.

Papa, van wie ze houdt. Hield. Papa, die haar leerde vals spelen met pesten. Papa, die haar bagagedrager vasthield toen ze slingerend over de grote grindweg fietste. Papa, die haar achter de silo betrapte met Tony tussen haar benen en later diezelfde middag bij haar op de kamer kwam met condooms, waarvan de houdbaarheidsdatum overigens al een halfjaar was verstreken. Marie had ze herkend. Ze kwamen uit het laatje van papa's nachtkastje. Zij en haar zussen hadden ze als jonge meisjes vaak in hun handen gehad. Ze weet niet wat haar vader en moeder als voorbehoedsmiddel gebruikten, maar in elk geval geen condooms, zo lang die in dat bovenste laatje lagen te verdrogen. Papa, die...

'Wat is er? Moet ik ophouden?'

Tussen de stijve borsten van Marie komt Mooie Staffan tevoorschijn als een kleine snuffelende lemming op zoek naar eten tussen de bergtoppen. Marie aait hem over zijn dikke bakkebaarden bij zijn slapen en over zijn lange, bruine haar dat als een waaier uitgespreid op zijn rug ligt. Waarom heeft ze hem gesms't? Wat had ze eigenlijk gedacht? Dat hij haar eenzaamheid, het gat dat als het ware bodemloos is, zou kunnen wegneuken? Die ogen van haar, die helemaal droog zijn. Waarom kan ze niet huilen?! Toen ze naast de kist van Roffe zat. Toen hij daar grauw en koud en morsdood lag, was ze bijna in de lach geschoten, luid gaan lachen in de van verdriet vervulde kerk. Niet omdat ze op een erg beklagenswaardige manier blij was, maar gewoon omdat ze niet wist hoe ze zich moest gedragen, omdat de lach onder in haar keel lag te kriebelen. De dood.

'Hallo? Marre?'

Staffan hijst zich uit zijn tietenpositie omhoog en legt zijn hoofd naast dat van Marie, legt een haarlok netjes achter haar oor en streelt haar wang met zijn wijsvinger.

'Ik denk aan mijn vader.'

'Ik begrijp het.'

'Leuker dan dit wordt het niet.'

'Het is oké. Ik snap het. Je bent verdrietig.'

'Dat is nu juist het gekke. Dat ik dat niet weet. Het voelt alsof ik wil huilen en schreeuwen, maar dat zit als het ware niet in me. Ik voel me... egoïstisch...'

'Egoïstisch?'

'Ja, over mijn leven. Papa was niet zo jong meer. Hij had drie dochters en een vrouw op wie hij altijd heel erg verliefd is geweest en dan krijgt hij een hartaanval en sterft tijdens het melken. Ik bedoel... is dat eigenlijk niet prima zo?'

'Misschien... Ik weet niet.'

'Of is het niet enorm klote? Doodgaan voor je zeventigste, gewoon, pats boem en dood neervallen. Dat het leven gewoon stopt? Zo adem je nog en is alles zoals altijd, en pats boem, je bent weg en is niets meer zoals daarvoor. Misschien hoor je niet eens een pats boem? Misschien is het wel helemaal stil, en ben je er daarna gewoon niet meer.'

'Misschien...'

'Ik heb het gevoel dat ik meer aan mezelf denk dan aan mijn vader. Aan mijn leven. Stel je voor dat ik zomaar verdween. Pats boem. Morsdood met een white russian in mijn hand achter een of andere bar. Dat zou toch wel erg sneu zijn.'

'Maar je bent nog maar net veertig, dat is toch wel een behoorlijk groot verschil met zeventig.'

'Ja, maar ik kan op mijn zeventigste ook net zo goed nog achter een bar staan en mij ergeren aan kleine limoen snijdende meiden en dan doodgaan. Dat zou ook erg sneu zijn. Ik bedoel dat mijn vader een hele boerderij, mijn moeder, ons en alle beesten had, maar wat heb ik?'

'Deze hier...' Staffan streelt Maries borsten, die in de houding staan. De tieten die rechtop blijven staan, ook als Marie helemaal op haar rug ligt.

'Deze hier? Die zijn niet van mij! Dat is gewoon iets waar ik voor heb moeten dokken en die door de chirurg zijn vastgelijmd.'

'Ik weet het, ik maakte maar een grapje. Sorry.'

'Maar snap je het niet? Ik heb niets!'

'Waar heb je het over? Jij hebt toch heel veel. Je bent de beste barkeepster van de stad, je hebt een hond, een flat, vrienden.'

'Ach, ik heb niets.'

'Jij bent nu gewoon verdrietig over je vader. Je houdt van je leven.'

'Stel je voor dat ik zomaar doodging. Godverdomme.'

Marie staart naar het plafond, volgt de ventilator met haar ogen. Rondje na rondje. Staffan laat zijn hoofd op zijn arm rusten, weet niet goed wat hij moet zeggen. Marie en hij zijn neukvrienden. Absoluut geen vrienden. Maatjes misschien. Mooiweermaatjes. Alles loopt goed als ze de wind mee hebben, maar als het begint te waaien... Nee, nee... Ze zijn absoluut geen echte vrienden. Hij kijkt naar Marie, naar haar profiel. Haar zachte, eigenwijze wipneus, de rimpels onder haar ogen, het rookstreepje op haar bovenlip, haar goed geëpileerde wenkbrauwen, de make-up die een beetje uitgelopen is, haar zonnebankbruine huid. Ze is knap. Verlopen, maar knap. Een kwiek type.

Staffan kent de energieke Marie. De Marie die drankjes mixt en tegelijkertijd mensen vraagt op te zouten, die een doodgewoon barschort er echt ontzettend sexy uit kan laten zien. De Marie die zuipt als een echte kerel, rookt als een piraat en vrijt als de boerenmeid die ze eens was. Maar naast hem ligt nu geen piraat en het was ook bepaald geen oervrouw met wie hij seks probeerde te hebben. Het was voornamelijk een lichaam dat niet reageerde en een beetje naar binnen gekeerd haar plafondventilator bestudeerde.

'Zal ik maar gaan? Of wil je dat ik blijf?'

Marie draait haar hoofd naar Staffan. Ze ziet zijn angstige schijtoogjes. O, wat wil hij niet blijven. O, wat wil hij alleen maar ver weg bij Marie vandaan. Weg, weg, weg en in plaats daarvan met versterkers slepen voor een paar Noorse hardrockers. Zeker, hij is knap en vult als geen ander een leren broek, maar verder... Wat is hij verder? Hij staat symbool voor het hele leven van Marie. Hij is niets, hij is iemand die komt en weer gaat, neemt wat hij krijgt en dan verdwijnt. Dag, tot ziens. Nog zo'n feestrelatie, hoewel zij elkaar waarschijnlijk niet op kerstavond, maar wel op andere feesten zouden tegenkomen. Het is niet iemand die ze zou bellen als het onweerde. Wie zou ze dan trouwens bellen? Linus? Lena? Åsa?

Papa misschien. Nee. Niemand. Ze zou bij niemand aankloppen. Ze zou naar haar werk gaan, de muziek luider zetten en gewoon de handen uit de mouwen steken en wat dan ook aanpakken. Je kunt morgen sterven, zonder dat je een pats boem hoort. Je kunt sterven op de klanken van een lauwe scheet. Zo is dat.

'Nee, ga maar. Toe maar.'

'Zeker weten? Ik vertrek voor een paar weken naar Noorwegen, maar misschien zien we elkaar later?'

'Tuurlijk.'

Staffan trekt zijn onderbroek en zijn leren broek aan, gespt zijn riem vast, wurmt zich in een strak wit t-shirt, bindt zijn haar in een staart, trekt zijn sokken, leren vest en laarzen aan. Hij buigt zich naar Marie en kust haar zacht op haar lippen en glimlacht wat geforceerd.

'We zien elkaar!'

'Ja, ja, ga maar gauw.'

Hij klettert op zijn laarzen naar de buitendeur, heeft moeite met het slot, wrikt en wrikt, raakt bijna een beetje in paniek, zo, ja, nu heeft hij het slot open. Hij doet de deur open, doet hem weer dicht, hij sluit niet goed, doet hem nog een keer dicht – hard, en dendert de trappen af, opent de poort. Stilte.

Marie trekt haar zwarte masker voor haar ogen, steekt een paar oordoppen in haar oren, klopt zachtjes met haar hand op het bed tot Otto erop springt en dan ligt ze in volledige duisternis en stilte. Alsof ze dood was, hoewel haar hart nog klopt.

'Ja, met Conny.'

'Hoi, ik ben het, Lena.'

Lena staat buiten op de weg, een eindje van het huis af. Haar mobieltje heeft geen bereik in het huisje. Het is middag en Lena staat in de luwte onder de enorme naaldbomen. Koude windvlagen trekken als een roedel onrustige wolven over het bos, maar daar beneden in de bescherming van de bomen is het kalm.

'O, hoi.'

'Ik wil alleen maar even horen hoe het met je gaat. Het ging de laatste keer zo vreemd.'

'Het gaat slecht met me.'

'O jee, sorry, het is mijn fout, ik had moeten...'

'Nee, het is niet jouw fout, ik heb koorts, weet niet hoeveel, maar ik ril over mijn hele lichaam.'

'Heb je hulp nodig?'

'Nee, de kinderen zorgen voor me.'

'En je werk dan? Heb je iemand die kan rijden?'

'Ik weet niet. Ik was van plan het toch maar te proberen, het is bijna kerst en ik kan het geld goed gebruiken. Ik prop me wel vol met aspirine.'

'Nee! Blijf maar liggen. Ik rij! Jij hebt mij geholpen, nu wil ik jou helpen. Geen discussie. Ik rij, jij krijgt je geld. Punt uit. Waar staat de auto?'

'Weet je het zeker?'

'Absoluut. Ik heb mijn hele leven al tractors en pick-ups gereden, een ijscowagen is een makkie. Welke route moet je rijden?'

'Rösjön en Ekbacka. Er zijn geen bijzonderheden, je rijdt volgens de kaart, start elk kwartier minstens één keer het melodietje, het liefst een paar keer achter elkaar. Ja, en dan is het gewoon een kwestie van verkopen, geld afrekenen en thuiskomen. Ik vraag de kinderen de sleutels in het dashboardkastje te leggen en...'

'Ga maar slapen, Conny, ik red me wel.'

Lena holt naar het huis om wat warme kleren te pakken en het tegen Gerda te zeggen. Geweldig dat ze iets terug kan doen. Fantastisch dat ze kan helpen! Nog maar twee weken en dan is het kerst. De laatste kerst thuis was een ramp geweest. Toen al was langzaam de energie uit haar weggestroomd, de zin in kerst. Alle voorbereidingen waar ze anders zo dol op was geweest: kerstkaarten tekenen met de kinderen, amandelspijskogels rollen, het huis versieren. Er was alleen maar gezeik geweest en het was verschrikkelijk vermoeiend. Zouden ze de kerststerren al hebben opgehangen? Robert is toch niet vergeten om een chocoladeadventskalender te kopen?

De kinderen! Ik kom gauw thuis! Ik los dit op. Ik heb het gevoel dat er iets in me groeit wat binnenkort gaat bloeien, ik kom, ik hou van jullie, ik mis jullie. Jullie zijn de beste.

Lena trekt haar muts over haar oren en springt op Gerda's oude fiets. Ze trapt naar Conny's huis terwijl de sneeuwvlokken en de wind tegen haar gezicht slaan. Het doet pijn op haar wangen. Vanaf Gerda is het niet zo ver naar Conny, misschien vijf minuten op een oude, afgetrapte fiets. De duifblauwe ijscowagen staat op de oprit. Lena zet de fiets tegen het huis en springt in de auto, zoekt tastend naar de sleutel in het dashboardkastje en start de motor. Het rommelt onder de motorkap en een zwakke benzinegeur vult de cabine. Conny. Misschien had het iets kunnen worden. In een ander leven, een andere keer. Lena kijkt naar de thermoskan, zucht en zet de auto in zijn achteruit.

Het sneeuwt behoorlijk. De ruitenwissers zwiepen heen en weer over de voorruit. Koud is het ook, hoewel ze de verwarming op de hoogste stand heeft gezet.

Wie koopt er nu ijs met dit weer? Je koopt toch alleen maar kaneelbroodjes en warme chocolademelk, en nu niet bepaald een ijshoorntje. Waarom zijn er eigenlijk alleen maar ijscowagens? Er zouden toch ook heel veel maaltijdwagens moeten rondrijden, zodat je zodra je het melodietje hoort gewoon naar buiten kunt gaan om een pizza of iets dergelijks te kopen. Of nee, misschien geen pizza, maar iets gezonders. Waar je zelf de puf niet meer voor hebt om klaar te maken, maar wat je misschien wel zou moeten eten. Wat zou dat kunnen zijn? Denk eens aan alle moeders die zwoegen om de kinderen op tijd op school te krijgen, heel veel eten moeten klaarmaken, heel veel moeten schoonmaken en heel veel moeten werken, en stel je eens voor hoe mooi het zou zijn als er dan een maaltijdwagen was, geen schreeuwerige pizzeria met vet eten maar een wagen met te gekke maaltijden. Het soort eten waarvan je graag wilt dat je kinderen dat binnenkrijgen.

Lena stuurt richting Rösjön en probeert voldoende afstand te houden tot de auto voor haar, het is glad. Een maaltijdwagen. Waarom heeft niemand dat nog gedaan? Als er een maaltijdwagen bij Lena in de buurt was geweest, dan was ze misschien niet van huis weggevlucht. Waarom zien alle ijscowagens er eigenlijk allemaal hetzelfde uit? Dezelfde soort auto, dezelfde oude ijsjes, misschien met verschillende namen, maar nog steeds dezelfde dingen. Waarom probeert niemand er wat meer stijl in aan te brengen? Iets meer eigens.

Pas toen ze verliefd was op Conny, of hoe je dat gevoel ook moet noemen, heeft Lena gelezen wat er allemaal in ijs zit. Toen pas heeft ze thuis in de stoel de ingrediënten op alle ijsverpakkingen zitten lezen alsof het gecodeerde mededelingen waren van Mister IJscoman himself. Er zat nooit ecologische slagroom in of eieren van loslopende kippen of aardbeien met het ecologische keurmerk, maar alleen maar ontzettend veel kunstmatige troep.

Een ding heeft Lena van Rolf en Irene geleerd, en dat is de zorg voor de natuur. Geen vlees kopen dat helemaal vanaf de andere kant van de wereld is getransporteerd en geen bespoten groenten eten. Wat zo eenvoudig mogelijk is klaargemaakt, is het lekkerst. Geen flauwekul. Aardbeien met slagroom, voorntjes en vers vlees van de boerderij en nieuwe aardappelen van eigen grond. Wat is er beter dan dat eigenlijk?

Biologisch ijs. IJs gemaakt van room uit de buurt. Bessen uit het bos. Een mooie auto. Een leuk melodietje, niet zo'n psychotische gil-jingle, en schitterende foto's van alle biologische en voortreffelijke ijsjes. Zo zou een ijscowagen moeten zijn, of een maaltijdwagen. Vlees van weldoorvoede koeien die in de omgeving zijn opgegroeid, sauzen van biologische room, groenten met het EKO-keurmerk. Eerlijke gerechten, geen Thai-liflafjes, maar hachee, koolrollade, gekookt kalfsvlees met dillesaus en gehaktbrood. Alles in gezinsverpakking of in kleine porties voor alleenstaande gepensioneerden. Voor iemand zoals Ernst van de kerk! Hij zou beslist zo'n kleine portie koolrollade kopen als ze met een maaltijdwagen bij hem langs zou rijden.

Ze is in Rösjön, de Kvarnvägen. Lena speelt het melodietje af en wacht op de klanten. Misschien zou de bestuurder van de ijscowagen ook mooi gekleed moeten zijn, met een gesteven schort om, misschien een geborduurd embleem erop... Een paar gepensioneerden lopen langs de auto, kijken vlug naar de ijskaart en lopen schokkerig verder. Nee, een Doug-ijsje (een cola-ijsje in de vorm van een hond) of een Spookijsje heeft hen niet kunnen verleiden. Zouden ze misschien wel twee dozen gebraden gehakt hebben ingeslagen? Lena herinnert zich hoe opgelucht ze was toen Conny haar een gigantische zak minihamburgers gaf. Kleine, vrij gore hamburgers van smakeloos vlees, maar toch, ze vulden! En ze kreeg ze vlak voor haar deur! Ze hoefde alleen het huis maar weer in te lopen en ze in de magnetron te stoppen. Stel je voor, wanneer ze in plaats daarvan een grote portie zelfgemaakte, smeuïge lasagne had gekregen? Hoe gelukkig was ze dan wel niet geweest?

Een onrustig gekriebel begint te jeuken onder Lena's voeten, alsof ze moet rennen. Een ongeduldig gekriebel. Kan het zijn dat... is het zo simpel? Dat ze maaltijdwagenman wordt of misschien heet dat tegenwoordig maaltijdwagenvrouw. Met eten gaat rijden. Eten gaat klaarmaken. Wie moet het eten klaarmaken?

Lena? Of Irene? En wie moet er met de auto rijden? Je kunt toch niet gewoon maar in de keuken eten klaarmaken, de Volvo in mooie kleuren spuiten en gaan rijden? Je moet toch een eigen bedrijf opstarten, heel veel papieren invullen, de politie... Vraag je een vergunning aan bij de politie? Nee... Ineens lijkt het allemaal erg ingewikkeld.

Het gekriebel onder haar voetzolen neemt iets af, maar er is toch iets gaan ontkiemen.

Een eigen maaltijdwagen. De hele week Lena. Lena's Zweedse maaltijdwagen. De kookwagen.

Wat een hardnekkige buikgriep. Åsa leunt weer achterover in het kussen. Sluit haar ogen. Direct nadat ze heeft overgegeven voelt het goed, bijna normaal, maar er kan een halfuur verstrijken en dan is dat misselijke gevoel weer terug. Zo gaat het al vijf dagen. Adam kookt milde kippensoep, bakt zachte broden, warmt *glögg* op, probeert van alles, maar het heeft allemaal hetzelfde effect. Åsa's hoofd hangt boven een emmer. Perziken vallen vrij goed, maar midden in december zijn perziken praktisch onvindbaar. Adam heeft een pond erg houtige en droge exemplaren weten op te scharrelen in de Hötorgshallen. Åsa heeft ze allemaal naar binnen gewerkt, waarna ze drie uur heeft geslapen en pas toen ze de geur van Adams Franse visgratin uit de keuken rook, heeft ze alles er weer uitgespuugd.

Ze zet haar bril op en kijkt uit het slaapkamerraam. Het is nog maar vier uur, maar buiten hangt de duisternis al als een naar beneden getrokken fluwelen gordijn. Kleine sneeuwvlokken dwarrelen tegen het raam. De kerststerren voor de grote ramen verspreiden een harmonisch oranje licht. In de verte hoort ze Adam rommelen in de keuken. De stakker. Hij probeert vast iets klaar te maken wat ze binnenhoudt. Åsa dwingt zichzelf op te staan. Onder het bed vindt ze een paar geitenwollen sokken die ze moeizaam aantrekt en ze gaat op het krakende parket staan. Het is een erg sociaal parket, dat wil praten zodra je je voeten erop hebt gezet. Åsa trekt haar sokken over de zachte pyjamabroek, pakt de emmer en schuifelt behoedzaam en al krakend naar de wc. Met trillende handen gooit ze de emmer leeg, spuit er een beetje schoonmaakmiddel in en spoelt hem schoon.

Ze heeft al vijf dagen niet gewerkt. Vanaf het moment dat Adam de laptop in de slaapkamer heeft gebracht, is ze gaan overgeven. Geen eten. Geen werk. Alleen maar in bed liggen en overgeven. En als ze niet overgeeft, ziet ze Robert voor zich, Robert en zij in verschillende standjes en dan moet ze weer overgeven. Met andere woorden: ze moet de hele tijd overgeven. Adam helpt haar. Het werk dat ze zelf niet heeft kunnen doen,

heeft Adam gedaan. Moet hij de hele tijd zo akelig aardig, be-
gripvol en vriendelijk zijn? Alsof hij het weet. Alsof hij het erom doet. Alsof hij echt bezig is Åsa's slechte geweten te voeden
met sappige angstbroodjes, maar hij is gewoon een fantastische
echtgenoot, die kippensoep kookt en zijn vrouw steunt als ze
buikgriep heeft. Åsa legt de emmer op zijn kop in de ingebouwde
mozaïeken badkuip en gaat voor de spiegel staan. Bleek. Ingevallen. Lelijke bril. Tijd om een nieuwe te kopen. Ook tijd om
een nieuw kapsel te kopen. Åsa trekt aan haar wangen, die moet
ze ook maar verwisselen, dat is tegenwoordig waarschijnlijk ge-
bruikelijk. Ze trekt aan haar wangen, laat ze los, trekt er weer
aan en laat ze weer los. Flip, flop. Flip, flop. Ze ontbloot haar
tanden. Nee, bah, mond gauw weer dicht. Sloop die tanden er
ook maar uit en zet er maar een kunstgebit in – bedankt. Snel
poetst ze haar tanden en pakt het stukje tandzijde vast, maar ze
legt het terug in het doosje, daar heeft ze nu de puf niet voor.

Adam maakt een blik perziken open en legt de oranje, glad-
de helften op een schaal die hij op tafel zet. Åsa kijkt er sceptisch naar. Adam spoelt het lege blik uit en zet het bij de rest
voor de hergebruikbak.

'Dat was alles wat ik op mijn perzikenjacht heb gevonden.'

'Het is oké, het gaat om de gedachte.' Åsa schuift de schaal
van zich af en kijkt door het keukenraam. De sneeuw wervelt nu
nog dichter, als wit, dicht dons uit de hemel.

'Zullen we met kerst naar mama?'

'Ja, dat is goed.'

'Ik moet haar helpen. Wat bakken en zo. Ze is zo verschrikkelijk verdrietig. Misschien kunnen we er al over een week naartoe en als we er dan zijn kunnen we een kerstboom uit het bos
halen en de stal misschien wat versieren. Dat deed papa ook altijd.'

'Prima.' Adam leunt tegen de tafel. Kijkt naar Åsa's bleke,
groenachtige gezicht en begint een beetje te lachen. 'Zeg... heb
je er niet aan gedacht?'

'Waaraan?'

'Hoe je je kunt voelen als je zwa...?'

'Maar ik kan niet zwanger zijn!'

'Misschien toch wel. Had je nu niet ongesteld moeten zijn?'

'Nee... Ja... Een paar dagen geleden misschien.'

'Zijn we niet ongeveer vlak voor de eisprong met elkaar naar bed geweest?'

'Ja.'

'Misschien moet je een zwangerschapstest doen, want een buikgriep duurt niet vijf dagen achtereen.' Adam grijnst breed. Åsa voelt haar mondhoeken ook omhooggaan. Ze kijken elkaar dom giechelend aan. Adam met zijn brede, zwarte montuur. Åsa met haar dunne, bijna onzichtbare montuur. Adam staat op.

'Ik ren naar de apotheek!' Snel kust Adam Åsa op haar wang. Hij stuift de hal in, rukt zijn jas van de kapstok en trekt de deur weer hard achter zich dicht.

Het is duidelijk dat ze zwanger is. Alles voelt anders in haar lichaam, als ze erover nadenkt. Alle geuren: gebakken eten, gekookt eten, afwasmiddel, Adams lichaamsgeur. Alles stinkt. Haar borsten zijn wat opgezet. Net als toen ze in groep acht zat en borsten begon te krijgen, dezelfde gevoeligheid, een verstopte neus en echt misselijk. Natuurlijk is ze zwanger. Dat ze daar niet aan gedacht heeft. Ha! Het werkt bij haar! Åsa functioneert, er zitten eierstokken in haar lichaam, een van haar eitjes is naar binnen gewandeld en is in haar baarmoeder gaan liggen om bevrucht te worden. Een van Adams gezonde, mooie zaadcelletjes heeft haar eitje gevonden en nu heeft ze hun zoontje of dochtertje in haar buik.

Adam en haar kleine baby, vermoedelijk met slechte ogen.

Åsa glimlacht en streelt heel teder haar kleine platte buik. Ze trekt haar vrijetijdsbroek een stukje naar beneden en kijkt naar haar magere, naar binnen vallende buik. Er verspreidt zich een volkomen nieuwe warmte door haar lichaam. Net als toen je klein was en naar het pretpark Gröna Lund ging en alle draaimolens zag als je voor de toegangshekken stond, en gewoon wist dat je een suikerspin zou krijgen en in het spookhuis zou gaan, en dat je nú naar binnen zou gaan! Verwachtingsvol, een beetje eng en ontzettend plechtig. Åsa moet iemand bellen! Ze moet een mailtje sturen naar de meiden op het forum! Ze moet Irene bellen! O, nu krijgt haar moeder iets om blij over te zijn, misschien dat deze baby de kerst redt!

Adam en zij zijn met elkaar naar bed geweest vóór de eisprong. Op de bank. Die keer toen ze pisnijdig aan het schoonmaken was. Ze wilde geen seks hebben, want het was toch zinloos, ze zou toch niet zwanger kunnen worden. Maar toch wel. Toch wel!

Åsa kijkt weer naar haar buik.

Of, toch niet? Misschien is er helemaal geen kind verwekt. Adams zaadcellen zijn misschien niet op de plaats van bestemming aangekomen en het is Åsa's eitje misschien niet gelukt om bevrucht te worden. Misschien is het alleen maar lucht. Misschien was het een zinloze geslachtsgemeenschap.

Mijn god.

Dat Gröna Lundgevoel krijgt een dreun. Nu staat Åsa voor een afgrond. Iemand houdt haar nog wat losjes aan haar trui vast, maar ze hangt boven de afgrond en kan elk moment naar beneden storten.

Wanneer is ze met Robert naar bed geweest? Dat was misschien zeven dagen daarna. Vlak na de eisprong. Of was het ermiddenin?

Alsof iemand plotseling het keukenraam heeft opengezet naar de ijzige kou. Alsof een ijskoude tornado zich door haar lichaam heen perst. Een ijspegel. Åsa werpt zich naar de gootsteen en braakt alles eruit.

Zo, eens kijken. Buffetjuffrouw in Royal, niks. Serveerster met veel ervaring in Gondolen, niet echt wat. Pizzabakker, o nee, absoluut niet. Barkeeper in de Lip. Lip? Wat is dat? Nee, die kleine snobistische bar in de Sigtunagatan? Never nooit niet. Pas geopend restaurant met bar in centrum van Visby zoekt ervaren barkeeper. Visby, Gotland. Op een eiland wonen? *No way*.

Haar mobieltje gaat over. Marie kijkt op de display. 'Hoi, mama.'

'Hallo.'

Marie duwt de stapel kranten van haar bed en trekt haar dekbed over zich heen. Otto kruipt ook onder het dekbed en drukt zijn gespierde, harige lijf tegen Maries buik.

'Hoe is het?'

'Het is zo eenzaam, Marie. Het is nu nog eenzamer, nu alles voorbij is. Ik zit hier alleen maar, ga naar buiten om de koeien te verzorgen en daarna zit ik alleen maar. Het is al de eerste advent en ik heb nog geen saffraanbrood of peperkoekje gebakken, nog geen sparrentak of een kerstster opgehangen. Helemaal niets. Het doet er toch niet meer toe, het is toch alleen maar voor mezelf.'

'Maar jij moet het toch ook wat gezellig hebben?'

'Nee, dat moet ik niet.'

'Oké. Hoe gaat het met de invallers? Åsa heeft ze toch voor een maand vooruitbetaald, gaat dat goed?'

'O, ja. Maar de koeien missen Roffe. De hele boerderij mist hem. O god, wat mis ik hem. Alles moet ik nu alleen doen, Marie, begrijp je dat? Alles! Zelfs de koffie smaakt niet meer. Het is zo leeg.' Irene begint te huilen.

Marie wil ophangen, dat is haar spontane gevoel. De hoorn erop, het gehuil niet hoeven horen. 'Maar waarom ga je niet even naar Robert en de kinderen?'

'Ach, dan mis ik Lena alleen maar. Ik heb trouwens een kaart gekregen. Dat was aardig van haar.'

'Aárdig? Ja, misschien ook wel. Wat schreef ze dan?'

'Dat ze op de begrafenis was geweest en dat ik me niet ongerust hoefde te maken.'

'Was ze op de begrafenis? O, fijn.'

'Ja, alhoewel... Ik vraag me af waar ze heeft gezeten. Kom je gauw thuis?'

'Ik ben al thuis, mama, maar ik kom met kerst naar de boerderij.'

'Kerst, dat duurt nog weken. Åsa kan ook al niet eerder. Dan moet ik maar alleen zitten. Je begrijpt toch wel dat het hier eenzaam is?'

'Tuurlijk begrijp ik dat. Maar ik heb mijn leven hier.'

'Leven en leven...'

'Wat?'

'Wat moet ik dan doen?'

'Maar kom dan hier! Of ga naar Robert, hij kan gegarandeerd wel wat hulp gebruiken.'

'Ik kan niet helpen, ik kan niet eens meer een saffraanbrood bakken.'

'Ja, dat kun je wel, mama.'

'Nee, het is alsof mijn energie op is.'

'Jouw energie is niet op. Je bent verdrietig, dat is het. Dat komt wel weer goed.'

'En hoe is het met jou dan? Heb je al werk gevonden?'

'Nee. Niets dat ik wil hebben.'

'Maar je kunt toch niet al te kieskeurig zijn in jouw positie. Je moet gewoon solliciteren op alle baantjes die er zijn.'

'Hoezo alle baantjes die er zijn? Denk je dat ik van plan ben te gaan schoonmaken? Vergeet het maar, ik ben barmanager. Ik heb hiervoor de beste baan van de wereld gehad, dus ik heb wel wat eisen.'

'Maar waarom heb je dan ontslag genomen als je de beste baan ter wereld had?'

'Omdat ik de slechtste baas van de wereld had! Mama! Hou op met zeuren. Help me.'

'Kom hier, help mij met de boerderij, dan zal ik op mijn beurt jou helpen. Als ik hier maar iemand heb dan kan ik wel weer wat eten klaarmaken, misschien een saffraanbrood bakken. De eenzaamheid is zo verschrikkelijk.'

'Mama, ik ben geen boer. Helaas. Nu moet ik verder achter baantjes aan, we bellen nog.'

Ze voelt Otto's rustige ademhaling tegen haar lichaam. Haar eigen ademhaling is gejaagd, oppervlakkig. Met haar handen over haar borsten laat Marie haar blik door haar flat glijden: de rode hoerenbank, het Led Zeppelinschilderij, de enorme televisie met *surround*-systeem, de fantastische stereo, de cd'tjes, het brede superzachte bed met het panterdekbedovertrek. *That's it.* Dit is Maries leven: een gehuurd eenkamerappartement in de Högbergsgatan, heel veel cd'tjes en een hoerenbank. En in de keuken te weinig kruiden in de kast en altijd droog brood. Ze is tweeënveertig jaar, binnenkort is het kerst en ze heeft niemand die op haar wacht. Geen liefje die haar kerstcadeautjes wil geven, geen werk om naartoe te gaan, geen vrienden die wachten, geen gezellig huis dat haar verwarmt. Ze heeft een hond die van haar houdt, of in elk geval afhankelijk is van haar. En een huilende moeder op een afgelegen boerderij die niet in staat is om een saffraanbrood te bakken. Wie is er verdomme nu wel in staat om een saffraanbrood te bakken.

De steen. Die steen in haar maag. De huilsteen, die maalt tussen haar ingewanden, heen en weer stuitert, tegen haar dikke darm duwt, hard tegen haar nieren aan schuurt, schokkerig tegen haar longen duwt, zich eruit probeert te wringen en verwoede pogingen doet om zich via haar bronchiën naar buiten te wringen. De steen klimt, haakt zich vast en rekt de bronchiën op! Hij zal erin. Erin en eruit. Marie grijpt naar haar keel. De lucht! Waar is haar lucht gebleven? Ze kan niet ademhalen. De steen! De steen zit vast, midden in haar luchtpijp. Marie slaat hard met haar vuisten op haar borst. Geen lucht. De steen is op weg naar boven. Marie opent haar mond wagenwijd, maar er komt niets uit. Geen lucht, geen geluid, niets. Ze slaat zich weer op haar borst. Slaat harder. Nog een keer en nog een keer. Doet haar mond open. Nu gebeurt er iets. Marie doet haar mond nog verder open. Eén groot leeg gat. Een gebrul. Er is een gebrul op weg naar buiten. Arrrrrgggggghhhhhaaaaa!

De steen vliegt eruit en spat uiteen tegen het Led Zeppelin-schilderij. Marie schreeuwt, weet niet waar ze moet kijken, hoe ze zich moet bewegen. Alsof ze helemaal verkrampt. Alleen deze schreeuw beweegt.

Aaaarrrrgggghhhhaaaa!!!!

Otto springt van het bed af en glipt de keuken in, gaat bevend onder de tafel liggen. De tranen. Het is nat! Nu komen ze! Ze biggelen niet, ze klateren. Ze stromen. Ze spuiten uit haar binnenste omhoog, stromen over haar wangen omlaag. Ze zit op handen en voeten in haar bed. Ze brult nog steeds. Alsof ze aan het baren is, een angststeen baart.

Met haar achterwerk omhoog leunt ze naar voren en maakt haar panterdekbedovertrek nat. De schreeuw wordt nu minder. Er zijn alleen nog maar tranen over. Emmers vol.

20

Het is bijna twee uur 's middags en Lena ligt in haar smalle bed met de rode sprei. Buiten voor het kleine raam dwarrelen schattige sneeuwvlokken gestaag naar beneden en er ligt al een wit tapijt over het minituintje. Net een peperkoekhuislandschap met kleine poppenkastmeubeltjes versierd met poedersuiker. Hoewel het nog vroeg in de middag is, begint het al donker te worden. In het bos is het somber en de stammen van de bomen zijn nauwelijks van elkaar te onderscheiden. Gerda zit in de keuken, drinkt koffie, lost kruiswoordpuzzels op en luistert naar een krakende zender met lichte muziek. Ze is een zwijgzame kleine vrouw, zegt niet veel, bijna niets. Mooi. Alsof Lena alleen woont. De kamer huurt ze tot het einde van het jaar, voor die tijd moet alles opgelost zijn.

Met droge ogen kijkt Lena door het raam naar het schemerige bos. Wat is er eigenlijk misgegaan tussen haar en Robert? Wanneer precies was de innerlijke aardbeving signalen gaan uitzenden? Toen Hampus werd geboren? Toen er plotseling zoveel kleine kinderen met luiers waren en bovenaan op ieders verlanglijstje een paar uur slaap 's nachts stond, behalve op de verlanglijstjes van de kinderen uiteraard. En er ook nog een grote tiener was die zoveel van de toch al krappe zuurstof in het huis opslokte. Was het toen? Of was het toen Robert voor de honderdvijfendertigste keer was vergeten de wasmachine leeg te halen en de handdoeken in de machine bleven liggen en in hetzelfde tempo als Lena lagen te verschimmelen? Of was het toen Lena hulp had gevraagd bij de afwas en de hulp in plaats van mee te helpen voor Studio Sport was beland en Lena zich realiseerde dat ze niet om hulp had moeten hoeven vragen? Of was het toen ze plotseling een slecht geweten had gekregen toen ze Robert vroeg werktijd op te offeren om op zijn eigen kinderen te passen? Lena paste nooit op de kinderen. Voor hen zorgen was hetzelfde als ademhalen, maar voor Robert waren de kinderen niet inbegrepen. De garage was inbegrepen, maar de kinderen niet... Zij waren als het ware van Lena.

Daar ergens, precies daar op dat punt was het gaan wringen. Lena die om hulp had geroepen en geschreeuwd, niet krankzinnig hard misschien, maar ze had geroepen. Robert hoorde niets en Lena had 's nachts in bed zijn aarzelende handen niet geaccepteerd. Zijn handen hadden tussen haar nachthemd en de lakens gezocht naar haar lichaam, hadden geprobeerd haar te strelen, terwijl ze haar ogen stijf had dichtgeknepen en had gedaan alsof ze sliep met haar knieën stevig tegen elkaar aan geklemd. De seks kon hij wel vergeten. Zolang hij zorgen voor zijn eigen kinderen zag als oppassen op zijn eigen nageslacht, kon hij wel vergeten dat hij intiem met haar mocht zijn. Terwijl Robert vroeger maar met zijn glinsterende ogen naar haar hoefde te glimlachen, of ze opende zich als een kleine wellustige boterbloem. Hij hoefde zijn hand maar naar haar uit te strekken of Lena was verloren en had hem vastgepakt. Ze had van hem gehouden. Alsof er geen andere mannen bestonden. Ze had zich altijd mooi gemaakt voor hem, eten klaargemaakt waar hij dol op was. Ze had van hem gehouden, met hem... Ai. Het doet pijn als ze eraan denkt, in haar hart. Het doet echt pijn in haar hart. Wat doe je dan als het fout gaat? Als iets echt helemaal mis is? Lena legt haar beide handen op haar hart. Houdt ze van hem? Nog steeds? Is er daarbinnen nog steeds iets wat zijn naam roept, wat in die glinsterende ogen wil kijken, hem dicht bij haar wil hebben. Iets wat zijn begeerte niet wil wegduwen, hem niet wil straffen. Ja. Er is nog een heel klein beetje warmte. Er ligt nog een heel zwak antivriesverwarmingsspiraaltje om haar hart. Robert. Ze moeten het proberen! Ze mogen niet opgeven. Dat kleine verwarmingsspiraaltje ademt nog steeds om haar hart. Ze hebben drie, ja, eigenlijk vier kinderen samen. Ze kunnen niet uit elkaar gaan. Diep vanbinnen houdt ze nog van hem. Hoewel: wat heeft hij haar verraden. Godverdomme! Shit. Hoe kon hij haar gewoon in de steek laten? Hoe kon hij naar zijn werk gaan met het boterhamtrommeltje dat zij had klaargemaakt en haar zomaar thuis achterlaten?

Nu is zij ervandoor gegaan, heeft zij hem in de steek gelaten. Heeft ze de kinderen in de steek gelaten. Is ze met Conny naar bed geweest. O! Waarom is ze met hem naar bed geweest? Het betekent niets. Vergeet het. Trouwens, Robert heeft een keer gerommeld met een meid op de veerboot naar Finland, in het begin van hun relatie. Het klassieke geflirt in een stomdronken bui. Of een klassiek beschonken echtgenoot op de veerboot, het hangt ervan af aan wie je het vraagt. Nu staan ze in elk geval quitte. Hij is waarschijnlijk ook met haar naar bed geweest. Lena heeft altijd dat vermoeden gehad, maar heeft er nooit in willen wroeten. Want als ze het had geweten, had ze hem onder handen moeten nemen. Dan had ze hem voor het blok moeten zetten, misschien moeten verhuizen, hem eruit moeten gooien, bah. Ze kon het maar beter niet weten. Robert komt het niet te weten. Het betekende niets. Ja, het was goed, maar niet zoals met Robert, niet zoals met iemand van wie je houdt. Maar desondanks heerlijk. Net een stille, stotende protestdaad.

Robert. Ze moeten het weer proberen. Hij moet nog een kans krijgen, maar ze moet hem nu kort houden. Lena wil ook werken, zij wil ook een boterhamtrommeltje hebben. En de kinderen willen Robert hebben. Ze kennen hem gewoon niet meer. Ze zijn vergeten dat je ook een aanwezige vader kunt hebben, dat papa's je ook naar bed kunnen brengen en havermoutpap kunnen maken. Dat er papa's bestaan die niet in de garage werken of voor de televisie hangen. Lena gaat rechtop in haar bed zitten met haar handen nog steeds op haar hart. Ging er daarbinnen niet een verwarmingsspiraaltje branden?

Maar ze kan niet zomaar weer naar huis gaan. Ze kan niet thuiskomen en verlangen dat alle anderen moeten veranderen. Ze moet thuiskomen met een plan. Een plan dat het hele gezin omvat, van de konijnen tot Robert. Als een piraat moet ze thuiskomen, met onder haar arm de schatkaart waarop met een kruis staat aangegeven waar de schat begraven ligt. En dan moeten ze graven. Samen. Niet een voor een. Lena haalt haar handen van haar hart en tilt een blauwe map op die op het schattige nachtkastje ligt. Onlangs was ze op het kantoor van de Keuringsdienst van Waren om te kijken wat je moet doen om een bedrijf te starten waar je met voedsel gaat werken. Het klonk niet zo ingewikkeld toen ze daar was: een goede naam voor het bedrijf verzinnen, een btw-nummer aanvragen, omschrijven wat de activiteiten van het bedrijf zullen zijn en dan beginnen. Zo ongeveer, maar vervolgens was er dat voedsel waar ze zich mee bezig zou houden. Hier in het kleine bed is het ontzettend ingewikkeld. Er is een lange lijst van zaken die goed in orde moeten zijn en dan de inspecteur van de Keuringsdienst van Waren en de EU nog, die mevrouw op het kantoor ratelde maar door, zonder ook maar een keer te stoppen. Ze zou een stapel formulieren en brochures opgestuurd krijgen en het belangrijkste was nu om de moed niet te verliezen. Tot dusver is de map leeg, als het goed is, komen morgen alle papieren. Shit. Goed. Help. Nee. Ja.

Een baan. Een eigen bedrijf. Nog veertien dagen tot kerst. Veertien dagen tot ze naar huis gaat. Goed. Nu heeft ze een deadline. Over veertien dagen moet de situatie onder controle zijn. Tot die tijd moet ze:

* Alle ontvangen brochures en formulieren om een eigen levensmiddelenbedrijf te kunnen starten, lezen. Niet

slordig zijn. Nu gaat het om haar toekomst, ze moet niet prutsen alsof het om een biologieproefwerk op de middelbare school gaat. Het is nu of nooit.

Help. Het klinkt eng.

* En wat voor bedrijf gaat ze beginnen? Een bedrijf dat ze zelf leidt, waar zij de baas is. Zij zal het eten klaarmaken, biologische echt eerlijke Zweedse burgermanskost, en er mee gaan rondrijden om het aan gestreste gezinnen met kinderen of eenzame gepensioneerden te verkopen. Ook tieners met ouders die aan de zwier zijn kunnen het eten kopen. Iedereen heeft goed eten nodig. Niet iedereen heeft tijd het te maken en niet iedereen kan het. Het hele zakelijke idee is dat het eten thuis aan de deur komt. Misschien kunnen de mensen vooraf via internet bestellen. Of misschien rijdt ze gewoon maar wat rond met een kleine maaltijdwagen en laat ze de mensen hollend naar haar toe komen. Hopelijk komen ze aanhollen, maar misschien staat ze met haar toeterende maaltijdwagen ergens eenzaam op een plek en bekommert niemand zich erom. Waar moet ze al het eten klaarmaken? Waar moet ze haar hoofdkantoor hebben? Nee! Nu niet de moed verliezen, Lena! Dit speel je klaar. Kom op!
* Geld! Waar moet ze verdorie het geld vandaan halen? Ze moet het geldvraagstuk oplossen. Een lening? Een overval? Het huis verkopen? Is er een andere oplossing? Want geld heeft ze absoluut nodig. Zonder geld geen maaltijdwagen.
* Zo veel mogelijk gebruikmaken van biologische ingrediënten. Alles afstruinen en kijken hoe ver je komt.
* EU-subsidies! Een bron van vreugde! Aanvragen, aanvragen, aanvragen! Nog meer papieren en brochures

zullen er komen, bah. Ze moet meer mappen kopen!

* Een goede naam. Er moet een echt goede naam worden verzonnen.

* De kinderen. De kinderen komen op de eerste plaats. Ze zouden bovenaan op de lijst moeten staan, op nummer 1, 2, 3 en 4. Daarna de konijnen, de hond, de katten en dan Robert. De kinderen. Als hun moeder werk doet wat ze leuk vindt, waarbij ze haar tijd zelf kan indelen en ze zich bovendien nuttig maakt terwijl ze werkt, dan zal ze vrolijker zijn. Maar vrolijk is niet genoeg. Ze moet er ook de energie voor hebben. Ze zal de energie ervoor hebben! Aangezien Robert er niet meer tussenuit kan knijpen. Er moeten twéé volwassenen zijn. Irene. Misschien moet Irene ook op die lijst staan. Ze is eenzaam. Lena heeft hulp nodig. De kinderen houden van hun oma: dat is een vrij gemakkelijk op te lossen probleem.

Lena omarmt haar lege map en bestudeert haar voeten die onder de deken heen en weer wiebelen, alsof er onder al dat rood twee mensen dansen. Twee mensen die in de maat proberen te blijven. In haar hersenen begint het een beetje te bewegen. Twee mensen. Papa en mama. Roffe en Irene. Robert en Lena. Wat zou Roffe hebben gezegd? Hij was altijd zo onverschrokken en had meer ideeën dan hij kon waarmaken. Wat zou Roffe hebben gezegd als hij nu hier op de rand van haar bed in het piepkleine kamertje zou zitten en zijn grove handen boven op die van Lena legde, terwijl hij met zijn bruine ogen naar haar keek? Wat zou hij dan tegen haar hebben gezegd?

'Lena schat, ga naar huis. Verkoop het huis, verkoop Roberts garage en verhuis naar je ouderlijk huis Het Zonneroosje. Ga in een van de vleugels wonen, ze zijn mooi en er is genoeg plek voor jullie allemaal. Zorg samen voor de koeien, jouw kleine maaltijdwagen en de kinderen. Samen.'

De boerderij! Het Zonneroosje! Roffe zou hebben gewild dat ze het eten zou klaarmaken op de boerderij, natuurlijk! Vlees van eigen koeien. Saus gemaakt van echte boerenroom! Aardappelen van eigen land! Biologisch! Dichtbij! De boerderij is immers al biologisch, dus het is gewoon een kwestie van slachten en melken. Lena gaat kaarsrecht in haar bed zitten. Slaat zich enthousiast op de knieën. Roffe heeft de stal vorig jaar uitgebouwd toen hij een paar grootse ondernemersdromen kreeg en conferentiezalen in 'een echte landbouwsfeer' op de boerderij wilde hebben die hij aan ondernemingen wilde verhuren om er misschien eindelijk wat geld mee te verdienen. Maar de zalen zijn nooit goed afgemaakt, nog steeds staan er planken en luiken voor de keukenafdeling en nog wat rotzooi. Het leven kwam ertussen. Of beter gezegd de dood. Dus de zalen staan helemaal leeg, naast de stal. Zalen die niet hebben gedaan waarvoor ze gemaakt zijn, die niet hebben geleefd!

Daar! Daar kan ze de grote keuken hebben! Robert moet de garage verkopen, nu is het zijn beurt om klaar te staan. En het huis verkopen ze ook. Dan hebben ze al een aardig startkapitaal. Misschien nog niet echt alles wat ze nodig hebben, maar ze zijn wel een behoorlijk eind op weg. De kinderen zullen zich helemaal veilig voelen omdat er altijd iemand thuis is en Lena's oude school op fietsafstand is. Met een likje verf zullen de vleugels fantastisch worden. Zo klaar als een klontje!

Lena wil iemand bellen! Bellen om te vertellen dat ze haar levensvraagstuk heeft opgelost! Dat ze onderweg is! Maar ze houdt zich in, houdt zichzelf in de hand en wacht op de post van morgen, op alle sensationele brochures en formulieren over de levensmiddelenbranche. Robert. Nu moet hij kleur bekennen.

Als hij er nu voor haar is, dan verlaat ze hem nooit meer. Nóóit.

Marie houdt haar handen voor haar ogen waardoor ze nat worden van haar tranen. Ze heeft ook buikpijn, een zeurende pijn.

Niet alleen van verdriet, maar ook van de spierpijn, alsof ze honderdvijfentwintig sit-ups achter elkaar heeft gedaan.

Vier dagen lang stromen haar tranen nu al. Een paar droge pauzes om op adem te komen. Daarna zijn ze weer gaan stromen. Onder de douche. Als ze hardloopt. Als ze noedelsoep kookt. Als ze die eet stromen die stomme tranen ook, maar dat komt goed uit, want dan hoeft ze geen zout meer over de soep te strooien. Als ze naar muziek luistert. Als het stil is. Vooral als het stil is. Als ze gewoon stemmen hoort en gezellige leefgeluiden van de buren en het geluid van wandelende mensen beneden op straat.

Wat heeft ze erop gewacht. Op dat huilen dat daar onder in haar maag lag te bonzen. Als een klein rotkind dat nooit verder komt, alleen maar op de grond ligt en iedereen tot waanzin drijft. Toen kwam het: het einde van het gezeur en het begin van de grote zondeval. Marie, die een hekel had aan blèrende mensen in de stad die daar tussen de mensen staan te grienen. Nu loopt zij te huilen in de Mariahal vol kerstversiering terwijl ze pakjes soep en kant-en-klaarmaaltijden uit de diepvries in haar mandje legt. Het kan haar absoluut niets schelen of de mensen kijken. Ze rent haar rondje rond Långholmen met haar tranen als een fontein achter zich aan. Schept de poep van Otto op en gooit al huilend het poepzakje in de vuilnisbak. Ze komt buren in het trappenhuis tegen, huilt, zegt hallo en gaat naar binnen. Als een idioot. Als een regelrechte idioot. Mama. De enige aan wie ze denkt is mama. De enige persoon met wie ze moeite heeft om te bellen is mama. Ze wil trots en flink zijn voor mama en wil niet dat ze op haar neerkijkt. Marie wil alleen maar gered worden, maar niemand komt haar redden. Niemand. Ze is helemaal alleen. Ze kan net zo goed nu doodgaan. Niemand mist haar. Niemand vindt haar. Niemand. Ze is alleen.

De ademhaling. Nu stokt die weer. Ze kan niet ademhalen! De lucht komt er niet uit, komt nergens. Niet nu. Nu gaat ze dood. Ze doet het. Marie valt achterover in haar bed. Achterover, achterover, omlaag. Ze staart naar de plafondventilator. De tranen stromen over haar wangen. Geen ademhaling. Ze heeft niet de kracht om op haar borst te slaan, heeft niet de kracht om te leven. Verdomme, kut ook. Mama. Mama moet komen. Met haar handen voor haar keel tast ze naar haar telefoon op de rand van haar bed. Mama. Ze toetst het nummer in.

'Mama...?'

'Marie?'

'Ik weet niet, ik dacht gewoon...'

'Marie? Huil je?'

'Nee... Ik dacht gewoon...'

'Ja, ik denk aan papa. Marie, je hebt geen idee hoe eenzaam het hier op de boerderij is zonder hem. Roffe ís immers de boerderij. Ik red dit nooit, Marie. Ik weet niet wat ik moet doen.'

'Ik weet het ook niet... Ik heb hulp nodig, geloof ik.'

'Ik weet hoe het voelt. Ik heb nu al een aantal dagen gehuild, ik krijg het allemaal niet voor elkaar; kerst, de koeien én Lena én papa. Het gaat gewoon niet. Gisteren heb ik de hele dag in bed gelegen. Ja, we hebben het nu niet gemakkelijk, Marie.'

'Kun je mij niet komen halen?'

'Wat zeg je? Ik hoor het niet goed. Je mompelt zo.'

'Kom me halen, mama.'

'Marie, ik weet niet of ik dat red. Papa's auto is zo onbetrouwbaar, en nu met al die sneeuw, ik weet het niet. En ik voel me zo down, heb amper de puf om naar de keuken te gaan en een kop koffie te pakken.'

'Ik heb ook niet de puf om naar de keuken te gaan.'

'Maar jouw keuken is in elk geval dichtbij. Als ik in de woonkamer zit, moet ik door dat grote vertrek, het kleine halletje en dan ben ik er pas. Ik zou zoals jij moeten wonen. Zonder verantwoordelijkheden en zonder al die kamers die schoongemaakt moeten worden.'

'Kun je me niet komen halen, mama?'

'Maar Marie, als je hier wilt komen ben je meer dan welkom,

maar ik kan nu 's avonds niet weg, kun je de bus niet nemen?'

Marie legt de hoorn op haar borst. Ze voelt haar hele gezicht ineenschrompelen tot een rozijn, voelt hoe haar ogen zich vullen met vurige tranen, hoe haar mond niet meer dicht wil, hoe ze niet kan ademen, niets kan uitbrengen. Waarom is het zo moeilijk? Waarom kan ze niet gewoon huilen, schreeuwen en haar moeder laten begrijpen dat ze zich echt niet kan bewegen en echt niet meer kan leven? Het is zo diep weggestopt daarbinnen dat ze haar hand niet kan uitstrekken, niet echt, niet zonder enige bescherming. En niet om hulp kan vragen. Niet van haar eigen moeder.

'Marie? Hallo?'

Irenes stem piept vragend uit de hoorn die op de levenloze siliconenborsten van Marie ligt.

'Marie? Is de verbinding verbroken? Vreemd. Hallo?'

Haar laatste krachten. Daarna zal ze in elkaar zakken. Marie brengt de hoorn naar haar oor. Ze huilt het uit, schreeuwt het uit. Als een dier, als een koe die kalft.

'Marie? Ben jij dat?'

'Mama! Haal me! Ik red het niet! Ik ga dood, mama!'

'O jee, o jee, o jee... Marie? Hallo?'

Marie antwoordt niet. De hoorn is ze kwijtgeraakt, net als haar evenwicht, haar gevoel, alles. De hoorn is beland op haar panterkussen. Irenes stem piept niet meer, maar roept luid vanaf het kussen.

'Lieverd! Ik kom! Mama vertrekt nu, ik kom, schat!'

'Ik kan nauwelijks geloven dat het waar is. Je bent hier zo lang mee bezig en je gelooft er helemaal niet meer in en dan plotseling zit daarbinnen gewoon een baby. Zomaar zonder enige waarschuwing vooraf!' Adam heeft zijn dikke bril afgezet, laat zijn gezicht op de buik van Åsa rusten. Hij kust haar buik, streelt hem zo teder met zijn vingertoppen dat ze het bijna niet voelt. Åsa gluurt naar de emmer naast de bank.

'Alsjeblieft, niet tegen mijn buik leunen, dan word ik misselijk.'

'O, dat was ik vergeten, sorry.'

Zo dolgelukkig, zo blij, zo stralend is hij nog nooit geweest. Hij was zo enthousiast, kinderlijk enthousiast toen ze de test deden. Toen Adam met al zijn lachende tanden met het pinnetje zat te zwaaien, wilde Åsa alleen maar 112 bellen en acuut naar de abortuskliniek rijden, of in de auto springen en naar Zwitserland rijden en in het diepste geheim het kind baren om te kijken op wie het lijkt. Lijkt het op Adam, dan rijdt ze gewoon weer naar huis met het hummeltje, kijken Roberts blauwe ogen naar haar, dan... dan... ja, wat dan? Tegelijkertijd is ze zo gelukkig. Zo eindeloos gelukkig dat er in haar een heel klein leven woont en dat het allemaal werkt bij haar. Dat haar lichaam groen licht heeft gekregen en is goedgekeurd als werkende kinderluchtbel. Dat ze moeder zal worden.

Nu heeft ze een kind in haar buik. Een miniscuul klein kindje, dat daar leeft en ervoor zorgt dat ze constant moet overgeven. Dit kind, dat in haar fantasie de oplossing is geweest voor alles, naar wie ze zo verschrikkelijk heeft verlangd, dat helemaal in de verte het knipperende licht is geweest. Als ze dat licht maar bereikte dan zou die veilige warmte ook wel verschijnen.

Wat doe je met een kind in je buik dat misschien niet van je man is? Wat doe je dan in vredesnaam? Ben je koel? Speel je dat alles goed en pico bello is en praat je liefkozend over namen en lees je over de bevalling en probeer je het gewoon te vergeten dat het kind misschien van iemand anders is? Of zeg je het hem nu, nu de man van wie je houdt tegen je buik aan leunt, dat het kind misschien niet van hem is? Wat moet je doen in zo'n situatie? Tja, het is vast niet veel erger dan wat je al gedaan hebt, namelijk je zwanger geneukt met zijn zwager. Maar als het nu Adams kind is? Misschien is dat wel zo? Natuurlijk is dat zo. Als God bestaat, kan hij toch niet zo slecht zijn dat hij een enkele misstap, de eerste in haar leven, op de grootste ramp van haar leven laat uitdraaien. Dat verdient ze toch niet? Of ja, misschien zij wel, maar Adam niet. Hij heeft toch niets verkeerd gedaan! Waarom moet hij gestraft worden? Ontrouw. Nu is ze een van hen. Nu is ze een van die mensen op wie ze altijd heeft neergekeken. Van die mensen die hun eigen wederhelften bedriegen, die gewoon het lichaam laten leiden en de hersenen daarbij buiten beschouwing laten. Hoe kon ze? Hoe kon ze Adam ontrouw zijn! Ze houdt immers van hem! Ze houdt van hem, houdt van hem, houdt van hem. Ze hebben geen geheimen voor elkaar gehad. Ze zijn open geweest naar elkaar, zo open als het maar kan. Nu staat er een groot geheim van mammoetformaat tussen hen in. Een groot harig beest dat weigert zich te verplaatsen. Een ontrouwmammoet. Adam. Zo mooi. Zo onschuldig. Zo eerlijk. Hij wordt vader. Denkt hij. Of wordt hij het misschien niet?

'Huil je?' Adam veegt een traan van Åsa's wang.

Åsa probeert er blij uit te zien en dat gaat redelijk. 'Ik denk aan papa. Dat hij niet meer meemaakt dat we een kind krijgen. Ik ben als het ware blij en verdrietig tegelijk.'

Dat laatste was in elk geval waar. Adam opent zijn armen en Åsa kruipt er snikkend in. Het deksel erop, daar gaat het nu om. Het deksel erop en geen woord. Het is Adams kind. Al het andere bestaat niet. Nu is het gewoon een kwestie van vergeten. Het vergeten, ver weg achterin in de kleerkast stoppen, die op slot doen en de sleutel doorslikken. Nee, de sleutel vertrappen!

21

'Help papa, ik krijg het luikje niet open.'

Hampus rukt en trekt aan luikje nummer 17, maar dat weigert open te gaan. Robert peutert het luikje met zijn nagel met gemak omhoog, Hampus grist meteen de kalender naar zich toe en trekt het stukje chocolade eruit. Het is vroeg in de ochtend, buiten is het nog pikkedonker. Hampus, Robert, Engla, Wilda liggen allemaal in het grote bed met Vincent aan hun voeten. Josefin slaapt met Bella op haar eigen kamer. Zo liggen ze elke avond. Engla en Wilda liggen om beurten naast Robert, zodat het helemaal eerlijk is. Wilda wordt elke avond als het Engla's beurt is om naast haar vader te slapen, grenzeloos ongelukkig. Robert heeft dan een dochter die niet huilt, maar heel graag naast hem ligt en een dochter die helemaal buiten zichzelf van verdriet is, maar die hij niet alleen daarom haar zin kan laten doordrijven. Dus mag Engla onder zijn oksel liggen terwijl hij Wilda op haar rug kriebelt. Hampus en Vincent hebben daarentegen hun vaste plek, een bevoordeelde als jongste en als hond. Wilda zuigt stilletjes op haar stukje chocolade van nummer 17, Engla heeft haar stukje al doorgeslikt en Hampus smakt stilletjes onder het dekbed.

Een maand. Lena is al een maand weg. Ruim een maand. Sinds ze weg is, is het vreemd genoeg gemakkelijker geworden. In het begin was het verrekte zwaar. Maar nu: geen gezeur, geen gevit, geen moeilijke hondenogen die hopen dat hij een was in de wasmachine zal stoppen en een kind naar bed zal brengen. Altijd is Lena de norm geweest, zij stelde de regels op. Robert had ze gewoon maar te volgen of hij deed het niet goed. Maar nu is Robert de norm! Nu is hij degene met het normenboekje en het werkt fantastisch! Nu zijn hij en de kinderen een team, en Robert is de teamleider. Het gevoel van vader zijn heeft hem gewoon doen groeien en het heeft hem voldoening gegeven. Eerder realiseerde hij zich niet echt dat het zijn kinderen waren en welk intens warm gevoel het geeft wanneer iemand zich helemaal aan je vastklampt, en vindt dat je de allerbeste bent in het boterhammen smeren en dat je het allerlekkerst ruikt. En hoe het voelt als de kinderen vechten om naast je te mogen liggen. Eerder was hij altijd de schouderophalende tweede keus geweest. De kinderen waren na het eten nooit naar hem toe gekomen om bij hem op schoot te zitten. Nee, ze gingen eerst altijd naar Lena. Had zij geen plek meer, dan sloften ze misschien voorzichtig naar hem toe, of ze kropen bij Vincent. De hond of papa, het maakte niet uit.

Maar nu kiezen ze hem. Elke keer weer. Gevoelens die hem voor de gek hebben gehouden! Of waarmee hij zichzelf voor de gek heeft gehouden! Iemand is ermee voor de gek gehouden in elk geval. Zowel hij als Lena. Nee, het is niet alleen maar zijn fout! Zij zei dat het oké was, dat ze liever zelf voor de kinderen, voor het huis en voor alles zorgde en dat ze daar de hele tijd naar uitgekeken had. Ja, als iemand dat zegt, dan geloof je die persoon toch, of niet? En naderhand, ergens halverwege in het leven, is dat helemaal niet meer zo. Plotseling wil ze helemaal niet meer schoonmaken en voor de kinderen zorgen. Nee, en dan ben je opeens een zwijn, een macho die nooit meehelpt en raakt zij overspannen. Verdomme, hij is geen psycholoog of iemand die gedachten kan lezen. Hij is een gewone vent met een garage!

Ja, en wanneer het haar niet meer uitkomt, dan smeert ze 'm gewoon. Foetsie, weg. Zonder een kaartje voor de terugreis. De kinderen zijn helemaal overstuur geweest. Een moeder verdwijnt niet zomaar! Wilda is bijna constant overstuur geweest. Hampus en Engla hebben zich waarschijnlijk wel oké gevoeld, maar hebben wel in het nachtgoed van Lena geslapen, en hij mocht haar kussensloop niet verschonen, want dat ruikt naar mama. Ze stuurt nu in elk geval ansichtkaarten. De kinderen weten dat ze leeft en dat ze met kerst thuiskomt, als een bijzonder kerstcadeau. In zijn hoofd verschijnt het beeld van hem en Åsa. Hoe hij Åsa's spijkerbroek uittrekt, hoe zij met haar voeten zijn joggingbroek uittrapt. Godverdomme. Het was niet nodig geweest. Åsa groet hem amper, hij heeft het gevoel alsof hij haar verkracht heeft, hoewel zij de eerste stap heeft gezet. Het is ontzettend onbeschoft om met de zus van je vrouw naar bed te gaan. Maar het is ook ontzettend onbeschoft om je gezin zomaar in de steek te laten.

Het leven loopt nu weer een beetje. Niet optimaal, maar een beetje. De jongens runnen de garage echt goed. Natuurlijk heeft hij tegen heel veel klanten nee moeten zeggen, wat minder geld en meer gezeur oplevert, maar veel erger dan nu zal het niet worden. Niemand heeft hem neergeknald. Hij gaat elke dag om vijf uur naar huis. Haalt de kinderen op uit de crèche, maakt het eten klaar dat ze opeten terwijl ze naar *Sesamstraat* kijken, daarna gaan ze allemaal in bad en lezen ze Lena's ansichtkaarten op bed en vervolgens vallen ze in slaap. Robert ook. Tot Josefin verschijnt en hem wakker maakt. Dan eten zij samen nog een boterham en luistert Robert een beetje naar wat ze heeft gedaan en dat ze iets nieuws voor het handballen moet hebben waar hij het geld niet voor heeft, en daarna valt hij weer in slaap voor een of andere oude westernserie, en ja, dan is er weer een nieuwe dag. Het is vrij rustig. Er is rust, omdat het gevit en de verwachtingen zijn verdwenen. Ze hebben het huis ook versierd. De kinderen hadden de kerstdoos uit de kelder gehaald. Ze wisten precies wanneer het de eerste advent was. Dus nu is het hele huis gehuld in glitter en kerstballen. Hij heeft ook een duidelijk bevel gekregen om een chocoladekalender te kopen. Nog maar een kleine week en dan is het kerst, wat ze met z'n allen op Het Zonneroosje zullen vieren. Hij heeft nooit met de gedachte gespeeld van haar te scheiden. Dat staat niet in zijn woordenboek, om het zo maar te zeggen. Nee, zoiets doe je gewoon niet. Het is niet de hele tijd echt goed geweest tussen hen, het laatste jaar is het zelfs vrij hopeloos geweest, maar scheiden? Nee, nee. En nu, wanneer hij aan haar denkt? Wat ziet hij voor zich wanneer hij aan hen tweeën denkt? Ziet hij een gelukkig paar? Of ziet hij twee mensen die naast elkaar staan, maar niet meer dan dat? Of ziet hij ondanks die enorme stapel oude kranten iets vaag glanzen? Mijn god, wat houdt hij van haar. Mijn god! Met haar op de bank liggen en naar een Engelse detective kijken, nadenken wie de moordenaar is, haar warme lichaam tegen dat van hem aanvoelen, en samen snoepen uit een geheim snoeptrommeltje dat ze tevoorschijn haalt als de kinderen eindelijk slapen. Lena. Mooie Lena. Echtgenote Lena. Lena met haar nieuwe lichaam waar ze zich een beetje voor schaamt, met die nieuwe brede bovenbenen, de wat mollige buik met zwangerschapsstrepen, de zware en tegelijkertijd dunne borsten. Een nieuw lichaam dat ze niet wilde laten zien, waar Robert nog steeds van hield en wat hij nog steeds had willen hebben, maar dat ze in pyjama's en tenten van onderbroeken had verstopt. Hij had haar wel in sexy ondergoed willen zien, of nee, wat maakt het ook uit, hij zou haar gewoon nemen zoals ze was. Naakt en fantastisch. Haar nieuwe lichaam is mooi. Haar nieuwe hersenen, daarentegen... Van haar nieuwe hersenen heeft hij niet echt veel begrepen. Alsof iemand de levensvreugde heeft laten afvoeren en er blikken met bitterheid en gehakketak in heeft gegoten.

'Papa, we moeten nu opstaan, kijk maar eens op de wekker, het is bijna zeven uur.' Wilda houdt de wekker twee centimeter voor Roberts neus. Robert kust Wilda's hand, streelt Engla over haar wang, schopt Vincent uit bed, pakt Hampus op en loopt naakt met hem naar het toilet.

'Maar godverdomme, hoe kan dit zoveel kosten, dat gaat gewoon niet!'

Lena laat zich op de stoel zakken, de hele tafel is bezaaid met papieren die in een bepaalde volgorde liggen. De oude keukenklok tikt veilig en nerveus tegelijk. De wind huilt om het huis, Gerda slaapt in haar kamertje en Lena waakt over haar nieuwe leven bij de warmte van het fornuis in de keuken. Moe pakt ze een van de papieren.

De Keuringsdienst van Waren wil dat de hele vloer in de keuken glad is zodat die gemakkelijk schoon te maken is. De arbeidsinspectie wil dat de vloer oneffen is zodat er niemand uitglijdt tijdens het werk. Ventilatie is een vereiste en je moet zowat de halve stal slopen om binnen een optimale ventilatie te krijgen. Een paar honderdduizend kroon, op zijn minst. Een volwaardige keuken met koelkasten, diepvriezers, gootstenen, spoelbakken en afvoerputten... Dat wordt in totaal meer dan een miljoen. Wat krijgen ze voor hun huis? Driehonderdduizend? Het is in zo'n slechte staat. Wat krijgt ze als Robert haar uitkoopt? Honderdvijftigduizend? En dan moet er nog een auto met heel veel koelruimte komen. Nee. Anderhalf miljoen is er waarschijnlijk nodig. Alles bij elkaar. Shit. Godverdomme!

Wie leent anderhalf miljoen aan een moeder van drie kinderen die maaltijden wil gaan verkopen vanuit een auto? En hoeveel decennia duurt het wel niet voordat alle poen is terugbetaald? Godverdomme! Lena veegt alle papieren van de tafel en laat haar gezicht in haar handen rusten. Shit, shit, shit. Ze kan net zo goed weer naar huis gaan. Een beetje bij de ICA gaan werken, voor de kinderen zorgen, haar knieën tegen elkaar knijpen en daar maar genoegen mee nemen. Wie denkt ze wel dat ze is? Anderhalf miljoen kroon. Mijn god. Kent ze iemand met zoveel geld? Het zachte schijnsel van de petroleumlamp verlicht de kamer. Op tafel staat een kop avondthee, twee frambozenkoekjes uit Gerda's koekjesassortiment liggen ernaast. Lena neemt een slokje thee, zucht vermoeid en kijkt naar alle papieren die nu verspreid over de geweven voddenkleden liggen. Åsa. Zij heeft alles op een rijtje. Åsa zou nooit een middeleeuws tochtig kamertje huren en papieren op de grond smijten. Åsa... Åsa! Åsa koopt toch woningen en probeert al haar miljoenen te investeren. Misschien zou ze in haar eigen zusje kunnen investeren! Misschien niet het hele bedrag, maar in elk geval een gedeelte. Als ze echt gelooft in het idee van Lena's onderneming zou ze misschien wel wat geld in haar willen investeren.

Lena neemt een grote hap van een van de frambozenkoekjes, gaat op de grond zitten en verzamelt alle papieren, opent vervolgens de map en schuift ze erin. Vragen staat vrij. Proberen kan altijd en zegt ze nee, dan weten we dat. Zegt ze ja, dan is het gewoon een kwestie van beginnen!

Voor kerst moet de map klaar zijn en pico bello in orde zijn. Alles op alfabetische volgorde, met analyses en superprofessioneel, zodat het er keurig en betrouwbaar uitziet en Åsa er een beetje geld in durft te steken.

Lena heeft tot dusver alleen de bedrijfsnaam. Een beetje kinderachtig om alleen maar een naam te hebben. Net als een roman willen schrijven en een titel hebben om vervolgens met een lege blik achter het bureau plaats te nemen en een verhaal proberen te verzinnen. Alsof de naam het belangrijkste is. Hoe dan ook, ze heeft een naam: 'van mij voor jou', met kleine letters, alsof het geborduurd is. Ouderwets. Mooi. Het is een begin, een naïef begin weliswaar, maar toch.

Marie knoopt de overall dicht over haar borsten. Hij zit perfect. Irene heeft er elastische stukken ingezet, dus nu kunnen zelfs moderne rondborstige vrouwen zonder problemen de stal uitmesten. Weer een acuut westers probleem opgelost. Stel je voor wat prachtig. Haar sjaal slaat ze nog een keer om haar nek, het is koud, zelfs in de stal met al die warme dieren. De invallers en Marie kappen de hoeven van de koeien, dat kunnen ze net zo goed voor kerst doen. Met vaste hand leidt Marie Rosa 32 naar de stoel. Het is belangrijk dat de koe rustig blijft en ze niet gaat stampen en tekeergaat, waardoor alle andere dieren gestrest raken en er een hels kabaal ontstaat. Marie krabt Rosa 32 onafgebroken en in gedachten met de ruggenkrabber over haar rug, terwijl een van de invallers de stoel met de koe ophijst om de hoeven netjes te kunnen kappen. Nog maar negentien koeien, daarna zijn er saffraanbroodjes en peperkoekjes in het kantoor. Rosa 32 loeit enigszins vragend, Marie leunt tegen haar aan en aait haar bruinrode, warme vacht.

Nog maar kortgeleden zat ze in haar krimpende stadsflat in een tunnel te kijken, en zag ze ergens helemaal achter in de tunnel een fantastische Irene, herkauwende koeien en Het Zonneroosje. Alles was gewoon zwart geworden in de Högbergsgatan. Alsof ze doodging. Het enige wat ze zich nog herinnert is dat Irene kwam en haar toch al redelijk lege koelkast leeghaalde, alles even vlug stofzuigde nadat ze het van angst zwetende lichaam van Marie in bad had gestopt. Ze masseerde Maries hoofdhuid, hielp haar in de nog naar Roffe geurende joggingoverall waarna ze Marie mee naar de auto sleepte, de veiligheidsriem vastmaakte, Otto in de bagageruimte opsloot en naar huis reed. Er lag sneeuw, reeën stonden suf te staren op de velden en een paar hazen renden angstig over de weg. Naar huis. Ze was op weg naar huis. Weg van de eenzaamheid, die niet alleen eenzaam voelde, maar één holle, galmende eenzaamheid was. Ze kon weer ademhalen. Ze draaide het raampje naar beneden en liet de ijzige windvlagen tegen haar zoute wangen slaan. Twee porties pruimtabak onder haar lip, leeg en toch vol.

Toen Irene het erf opdraaide en de auto voor de garage parkeerde, liet ze het gaan, dat huilen, die angst, die paniek. Het kwam er gewoon uit. Hoe kon iets wat zo donker was gewoon verdwijnen? Alsof alle lasten nog in haar flat in de Högbergsgatan lagen. Stapels personeelsadvertenties, haar lege koelkast, haar lege adressenboekje, het lege... alles. Waren achtergebleven. Wachtend. Het zou er na kerst nog net zo uitzien. Het kan net zo goed daar liggen en nadenken in zijn eenzaamheid. Weer verstoffen. Verschimmelen. In rook opgaan.

Marie opende het portier, ging op het grind staan en ademde de rust in. Diepe inademingen, zo gezond dat ze zelfs de spontane gedachte onmiddellijk een sigaret op te steken wist te weerstaan en in plaats daarvan stilletjes op haar dubbele portie pruimtabak zoog. Otto werd vrijgelaten uit de kofferbak, Marie leunde tegen de auto en zag de hond vrolijk naar de stallen rennen. Hier kan ze vrij zijn, nu in elk geval. Vrij om gewoon maar wat tussen de koeien te sjokken; ze melken, hun tochtigheid in de gaten houden, de koeien die zover zijn insemineren, melkmonsters nemen, de kalender voor de eerstvolgende dagen bijhouden en daarna gewoon wat uitrusten. Alle eisen loslaten, haar eigen eis dat ze per se het leukste leven van de wereld moet hebben. Want dat is gewoon gedoemd te mislukken.

Irene laat Marie in haar eentje nadenken, zelf voelde ze een nieuw soort energie. Een dochter in nood. Een dochter die haar belt en om hulp smeekt. Een dochter die er een beetje gelukkig uitziet als ze thuiskomt, die dankbaar zwijgend in de auto zit op weg naar de boerderij. Hier is het zaak om het ijzer te smeden nu het heet is. Irene was meteen aan de slag gegaan met een saffraanbrood.

Marie volgt Rosa terug naar haar box en lokt Maja 8 mee terwijl ze geruststellend tegen haar praat, dat ze voor kerst nieuwe schoenen krijgt en dat alle kleine koeien die nu krijgen... Nieuwe schoenen. Kon het leven maar zo eenvoudig zijn als dat van een koe. Je wordt gemolken, geïnsemineerd wanneer de tijd rijp is, werpt kalfjes, krijgt een paar keer per jaar nieuwe schoenen, een paar aaien en een uitgemeste box – en het leven is goed. Er zijn waarschijnlijk niet veel koeien die nadenken over wat ze met hun leven moeten doen. Of ze willen verhuizen naar een andere boerderij die spannender is dan de boerderij waar zij op wonen. Of ze te veel of te weinig kalfjes hebben geworpen en of ze spataderen op hun hanguiers zullen krijgen.

Maar voor de mensen. Nee, voor hen is dat niet voldoende. Zij moeten verzinnen wat ze verdomme met hun armzalige leven moeten doen. Marie ook.

Op Södermalm in Stockholm wacht een eenkamerflat op haar. Mama en de boerderij blijven hier eenzaam achter. Marie zweeft in het universum zonder navelstreng. En er heeft zich daar geen enkele natuurlijke aantrekkingskracht willen nestelen. Ze wacht gewoon tot die haar in de juiste richting zuigt.

Maja 8 laat zich in de stoel glijden waarna ze omhooggehesen wordt zodat haar hoeven gekapt kunnen worden. Marie zuigt op haar pruimtabak, aait Maja 8 lichtjes over haar rug met de ruggenkrabber. Mooie Staffan duikt op voor haar innerlijk oog, shit, wat heeft ze hem laatst de stuipen op het lijf gejaagd, zijn lekkere kleine leren kont zal ze wel nooit meer zien. Op hetzelfde moment denkt ze aan het uitstekende zaad dat de dag daarvoor uit Laxå is gekomen. Inseminatieavond! Er zijn vijf koeien tochtig en er moeten kalfjes worden gemaakt.

In paniek bladert Åsa door haar agenda. Menstruatie de 14e, eisprong de... Nee. Hoe ze ook rekent, het wordt niet goed. Hoe ze ook rekent, het is niet zeker of Adam de vader is, maar daarmee is ook niet gezegd dat het Robert is. Hoe ze ook rekent, het is haar gelukt om met twee mannen naar bed te gaan, eentje vóór de eisprong, en eentje erna. En daar ergens is een mens verwekt. Een wezen met een kloppend hart, met een tere, als een zuurstok gestreepte navelstreng die van zijn eigen minuscule navel naar Åsa's gulle moederkoek loopt. Een leven. Een kind. Iemand die zal groeien, uit haar buik zal komen, van haar borst zal drinken, vezels zal haten, van Frosties zal houden, een abonnement op Bamse zal nemen, stiekem pornoblaadjes zal lezen, boven zijn wiskundehuiswerk zal huilen, zijn eerste kus zal krijgen, een leven. In haar buik. Åsa maakt de bovenste knoop van haar jeans los, zodat de kleine wat ruimte krijgt.

Ze moet overgeven, maar het is niet altijd het kind dat het eten naar buiten drukt. Het is de angst. De ongerustheid. Wat doe je in zo'n geval? Niemand heeft je verteld wat je dan moet doen. Ten eerste, wat doe je als je ontrouw bent geweest? Wat gebeurt er daarna? Wanneer die toevallige geilheid is weggeëbd en je een grote brok angst in je maag hebt. Hoe raak je die kwijt? Nee, praten lucht niet op. Praten met wie? Met Adam? Nee. Met een vriendin? Nee. Ze zou het gevoel hebben dat ze Adam opnieuw verraadde door het anderen te vertellen, en hem niet. Alles gaat mis! Alles doet pijn! Ze heeft een slecht geweten in haar hele lichaam, maar voelt toch ook vreugde. Over het zwanger zijn. Een slechte vreugde. Een verheugde slechtheid. Wat doe je als je rond dezelfde eisprong met twee mannen naar bed bent geweest? Over dat soort dingen heeft niemand het. Om logische redenen.

Åsa grijpt weer naar haar buik. Het doet pijn. Het schroeit en brandt daarbinnen. Alsof angst en kind de baarmoeder delen en door dezelfde navelstreng eten.

Abortus is geen alternatief. Jarenlang veel moeite doen om kinderen te krijgen en vervolgens de baby laten weghalen wanneer die er dan eindelijk is, om daarna misschien nooit meer zwanger te worden. Nee, dat is geen alternatief. Dat zou ze zichzelf nooit vergeven. Liever een kind! Het kind is het belangrijkste. Moet ze Adam opofferen voor een kind? Hem de waarheid vertellen en zien hoe hij zijn spullen pakt en uit haar leven verdwijnt. Diep gekwetst en intens verdrietig omdat zijn eerste kind hem ontfutseld is. En als hij dan vertrokken is, blijkt het kind van hem te zijn. De pijn die ze hem dan aangedaan heeft... Geen kind ter wereld zou dat vertrouwen weer kunnen lijmen.

Ze zou gewoon kunnen zwijgen en alles rustig kunnen laten doorgaan. Doen alsof er niets aan de hand is en hopen dat de baby op Adam lijkt. Geen scheiding. Twee ouders, één kind. Rust.

Maar het is geen rust. Het is een ramp. Niet alleen voor Adam. Ook voor Robert. En Lena. Mijn god, Lena... Lena wordt tante van het kind van haar zus, dat bovendien een halfbroertje of halfzusje van haar eigen kinderen is.

Abortus is een alternatief en het enige alternatief. Ze kan doen alsof ze een miskraam heeft gehad. Stiekem een abortus laten doen en daarna een miskraam veinzen. Nee, dat kan niet. Ze is geen toneelspeelster.

Marie! Marie doet dat soort dingen. Marie is degene die op elk moment met kerels naar bed gaat, zwanger wordt, een abortus laat doen en er maar wat op los leeft zonder moraal. Åsa niet. Åsa is een goed mens! Een goed en fatsoenlijk mens die alles goed doet. Ja, Åsa... Åsa was de ergste. De ergste van hen allemaal. Adam zal haar verlaten, Lena zal haar nooit meer willen zien, Robert zal weer papa worden zonder erom gevraagd te hebben en voor Irene is dit te veel.

O, nu moet ze alweer overgeven. Adam hoort haar gesnik vanuit het toilet, dus komt hij haar achterna en legt een koele hand tegen haar voorhoofd.

22

Otto hijgt luid, de slee die hij trekt is zwaar. Marie heeft hem het oude leren tuigje van de overleden boerderijhond Karos omgedaan, dus nu mag rottweiler Otto uit Södermalm laten zien wat hij kan met een slee vol sparrentakken achter zich aan. Otto hijgt piepend verder over de harde ijslaag op de sneeuw.

De berken langs de oprijlaan moeten met sparrentakken worden bekleed. Dat is altijd zo gebeurd. Op de ochtend voor kerst wandelde Roffe altijd naar buiten om met rood lint sparrentakken om de berken te binden, zodat zijn dochters meteen in kerststemming zouden komen als ze 's middags arriveerden. Maar nu rust Roffe veilig op een van de ijskoude wolken die boven de boerderij hangen, terwijl Marie in haar overall met elastische inzetstukken de takken stevig om de berken bindt.

Twaalf graden onder nul en volop zon. Net een toeristenfoto. *Sweden, the land of ice and sun.* Een met sparrengroen versierde oprijlaan, een falu-rode boerderij, kaarsen voor de ramen, in elke kachel een knetterend vuur, de geur van kruidnagels en een vaag gerommel van angst op de achtergrond. Een klassieke Zweedse kerst. Hocus pocus: 'Stille nacht' en 'Kling klokje klingelingeling'.

Marie drukt met haar vingers, die stijf zijn van de kou, hoewel ze twee paar wanten aan heeft, de sparrentakken tegen de berkenstam en wikkelt het rode lint er een aantal keren omheen. Gisteravond had ze een ontzettend verwarde Åsa aan de telefoon gehad. Ze wilde weten of Robert ook kwam, of Lena iets van zich had laten horen en hoe het op kerstavond zou gaan. Adam en zij waren van plan geweest een paar dagen eerder te komen om mee te helpen, maar Åsa had waarschijnlijk buikgriep. Ze had ook enorm doorgezeurd over Robert en de kinderen. Åsa was bijna hysterisch geworden, maar Marie wist nog steeds niet of Robert zou blijven slapen of niet, en begreep niet waarom dat nu zo belangrijk was. Daarna had Robert gebeld met de vraag of Åsa zou komen en of Lena iets van zich had laten horen en wanneer hij moest komen. Marie wist nog steeds niets. Irene ook niet. Marie had het druk met melkmonsters afnemen en twee te vroeg geboren kalfjes. Irene was druk bezig saffraanbrood te bakken, stukken in Roffes oude overalls te naaien en hoe dan ook te proberen enigszins plezier te hebben in het inleggen van de citroenharing waar Roffe altijd zo dol op was geweest. Marie en Irene konden het goed met elkaar vinden. Op een avond toen ze een vrij slechte film met erg veel reclameonderbrekingen hadden bekeken, hadden ze elkaar aangekeken met een blik van verstandhouding en een besluit genomen. Ze zouden de puf hebben om deze kerst te laten slagen. Kijken naar *The Bold and the Beautiful* en de rijstepap uit een plastic tube naar binnen zuigen, zou het verdriet alleen nog maar erger maken. Huilen boven een bord met luchtige, zelfgemaakte rijstepap met slagroom, ja, dat gaf toch wel een iets beter gevoel.

Dus had Marie de pick-up gepakt, was naar de Coop gereden om alles in te slaan: kruidnagels, sinaasappels, chocolade, rode kool, met stroop gebruinde witte kool, saffraan, kaas, noten, dadels, haring, knakworstjes, kerstcola en bier. Irene liet Lillemor 4 slachten, draaide gehaktballetjes van haar en kreeg van de buren zelfs een mooie grote ham van varken 525, Roger. Het was net alsof Roffe om hen glimlachte, hen over de schouders streelde terwijl ze aan het bakken waren of de melk afroomden. Alsof Roffe hen aanmoedigde, hen porde.

Irene staat in de keuken en schuift een 'verleiding van Jansson' in de oven. Ze geniet van het gevoel dat ze weer een beetje kracht in haar lichaam heeft. Dat Marie thuiskwam was een zegening. Vreemd om zo over de tegenspoed van je eigen kind te praten, maar het gaf haar een aangename warmte en energie. Zelfs genoeg energie om op de ochtend voor kerst haar haar te krullen. Irene durft het niet te hopen uiteraard, maar Marie was deze dagen rustig, bijna harmonieus, een bijvoeglijk naamwoord dat Irene nog nooit eerder heeft genoemd in verband met de naam Marie. De boerderij. Irene heeft geprobeerd er niet aan te denken. Soms zweefden kleine appartementen in Uppsala in haar gedachten voorbij, maar die heeft ze onmiddellijk uitgewist. Natuurlijk kan het niet. Het inhuren van invallers kost een vermogen. Åsa betaalt, maar hoe lang nog? En om helemaal alleen voor de koeien, het jongvee en de boerderij te zorgen, nee, dat gaat gewoon niet. Bah, wat een akelige gedachten, weg ermee! Irene wappert met haar handen voor de oven om wat warmte omhoog te krijgen. Lena. Vandaag komt ze thuis. Irene heeft haar kamer opgewarmd, zodat zij en de kinderen daar kunnen slapen, en Robert misschien ook. Ze begrijpt dat de kerst door Lena's terugkeer niet helemaal ongecompliceerd is, maar oud lievelingsbeddengoed, een lekkere kerstmaaltijd, en een paar biertjes kunnen wonderen verrichten. Misschien.

Marie bindt het rode lint stevig om de laatste berk. Zo! Alle vierentwintig berken zijn nu aangekleed en klaar. Ze maakt het tuigje los en laat Otto vrij, die opgelucht over de oprijlaan naar de boerderij holt. Marie wandelt hem achterna. Roffes winteroverall werkt goed. Nog een paar inzetstukken onder de oksels, en dan zit hij echt lekker. Otto is al bij de boerderij en staat voor de deur te janken. Marie ziet hoe Irene de deur opendoet, hem over zijn kop aait en hem naar binnen laat. Stilte. De sneeuw dempt het normale geruis, waardoor je het gevoel krijgt dat je in een gewatteerde doos zit. Een gewatteerde doos met vrij uitzicht. Marie verlaat knerpend over de sneeuw de oprijlaan om over de bevroren, slapende akker naar de boerderij te lopen. Ze ademt door haar neus de koude lucht in, zodat haar neusgaten aan elkaar vastplakken. Een gin-tonic. Die zou er nu wel in gaan. Hoe lang was dat nu geleden? Een maand bijna? Nee, Marie heeft geen idee, maar het is ontzettend lang geleden dat ze een goede borrel heeft gehad. Vreemd. Hoe zoiets alledaags gewoon verdwenen is. Ze heeft haar hele volwassen leven geleefd met minstens één gin-tonic in haar hand en nu staat ze hier met twee paar wanten aan en voelt dat het haar niets meer kan schelen, hoewel het toen goed was. De ijslaag op de sneeuw kraakt onder haar zware laarzen.

De rust is zo verraderlijk. Mooi in kleine porties. Betoverend mooi. Maar ze weet dat het te stil wordt, uiteindelijk beginnen haar oren te piepen en komt de paniek. Dat is het moment dat ze de brommer pakt en ergens naartoe rijdt, geeft niet waarheen, als het maar een beetje beweegt.

En toch. De stilte. Otto is zo gelukkig als een jonge hond en Irene is weer een beetje op de been. Misschien zou ze het lawaai hiernaartoe kunnen brengen. Naar de boerderij. Een beetje, af en toe.

Het beste van twee werelden. Stockholm naar de boerderij brengen. Want nee, Marie kan niet in elke kroeg werken. Dat was haar wel heel duidelijk geworden toen ze het blaadje met de personeelsadvertenties doorbladerde. In een doodgewone buurtkroeg bier tappen, dat gaat gewoon niet. Het moet een bar als de Rock 'n' chock zijn. Iets beters bestaat er niet in Stockholm; die regeert daar ook.

Maar ze zal nooit, van haar hele kloteleven lang niet, weer op die deur kloppen met een leren broek in haar hand en haar excuses aanbieden. Geen denken aan dat ze Vlatko en zijn luie dochter excuses aanbiedt. Bovendien is Linus nu barmanager en dat betekent dat Marie weer naar haar oude barkeeperbaan terug zou moeten, en nee, dat is uitgesloten. Rock 'n' chock is een afgesloten hoofdstuk. En dat voelt gek genoeg goed. Ze ziet zichzelf niet weer achter die bar staan, met zweetplekken onder haar oksels drankjes serveren, zo nu en dan met Knappe Staffan neuken, Hells Angels over hun haren strijken... Haar blik wordt wazig. Ze moet een scherpe kijk krijgen; een duidelijke blik.

Marie maakt de bovenste knoop van haar overall los, tuurt over de besneeuwde vlakten. Al die akkers. Tarwe en gerst zover het oog reikt. Akkers. Bossen. Veel akkers. Dode akkers. Braakliggend, tegen betaling.

Hultsfred. Hoe groot is dat festivalterrein? Waarom is er hier geen mooi festival? In Midden-Zweden? Een echt vet hardrockfestival. Met bands uit heel Scandinavië. Echte heavy metalbands. Hier. Tussen de graanvelden. Ruimte genoeg voor tenten en podia.

De hardrockers zouden op bedevaart moeten gaan. Jazeker, die luie donders. Marie moet hardop lachen om zichzelf, pakt een sigaret uit haar zak en zou nu best wel een gin-tonic lusten. Een eigen hardrockfestival. Haha, compleet krankzinnig. En zo verrekte simpel. Podia bouwen en veel ruige bands boeken. En daarna aan de slag. Een diepe trek. Marie moet hardop lachen om zichzelf, knoopt haar overall weer dicht en loopt over de met ijs bedekte sneeuw naar huis. Kerstavond wacht.

'Stel je voor dat Lena opduikt.'

'Maar dat zat zou toch prima zijn? En leuk! Of niet?'

Adam gluurt naar Åsa, die op de passagiersstoel zit in haar grote, luchtige donzen jas die de halve auto in beslag neemt, terwijl Åsa zelf amper een tiende in beslag neemt. Zo mager is ze, net een kleine worm tussen al dat dons. Ze is mager, bleek en verdrietig sinds ze de test hebben gedaan. Sinds ze allebei hebben gezien dat ze daadwerkelijk hun kind in haar buik draagt, is ze zichzelf niet. Adam probeert het te begrijpen. Probeert te begrijpen dat het een schok kan zijn als je plotseling krijgt wat je al heel lang graag hebt gewild. Dat het moeilijk kan zijn om te voldoen aan al die gevoelens die je denkt te moeten hebben. Je kunt er heel eenvoudige psychologie op loslaten. Maar dit? Dat ze niet eet, alleen maar overgeeft, huilt, op bed ligt en zich verstopt onder haar dekbed, hem op alle mogelijke manieren ontwijkt, verschrikt naar hem kijkt wanneer hij haar liefdevol probeert te strelen. Alsof ze alleen maar wil vluchten. Of hem wil neerschieten. Of zichzelf wil neerschieten. Van postnatale psychoses heeft hij gehoord, maar zwangerschapspsychoses? Adam heeft het opgezocht op internet, maar nee, niets. En daarbij is ze ook nog neurotisch! Constant wispelturig. Zoals nu met kerst. Eerst zouden ze een week voor kerst vertrekken om mee te helpen. Vervolgens wilde ze helemaal niet weg, maar raaskalde ze dat ze ergens naartoe zouden vliegen, maakte niet uit waarheen. Ze had het over Jamaica. Jamaica? Rastafari's, hasj en palmbomen? Hij had haar daar nog nooit eerder over gehoord. Nee, daarna had ze daar weer spijt van, en zouden ze toch naar Het Zonneroosje gaan, maar alleen voor kerstavond en daarna, de volgende dag, weer naar huis. Onmiddellijk. Ze wilde zelfs dat hij, Adam, zijn ouders blij zou maken en naar zijn ouders zou gaan, alleen. Geen denken aan dat Adam Åsa nu in deze verontrustende toestand, nu ze in een soort van hormoonverstoring zit, alleen laat. Zijn kind zit in haar buik en nee, het zou niet goed voelen om de baby op dit moment bij Åsa achter te laten.

'Het is toch helemaal niet prima als Lena komt! Denk eens aan de kinderen! Ze zullen compleet in shock raken, nee, het zou niet goed zijn. Ze zou alles overnemen! De kerst zou verdwijnen en iedereen zou de hele tijd alleen maar over Lena praten.' Åsa zet nerveus naar bril beter op haar neus, merkt *Barbros livs* aan de kant van de weg op en weet dat ze er over vijf minuten zijn, stipt.

Adam legt zijn hand op Åsa's bovenbeen. 'Ze zullen niet in shock raken, ze zullen alleen maar blij zijn. Denk er toch niet aan. Als Lena komt, wordt het alleen maar goed. Ze heeft geschreven dat ze komt, dus doet ze dat. Robert is er immers ook, je hoeft je niet verantwoordelijk te voelen. De kerst wordt niet vergeten.'

'Robert... Hij is nu ook niet bepaald de betrouwbaarheid zelf.'

'Åsa. Ik weet niet wat er met je aan de hand is, maar we gaan gewoon een dag naar je moeder toe, dus kunnen we toch wel proberen het leuk te houden. Het komt wel goed. Het komt zoals het komt. Jij bent hier niet verantwoordelijk voor, je kunt gewoon achteroverleunen. Doe dat dan ook.'

'Ik voel het gewoon, het komt helemaal niet goed. Het gaat slecht worden.'

'Het komt zeker goed! Denk aan onze kleine baby, dit is zijn eerste kerst!'

'Hou erover op.'

Åsa staart door het raam. Hoeveel keren heeft ze deze weg gereden? De varkensboerderij van Larsson, velden, velden, velden, al die witte velden en dan daar verderop Het Zonneroosje. Het falu-rode huis met de twee mooie vleugels, de boerderij en de enorme garage die boven alle akkers uitsteekt. De oprijlaan naar het huis. De berken die papa altijd met sparrentakken versierde. Maar... Dat zijn ze nu ook! Iemand heeft met rode brede, zwaaiende linten sparrentakken om de berken gebonden. Het lint wappert zachtjes heen en weer in de koude wind. Åsa slikt een paar keer. Papa. Papa, kon je me nu maar horen. Kon je mijn gedachten nu maar horen. Help me. Red me. Zeg me wat ik moet doen. Geef me een teken, geeft niet wat.

'Wie is dat daar verderop?'

Adam wijst naar iemand die midden op de oprijlaan naar de boerderij draaft. Een klein, kort iemand met een groot, bruin gewatteerd jack aan waaronder een paar korte dikke benen uitsteken. Jeans. Hoge, grote stevige schoenen. Lena! Lena loopt naar het huis. Ze is er.

'Maar dat is toch Lena!' Adam kijkt naar Åsa, die naar Lena staart, die naarmate ze dichterbij komen steeds groter wordt.

Adam mindert vaart. 'Is het oké? Zal ik stoppen en haar vragen mee te rijden? Het zou toch wel een beetje stom zijn als...'

'Stop!'

Adam staat boven op de rem, Åsa opent het portier en kotst over de glinsterende verse sneeuw.

'Maar waarom blijven ze daar staan? Midden op de oprijlaan?'

Irene duwt de groene gordijnen met het kerstmotief van gekke kabouters die met een houten lepel pap eten, een eindje open. Irene drukt haar neus tegen het raam.

'Is dat echt Lena, die daar aan komt lopen? Marie? Is zij het?'

'Ja, zij is het, dat zie je goed. Die kleine, korte, schattige benen, niemand anders heeft zulke stammetjes.'

Marie probeert haar lange benen in een knalrode panty te wurmen, die afzakt in haar kruis, maar ze worstelt verder. Irene staart naar de oprijlaan.

'Stel je toch eens voor dat ze naar huis komt. Vandaag. Op kerstavond en zo. O, wat zullen de kinderen blij zijn. Maar waarom blijft de auto van Åsa midden op de oprijlaan staan? Wat doet ze? Kun jij het zien? Is ze iets verloren? Marie?'

'Kom, we gaan naar buiten, laat de gordijnen maar zakken.'

De panty zit wat afgezakt in het kruis. Marie trekt haar korte leren rok recht, haalt haar nagels over haar hoofdhuid voor een wat voller kapsel, stopt wat pruimtabak onder haar lip en duwt haar tieten wat omhoog – beroepsdeformatie.

'Kom mams!'

Met vaste hand pakt Marie Irenes slappe, kleine hand beet. Ze stapt in haar laarzen en trekt haar dikke jas aan. Irene slaat een van de rode kerstdekens over haar schouders en loopt naar het met ijs bedekte erf. Marie slikt nerveus.

Lena is er bijna. Rozig. Gezond. Met de kwieke Lena-blik, die ze altijd heeft gehad, behalve het laatste jaar. Krachtige passen in de sneeuw. Het Zonneroosje. Thuis. De boerderij is zo ontzettend mooi als de winterzon haar streelt met al zijn stralen. Sparrengroen om de berken van de oprijlaan. Precies als toen papa nog leefde. Lena blijft staan, wendt haar gezicht naar de zwiepende boomtoppen tegen de helderblauwe hemel. Ze haalt diep adem. Het snot in haar neus bevriest en komt tot stilstand. Ze is een beetje zenuwachtig, terwijl ze tegelijkertijd wel in een berk wil klimmen om het uit te schreeuwen omdat ze zo gelukkig is. Ze voelt in haar lichaam dat het niet een gewone kerstavond is. De kinderen. Ze zal de kinderen zien! En Robert. Wat zal ze voelen als ze hen ziet, als ze hen omhelst? De sneeuw knerpt onder haar voeten als ze verder loopt. Nu kijkt ze en ze ziet haar moeder en Marie stampvoetend van de kou en zwaaiend met hun armen op het trapje staan. Ze hoort hun uitgelaten stemmen die op de wind meegevoerd worden.

'Hooooooi!'

Lena zwaait blij terug en versnelt haar pas. De misselijkheid neemt af. Mama. Irene kan niet wachten. Ze holt op haar klepperende klompen met de deken fladderend achter zich aan. Over het erf naar de oprijlaan. Op haar jongste dochter af. Lachend houdt Lena haar hand voor haar mond. Irene. Op de veel te grote klompen glijdt ze op haar af, met een overgelukkige glimlach op haar lippen. Lena blijft staan en glimlacht alleen maar. Irene opent haar armen waar Lena gelukkig induikt. Mama. Lena. De kou verdwijnt. De sneeuw smelt. Vanbinnen wordt het warm.

'Mijn lieve, lieve kleine meid. Waar ben je geweest? O jee, o jee, o jee. Meisje toch. Wat hebben we je gemist. O jee, o jee. Je kunt toch niet zomaar verdwijnen. Maar nu ben je hier, we gaan niet ruziemaken, nu ben je hier, meisje van me. Later gaan we wel ruziemaken, haha.' Irene huilt van blijdschap en slaat de deken om haar lachende dochter heen.

'Maar mama! Ik heb een jas aan, neem jij die deken nu maar.'

'Ja, ja, maar ik dacht, misschien ben je al lang onderweg, waar kom je nu vandaan?'

'Ik ben met de bus gekomen, dus ik heb niet de hele nacht gelopen, als je dat soms mocht denken, mama.' Lena kijkt om

zich heen, het vrolijke in haar gezicht verandert in iets onrus-
tigs, een verwachtingsvolle onrust. 'Zijn de kinderen er al?'

'Nee, die komen rond twaalf uur.'

De kinderen. Ze komen rond twaalf uur. Rond twaalven mag
ze hen omhelzen. Om twaalf uur.

'Het komt vast wel goed. Robert heeft goed voor ze gezorgd.
Je hoeft niet ongerust te zijn. Maar kijk eens aan, daar heb je
Åsa en Adam.' Irene houdt Lena's hand stevig vast. Kijkt naar
haar. Alsof ze het nog niet echt kan geloven dat haar dochter terug is. Alsof Roffe plotseling als een sneeuwvlok uit een wolk
naar beneden is gedwarreld.

Åsa en Adam rijden het kleine grindpleintje voor het huis op
en zwaaien vanuit de sportauto voorzichtig naar Lena. Snel veegt
Åsa haar mond af met een naar citroen geurende tissue. 'Is het
te zien?'

Adam schudt zijn hoofd en zet de licht zoemende motor van
de sportauto uit.

Irene springt op en neer terwijl ze naar Lena wijst en ze hen
wenkt uit de auto te komen. Ze rukt nog net niet het portier
open om ze uit de auto te trekken en het erf op te slepen en ze
als een zegekrans om Lena's nek te hangen. Wat doen ze er toch
lang over!

Adam kijkt ongerust naar Åsa. 'Dus, het is gewoon goed dat
ze hier is. Omhels haar en denk er niet meer aan, de kinderen
zullen blij zijn, Robert zal blij zijn, alles komt goed. Oké?'

Åsa verfrist haar handen met de tissue en knikt. Ja, het komt
goed. Supergoed. Het is nu gewoon een kwestie van glimlachen,
blij zijn, prettige kerst, lekkere haring, malse ham, goed bier, ge-
zelligheid met pakjes, Donald Duck op tv is leuk en nu gaan we
feestvieren tot aan Pasen toe. Åsa glimlacht onderzoekend naar
Adam, die haar vlug een lach teruggeeft; als er je eentje wordt
aangeboden kun je er maar beter van profiteren.

'Maar wat doen jullie daarbinnen?' Lena rukt Åsa's portier
open, haar bruine ogen schitteren en de blosjes op haar wangen

vérblinden Åsa. Lena ziet er zo gezond uit. Net een Noors meisje dat een dagje uit is.

'Hoi Lena. Jij hier? Wat leuk! Welkom terug!' Åsa laat de tissue naast haar voeten vallen en klimt onhandig uit de auto met haar enorme donzen jas om haar lichaam. Lena lacht en omhelst haar stevig. Åsa omhelst haar ook, maar kan niet echt lachen. Ze glimlacht zo breed mogelijk, bijna alsof de glimlach midden op de weg tot stilstand is gekomen en daar gewoon blijft steken. Lena haalt haar vingers door Åsa's haar, duwt de haarlokken achter haar oren.

'Hoe is het eigenlijk met je? Je ziet er verschrikkelijk moe uit. En mager!' Lena legt haar handen op Åsa's schouders en bestudeert haar.

Åsa kijkt naar Adam en probeert er natuurlijk blij uit te zien. 'Ik heb buikgriep gehad. Maar jij ziet er in elk geval uitgerust uit.'

'Ik ben uitgerust!'

'Maar... Waar heb je gezeten? Waarom...'

'Het voelt vreemd jullie weer te zien. Ik ben helemaal... Ik weet niet.'

'Ja, het voelt een beetje vreemd. Wat heb je gedaan?'

'Ik heb nagedacht. Ik heb bij een wat oudere vrouw gewoond een paar kilometer van Braby vandaan en heb nagedacht, ontzettend veel nagedacht. Over wat ik met mijn leven moet doen. Met míjn leven, het leven van de kinderen en Roberts leven. En ik heb iets bedacht, ik moet er later met je over praten, misschien wil je wel meedoen.'

Marie loopt wat schokkerig naar hen toe in haar korte leren rok. Ze omhelst Lena stevig en lang en weet niet goed wat ze moet zeggen. Marie weet nooit wat ze moet zeggen in gevoelige situaties, dat soort situaties waarin je niet gewoon snel een grapje kunt maken. Dus omhelst ze maar in plaats daarvan. Lena begint te lachen. Marie komt tot zichzelf en laat de omhelzing een beetje vieren.

'O, kleine Lena. Nu kom je thuis, hè. Op kerstavond, voor het eten en de kerstcadeaus, haha. Ja, ja.' Marie port Lena in haar zij, grijnst blij en pakt haar schouder beet. Het zoete parfum dat Marie altijd gebruikt, hangt als een geurwolkje om hen heen. 'Je moet weten dat ik het begrijp. Waarom je bent weggegaan. Je hoeft het me niet uit te leggen en zo, als je dat niet wilt en...'

'Dank je, wat fijn.'

'Ja, dat wilde ik alleen maar even zeggen. Iedereen is zo ongerust geweest en we dachten dat de kinderen zouden instorten, maar ik vind dat je gelijk had. Iedereen heeft het gered en Robbie is boven zichzelf uitgestegen...'

Marie houdt Lena's schouder stevig beet, Lena houdt op haar beurt Åsa's hand stevig vast. Marie geeft Åsa een verwelkomend tikje op haar wang en een korte, ongeruste blik; zo vermoeid heeft ze haar zus nog nooit gezien. Net een grijswit omhulsel. Naast de stralende Lena met de blozende wangen lijkt ze wel een dode. Åsa laat opgelaten haar hand uit Lena's hand glijden. Ze helpt zichzelf eraan te ontsnappen en doet alsof ze belangrijke spullen uit de auto moet pakken. Superbelangrijke spullen. Weg van die ongeruste blikken, die tevoorschijn ploppen als iemand haar ziet. Weg van Lena, die op kerstavond gewoon weer opduikt met een overdreven uitgeslapen blik en begint te kwetteren over heerlijke toekomstprojecten. Alsof er niets gebeurd is. Er is toch van alles gebeurd! Ze heeft haar eigen kinderen in de steek gelaten! Haar man! Ze is meer dan een maand weg geweest, heeft anderen de boel laten opruimen na haar verschrikkelijke zenuwinzinking, en vervolgens klost ze op kerstavond naar huis en ziet er zo akelig gezond en tevreden uit. Chagrijnig trekt Åsa de tassen uit de piepkleine kofferbak. Heerlijke toekomstprojecten? Ja, bedankt, geweldig, ik neem er tien. Marie en Lena staan hand in hand en kijken peinzend naar het enthousiaste gerommel van hun zus in de minuscule kofferbak van de sportauto.

'Nee maar, daar zijn ze! Nu al! Lena, het jongvee is gearriveerd!'

Irene wijst enthousiast naar de pick-up die dof brommend over de oprijlaan tussen de berken door komt aanrijden. De pick-up van Robert. Marie laat Lena niet los, maar omhelst haar schouder extra stevig. Lena slikt. Nu komen ze. Lena's kinderen. Lena's man. Lena's gezin. Nu slaan ze af naar het erf. Nu. Nu, nu, nu. Eerst wil ze vluchten. Gewoon naar het bos rennen. Hoe kon ze. Hoe heeft ze haar kinderen in de steek kunnen laten. Ze zullen haar haten. Ze zullen haar verwijten maken. Maar het is gebeurd.

Åsa gooit het kofferdeksel dicht, loopt vlug met al haar plastic tassen en reistassen het erf af. Weg van Robert en Lena. Naar boven, naar haar verwarmde, oude meisjeskamer. Irene heeft een kerstster opgehangen en er staat een kleine hyacint in een kabouterbloempot. Zo'n bloempot waarvan je je afvraagt wie er in vredesnaam zoiets koopt, zoiets kinderachtigs en foeilelijks met in reliëf een vrolijke kabouter met een rode drankneus. Åsa's smalle tienerbed is opgemaakt met schoon beddengoed en het kleine vensterlampje brandt, hoewel het midden op de dag is. Irene besteedt er altijd veel aandacht aan om je je welkom te laten voelen. Op de nietszeggende grenenhouten schrijftafel staan Åsa's oude computer, printer, fax en al haar mappen in alfabetische volgorde. Op het net zo nietszeggende bureau liggen oude kleedjes die bij elke verhuizing zijn blijven liggen. Aan de muur hangen een paar diploma's en een vrij grote poster met een spits en nevelig berglandschap, op de vloer ligt het roze-lila katoenen voddenkleedje dat oma heeft geweven en staat de rieten stoel waar niemand ooit in heeft gezeten omdat hij kraakt, splintert en niet lekker zit. Åsa gooit alle plastic tassen op het bed. Plastic tassen met poppen met slaapogen, een My Little Pony-kasteel, Piraten Playmobil, een paar felbegeerde computerspelletjes, prachtige glittermutsen voor de kleine meiden en een piratenpak voor Hampus. Nu hoort ze opgewonden stemmen op het erf, Åsa tuurt door het raam en ziet de portieren van de pick-up opengaan.

Marie en Irene staan dicht tegen elkaar aan op het trapje, Lena heeft zich van hen losgemaakt en wacht in haar eentje op het grindpleintje. Denk nu logisch na, Åsa. Logisch! Natuurlijk komt Lena terug. Natuurlijk zijn de kinderen blij. Iedereen is blij! Ze is immers terug. Jij, Åsa, zou ook blij moeten zijn. Nu krijgt Robert iets anders om aan te denken. Robert zal geen woord zeggen. Åsa ook niet. Iedereen leeft de rest van zijn kleinzielige leventje gelukkig verder. Lena ziet er gezond en blij uit. Dat is goed, heel goed. Stel je voor dat ze als een wrak was thuisgekomen? Dat was slecht geweest, heel erg slecht.

Åsa duwt haar tranen en braakneigingen terug en trekt een paar extra warme sokken aan.

'Hampus en Engla, blijf zitten op je stoel, anders kan mama niet eten.'

'Het is oké, ze mogen hier wel zitten, ik eet wel later. Ik heb niet zo'n honger. Blijf maar zitten, schatten van me.'

Lena ruikt. Ze snuift aan Hampus' haar, zijn blonde en wat warrige bos haar met gespleten punten in de nek. Engla boort haar neus in Lena's nek, drukt haar armen stevig om haar heen, heeft een gehaktballetje in haar ene hand en een haarlok van Lena in haar andere. Lena's haar is nu helemaal ingesmeerd met gehaktballetjesvet, maar dat geeft niet. Dat geeft helemaal niets, haar hele lichaam mag met bakvet worden ingesmeerd, zolang ze maar dicht bij haar kinderen mag zitten. Ze voelt het nu. Ze voelt hoe ze hen heeft gemist. O, wat heeft ze hen gemist. Kleine Wilda. Wilda zit naast Robert. Ze kijkt boos naar Lena en zit demonstratief naast Robert. Robert moet snijden, Robert moet blazen, Robert moet kerstcola inschenken, Robert moet de ham aangeven. Robert, Robert, Robert voor en Robert na.

De kinderen. Toen Lena hen in de pick-up zag, kreeg ze echt

een kerstavondgevoel. Ze was zenuwachtig, bijna alsof ze de mesthoop op moest rennen om te plassen. Alsof ze niet wist wat ze moest doen. Huilen? Lachen? Schreeuwen? Alsof ze het cadeau zag dat ze zo intens graag had willen hebben, en daar kwam het gewoon naar haar toe vliegen. Een prachtig, mooi ingepakt cadeau dat in gierende vaart recht op haar afkwam. Weg met al het papier, de touwen eraf trekken, het pakket openen en hup, de kinderen eruit. Hun ogen toen ze haar zagen. Voor hen staan. Thuis bij oma. Ze hoorde hen niet, maar zag hoe ze in de auto naar Robert riepen, hoe hun monden bewogen en hoe ze wezen: mama is er! Misschien zouden ze haar toch niet haten. Niet zo erg. Alleen maar een beetje haat. Robert had nog maar nauwelijks kunnen remmen of Engla, Josefin en Hampus hingen al om haar nek. Ze stroomden als het ware uit de auto, als een dolle kudde vaarzen in het voorjaar. Ja, zelfs Josefin op haar lange en magere puberbenen. Die mooie puber. Nog nooit had ze zich laten omhelzen of laten kussen, maar nu... Daar stond ze met haar mooie puberwangetjes en wilde gekust worden. En dat werd ze. Hun heerlijke geuren. Ze rook een nieuw wasmiddel. Dat Robert zelf gekocht had, uitgekozen had, wat hij het lekkerst vond ruiken. Haar kinderen hebben nog nooit naar groene appel geroken. Lena had nooit geweten dat dat Roberts lievelingsgeur was. Waarschijnlijk had hij dat zelf ook niet geweten. Robert, die uit de auto stapte met Wilda in zijn armen. Wilda wilde niet omhelsd worden, wilde niet uit de auto stromen. Ze hield zich stevig vast aan Robert. Lena wilde haar gewoon wel uit Roberts armen rukken en in haar eigen armen nemen, maar dat zou niet goed zijn. Wachten, ze moest wachten. Wilda. Wilda. Robert. Lena had zich er niet op voorbereid hoe het zou voelen als ze hem zag. Ze had alleen maar aan de kinderen gedacht. Hoe warm en lekker het zou voelen als ze hen omhelsde, weer dicht bij hen was, met ze praatte en al hun kleine wondjes en nieuwe haarelastiekjes zag. Moeilijk uiteraard, maar toch ook heel eenvoudig; een emmer vol liefde, geen twijfel, geen eisen, alleen maar liefde. Maar nu stond Robert daar. Met een verschrikkelijk smerige auto, maar met drie schone kinderen, en een enigszins netjes geklede puber. De haren van de kleintjes waren misschien niet zo goed gekamd, maar ze waren schoon en droegen rode kleren, met iets te korte mouwen, maar toch. Robert was gekleed in zijn groene nette broek, kreukelig en ongestreken, maar hij was er. Zijn haar was vol, pas gewassen, en dan Wilda op zijn arm. Wilda. Ze heeft Wilda haar vader nog nooit op die manier zien vasthouden. Zo snakkend. Alsof hij een reddingsboei is. Robert is nog nooit een reddingsboei geweest, meer een oud verroest anker. Niet bepaald iemand die glans geeft aan het alledaagse leven, maar iemand die ervoor zorgt dat alles op zijn plek blijft en niet te ver afdrijft.

Maar nu. Een reddingsboei. Eerder had ze Hampus vanaf het toilet horen roepen. Hij had Robert geroepen. 'Papaaaaaa,' had hij gebruld tot Robert was gegaan en zijn kleine smerige bips had afgeveegd. Nog nooit had Lena het woord 'papa' op die manier tussen de muren horen weergalmen. Nooit. Altijd mama. Steeds maar weer. Tot ze er stapelgek van werd. Nog een keer het woord 'mama' en ze had tegen een kast geschopt, of de hele afwasmachine van de muur getrokken en was op het serviesgoed gaan springen. Maar geen 'mama', nu 'papa'. Engla was snotterig en riep naar papa, hoewel ze op Lena's schoot vastgelijmd leek te zitten. Kleine Wilda. Altijd de gevoelige. Hoe had ze Wilda in de steek kunnen laten? Kleine Wilda, die elke nacht bij hen was gekomen, dicht tegen haar, tegen Lena, aan was gekropen, Lena's haar om haar vinger had gedraaid en veilig in slaap was gevallen. Pas veilig daar bij haar. Nooit in haar eigen bed. Kleine Wilda, die kan vragen of ze belangrijk is, of Lena echt van haar houdt, of ze van haar zouden houden als ze niet hun dochter was geweest. Hampus, Josefin of Engla zouden nooit over zoiets nadenken of ze belangrijk zijn of niet, die zijn zo zelfverzekerd in hun belangrijkheid, maar Wilda niet. Wilda, naar wie Lena zo lief mogelijk glimlacht, die ze probeert te omhelzen, maar die zich gewoon naar Robert omdraait met haar neus tegen zijn naar Lagerfeld geurende overhemdsborst aan. Een trauma. Ze heeft haar kinderen een trauma bezorgd, maar ze heeft haar kinderen toch ook een papa gegeven. Dat er een trauma nodig is om de vader zijn kinderen weer terug te laten vinden. Een trauma voor alle betrokkenen. Robert. Ze was vergeten dat ze nog gevoelens voor hem had, gevoelens die diep in haar verborgen lagen, maar als het ware daar, op het erf, zichtbaar werden. Haar spontane, sterke gevoel was om gewoon maar naar hem toe te lopen en... hem te omhelzen. Zich door hem te laten omhelzen. Maar het ging niet. Ze kreeg niet het teken dat het oké was. Dus glimlachten ze maar wat naar elkaar, hoewel Robert zijn wenkbrauwen iets liet zakken.

Robert. Toen hij Lena daar op het grindpleintje zag staan, glimlachte hij niet. Hij vertrok geen spier. Zijn innerlijk stond stil, werd op pauze gezet. Het was te moeilijk om te voelen. Misschien wilde hij alleen maar huilen. De kinderen naar de hel slingeren, in de sneeuw gaan liggen en alleen maar huilen. Als een klein kind. Hij wilde Lena omhelzen, optillen, kussen, wilde haar vertellen hoe hij naar haar verlangd had. Maar dat had hij immers niet. Hij had niet zo erg verlangd. Hij wilde haar ook slaan, wilde die verwachtingsvolle glimlach van haar gezicht slaan. Toen ze Wilda een tikje op haar wang gaf, haar met tedere woorden streelde en tegen haar fluisterde dat ze het later zou vertellen, dat ze alles zou vertellen. Toen had hij gewoon willen schreeuwen. Hoe kon ze, godverdomme! Hoe kon ze hem in de steek laten. De kinderen in de steek laten. En vervolgens terugkomen en er zo verschrikkelijk tevreden en voldaan uitzien. Godverdomme! Maar Wilda wilde bij hem blijven. Ha! Ze kan heus niet terugkomen en de koningin spelen. Die vlieger ging niet op.

Roberts glinsterende blauwe ogen. Verdrietig. Ze is hem misschien kwijt. Hij wil haar misschien niet terug hebben. Misschien... Nee. Dat niet. Lena kijkt naar hem zoals hij daar zit, aan de andere kant van de tafel. Hij is gekwetst. Zijn ogen. De rust. Hij ziet er rustig uit, hoewel zijn blik heen en weer schiet om die van haar te ontwijken. Ze heeft hem gekwetst. Diep. Hij wil haar misschien niet hebben. Zij wil hem wel hebben. Ze voelt het nu zo sterk. Zoals hij daar zit en Wilda over haar rug streelt en in haar oor fluistert. Hij is precies de man die ze wil en het is sexy dat hij de verantwoordelijkheid voor zijn kinderen neemt.

'*Glögg*! Nu gaan we glögg drinken! Marie heeft die helemaal zelf gemaakt. Proef, proef.'

Irene glimlacht breed, natuurlijk én gemaakt. Ze is gelukkig dat Lena thuis is en onmetelijk ongelukkig dat niet Roffe, zoals alle andere keren met kerst, het sparrengroen om de berkenbomen langs de oprijlaan heeft gebonden. De volwassenen hebben kleine rode glöggkopjes gekregen. De gepelde amandelen en de rozijnen staan op tafel. De ham, de gehaktballetjes, de haring, de rode kool, de groene kool, de knakworstjes, de gekookte eieren met gepelde garnalen, de varkenspootjes in gelei en de jus zijn langzaam afgekoeld en koud geworden na de lunch. Niemand heeft echt iets gevraagd. Ja, de kinderen. De kinderen hebben Lena gevraagd waar ze is geweest. Bij een mevrouw, heeft ze geantwoord. Een lieve, oude mevrouw, die we wel een keer een bezoek kunnen brengen. Ik heb gerust. Ik heb aan jullie gedacht en ik heb daar ook een nieuw idee gekregen. Ik ben weer uitgerust en blij.

De kinderen hadden daar genoegen mee genomen na een paar vragen over Mallorca. Haar zussen, man en moeder praatten over de lekkere gehaktballetjes, de heerlijk malse gekookte ham en de perfect gekookte aardappelen. Alsof ze wachtten. Misschien op het moment dat Lena tegen haar glas zou tikken en een speech zou houden en zou vertellen wat ze gedaan heeft. Ze moeten nog even geduld hebben. Dat komt later. Nu wil ze gewoon van dit moment genieten.

'Åsa, neem toch wat glögg, je moet een beetje warm worden.'
'Nee, dank je mama, het is goed zo.'

'Wat? Je bent anders zo dol op mijn glögg? Voel je je niet helemaal goed? Åsa?'

Marie neemt een slok van de hete, sterke glögg en schrikt op door de vraag van Irene. 'Hoezo? Wil jij geen glögg? Niet om op te scheppen, maar hij is echt lekker geworden.'

'Nee, ik voel me niet helemaal goed.' Åsa kijkt naar de tafel. Adam glimlacht een beetje verlegen.

Irene bestudeert haar dochter. Kijkt onderzoekend naar haar ingevallen wangen en haar vermoeide ogen. Ze ziet er echt gammel uit. Irene zet de kan glögg op tafel, streelt haar grote, volwassen kind over haar haar. Åsa probeert dapper te glimlachen zonder te huilen. Irene glimlacht geheimzinnig terug. 'Lieverd... Ben je zwanger?'

Stilte rond de tafel. Zelfs de kinderen kijken gespannen naar Åsa. Adam zet zijn beslagen bril beter op zijn neus, nipt van zijn glögg en roert nerveus in zijn kopje.

Marie legt haar tieten op tafel, buigt zich naar Adam. 'Zeg, is dat zo? Heb jij je vrouw zwanger gemaakt, hè? Heb je in de roos geschoten? Gefeliciteerd!'

Adam roert en roert, o jee, wat klonteren die rozijnen toch, hij kan beter nog maar wat blijven roeren. Hij bloost ook.

'Je bent zwanger, Åsa! Ha. Zeg het als ik het mis heb!' Marie zwaait dreigend met haar glöggkopje, trekt haar leren rok recht en schudt met haar haar. Ze zwaait met haar kopje naar Adam en Åsa. Adam kijkt naar Åsa en glimlacht vragend.

Åsa friemelt een beetje aan haar kerstservet en vouwt hem tot een heel klein vierkantje. 'Ja, ik ben zwanger.'

Åsa's piepstemmetje wordt overstemd door het gejoel van de familie. Robert, Lena, de kinderen, Irene, Marie, iedereen is alleen maar aan het schreeuwen. Zelfs Wilda klapt in haar handen. Robert fluit op zijn vingers en Lena gaat staan. De ongerustheid, de spanning en het verdriet verdwijnen in een tochtvlaag en er staat alleen nog maar één joelende familie. Åsa moet wel lachen. Ze wordt overspoeld door de uitbundige blijdschap van iedereen. Ze kijkt naar haar familie, die fluit, klapt en haar kushandjes toewerpt. Ze lacht hardop.

Irene pinkt een traantje weg. 'Wat heb ik je gezegd, meisje, uiteindelijk duikt het goede zaadcelletje op, net als bij de koeien. Het kan even duren, dat weet je. Maar wanneer komt het?'

'Ik weet het niet. Ik ben nog maar in de eerste maand, het is nog heel vers.'

'En je bent misselijk, zie ik. Ja, mijn god, wat heb ik moeten overgeven toen ik zwanger was van jullie! Ik heb in weilanden staan overgeven, in de stal, een keer zelfs bijna in een koeienkont toen ik die moest insemineren, en het had effect want negen maanden later moest ze kalven, haha.'

Lena slaat met een lepeltje tegen haar glas. De vrolijke kreten en het geroep verstommen. Stilte. Marie gaat weer zitten, Åsa friemelt nerveus aan haar servet, Adam maakt zijn bril schoon, Irene straalt gelukkig, alle kinderen gaan bij Robert op schoot zitten als Lena gaat staan met in haar ene hand haar glöggkopje en haar andere hand op de tengere schouder van Josefin. 'Åsa. Mijn lieve grote zus. Dat je een kind in je buik hebt gekregen is... het beste wat er kon gebeuren. We weten immers allemaal hoe graag jullie dit hebben gewild. Thuiskomen bij jullie allemaal, jullie zien en dan dit nieuws krijgen: dat is een ongelooflijk gevoel.'

Een meelevend geroezemoes klinkt rond de tafel.

'Maar natuurlijk krijgen jullie kinderen! En eindelijk krijgen mijn kinderen een neefje of een nichtje! Ik wil alleen maar zeggen: van harte gefeliciteerd en ja, de eerste drie maanden ben je aan het overgeven, maar daarna word je dik en blij. Ik wil alleen maar zeggen en dan hou ik snel op, dat ik zo dankbaar ben dat je Robert en de kinderen hebt geholpen. Josefin heeft verteld over haar nieuwe gymkleren en hoe je hebt schoongemaakt en echt hard hebt gewerkt bij ons. Dank je! En nu jij en Adam jullie kleine baby zullen krijgen, beloof ik je dat ik zal helpen zodra je een kik geeft. Succes! En dan wil ik nog zeggen: bedankt,

Robert. Voor dat je... het hebt klaargespeeld. Adam en Åsa, gefeliciteerd! Het komt goed!' Lena heft haar glöggkopje voor een toost, kijkt naar Robert die zijn schouders wat ophaalt en scheef glimlacht.

Wat moet hij doen? Ze duikt hier doodleuk op na eerst gewoon te verdwijnen. Op een ochtend, als je wakker wordt en naar je werk gaat, is ze gewoon weg. Alleen maar een briefje, geen vrouw, maar in plaats daarvan een briefje. En daarna gewoon stilte. Die maand dat ze is weg geweest, heeft Robert zijn hele leven moeten veranderen. Hij heeft kinderen moeten wassen in plaats van vrachtauto's, eten moeten koken in plaats van een oude Ford repareren. Een paar ansichtkaarten hebben ze gekregen, maar geen aanwijzingen. Ja, uiteindelijk kreeg hij te horen dat ze op kerstavond thuis zou komen. Maar hoe weet hij dat? Durft hij daarop te vertrouwen? Misschien krijgt hij wel weer een nieuw briefje. Daar staat ze dan gewoon op het pleintje voor de boerderij. Met haar montere open blik van vroeger, alsof ze in een maand tien jaar jonger is geworden. Al het grauwe, vermoeide is verdwenen, alleen nog Lena. Zijn Lena. Zoals Robert zich haar herinnert. De Lena van wie hij hield, de Lena die hij omhelsde, de Lena op wie hij jaloers was, de Lena naar wie hij verlangde, de Lena die hij ten huwelijk vroeg, de Lena met wie hij trouwde, de Lena die hij zwanger maakte, de Lena die uiteindelijk wegkwijnde. Dus er zijn twee Lena's teruggekomen. Eerst kwam Lena terug, daarna kwam zelfs zijn grote liefde thuis. Hij wil haar oogleden kussen en vertellen hoe erg hij haar heeft gemist, de echte Lena... En hij wil haar ook een beurt geven, de echte Lena. Het is immers zijn vrouw!

'Hebben jullie al een naam bedacht?' Irene slaat haar armen om Åsa en Adam heen, steekt haar keurig gekapte, kleine hoofd tussen hen in. 'Roffe en Irene zijn anders twee mooie namen, haha. Ja, maar als het een jongen wordt, moet hij toch wel Roffe heten. In elk geval als tweede naam. Of, wat hebben jullie bedacht?'

'Daar hebben we nog niet over nagedacht.'

'Nee, Åsa heeft zich zo slecht gevoeld dat we daar volop mee bezig zijn geweest.' Adam probeert te praten zonder daarbij Irenes papillottenhaar in zijn mond te krijgen.

'Victoria of Carl Philip!' Engla roept vanaf Lena's knie, waar ze weer snel opgesprongen is.

'Volvo of Brummelisa!' Hampus roept vanaf zijn deel van Lena's knie.

Josefin geeft hem een por. 'Noem eens een paar coole namen, niet zoals iedereen heet!'

Robert schudt Wilda, die weer op zijn schoot geklommen is, liefdevol door elkaar. 'En wat vind jij, Wilda?'

'Ik wil niets zeggen.' Wilda draait haar gezicht naar Roberts borst. Robert kust zacht haar voorhoofd en streelt haar rug.

Åsa staat vlug op van tafel, zodat de glöggkopjes staan te schudden. Ze legt haar in elkaar gevouwen servetje op haar bord en glimlacht bleekjes. 'Ik moet naar boven om wat te rusten.'

23

De duisternis daalt neer over de boerderij. De grote lantaarns verlichten het grindpleintje, verder heerst er een compacte donkerte, valt er zachtjes sneeuw en klinkt vaag het gezoem van de silo. Robert, Wilda en Marie hebben net de laatste melkbeurt van die dag afgerond, alles schoongespoeld en de dieren gevoerd. Adam heeft snel het laatste glöggkopje afgewassen. Irene ligt op Roffes helft van het bed te kijken naar de kristalheldere sterrenhemel waar Roffe zweeft en huilt stilletjes. De kinderen en Lena zitten dicht op elkaar voor de Karl-Bertilfilms. Onder de kerstboom ligt niets meer, het is leeggeroofd, behalve naalden, wat schilfers en kaartjes met Prettige Kerst die door niemand zijn gelezen in hun enthousiasme. Naast de kerstboom ligt een enorme hoeveelheid cadeaupapier, touwtjes en kapotgetrokken kartonnen dozen.

Ja, ook dit jaar waren er weer te veel pakjes geweest. Irene had elk pakje op het verlanglijstje van de kinderen gekocht, de wensen niet als wensen gezien, maar als een boodschappenlijstje. Åsa had geprobeerd haar slechte geweten te sussen door dingen voor de kinderen te kopen waarvan ze niet eens wisten dat ze die graag wilden hebben, en ook nog wat te veel pakjes voor Adam. Marie had niets gekocht. De zelfgemaakte glögg en de met kersttakken versierde oprijlaan was haar cadeau. Geen geld betekende geen kerstcadeaus.

Robert had zich waarschijnlijk enigszins aan een normaal cadeautjesniveau gehouden, maar toch. Het waren te veel kerst-cadeaus geweest. Verschrikkelijk veel.

'Ik ga Wilda nu naar bed brengen. Hampus en Engla, kom, jullie ook.' Robert houdt een bijna slapende Wilda in zijn armen en knikt naar de andere kinderen om mee te komen.

Hampus pakt Lena's zachte buik beet. 'Mama naar bed brengen.'

'Robert?'

Lena kijkt vragend naar Robert die wat stijfjes knikt. Lena kust Josefin op haar wang, staat op van de bank met aan elke hand een kind, die allebei jammeren dat ze de trap op gedragen willen worden. Vlug grijpt Josefin de afstandsbediening, legt een extra kussen onder haar nek, het doosje bonbons op haar buik en zapt opgelucht naar MTV.

Irene heeft de bedden al voor ze opgemaakt in Lena's meisjeskamer. De slaapbank is uitgetrokken tot een mooi tweepersoonsbed met Lena's lievelingsbeddengoed: het groene met vliegende witte duifjes. Het beddengoed is zo zacht als babybipsjes. Miljoenen keren gewassen, buiten in de wind gedroogd of in de waskamer in de droger. Lena's kamer. Niet echt gezellig. In 1985 heeft ze de kamer geverfd in de hipste kleuren volgens het tijdschrift *Vecko-Revyn*. Glamour-punk: twee knalroze en twee zwarte muren. Dat is toen niet echt mooi geworden en nu krijg je voornamelijk het gevoel van een of ander oude bedompte repetitieruimte. Heel veel foto's aan de muren: een erg jonge Josefin en Lena, Lena met een grote dikke buik, Lena in melk-overall met een zwangere buik die ertussenuit steekt, aangezien de knopen niet meer dicht konden, Lena tractor rijdend met Josefin in de draagzak, Lena en kleine Josefin slapend onder het groene duifjesbeddengoed. Ook een vergroting van Robert. Lena's absolute lievelingsfoto.

Zomers bruine Robert met door de zon gebleekt haar, naakt bovenlijf, zonnig blij, zijn armen in de lucht en Josefin bungelend daarboven, stikkend van het lachen. Als een levende Starlet-poster.

'Papa... Tanden poetsen...' Wilda mompelt half slapend van-af Roberts schouder.

'Dan doen we vandaag niet, we poetsen morgen wel extra goed.'

Robert laat Wilda voorzichtig in bed rollen, trekt haar maillot uit, wurmt een wat te strakke jurk over haar hoofd en trekt haar onderbroek ook uit. Een naakte en al slapende Wilda ligt languit op het duifjesdekbed. Robert rommelt in een oude plastic tas van de apotheek, vindt een nachtjapon en probeert die het slapende kind aan te trekken. Lena ziet de plastic tas, bedenkt dat ze ook koffers en rugzakken thuis hebben, maar houdt haar lippen op elkaar. Dat het Robert gelukt is Wilda Engla's nachtjapon aan te trekken, zegt ze ook niet. Ze geniet gewoon. Ze geniet ervan dat hij de verantwoordelijkheid heeft, geniet er-van Robert te zien doen waar zij altijd de verantwoordelijkheid voor heeft gehad.

Lena rommelt in Roberts reistas, vindt Hampus' pyjama en Wilda's nachtjapon met Bambi erop. Engla is te moe om zich er druk over te maken, zonder protest laat ze zich in de verkeerde nachtjapon in bed stoppen. Hampus volgt met zijn Spiderman-pyjama.

'Verhaaltje...' mompelt Hampus terwijl zijn ogen dichtvallen.

'Lieverd, het is te laat voor een verhaaltje, maar ik lees er mor-gen eentje voor.'

'Ben je hier morgen?' Engla doet haar ogen open en kijkt met een troebele blik naar Lena.

'Ja, ik ben hier morgen. Nu ga ik niet meer weg, dat beloof ik.'

Robert ligt aan een kant van het bed, helemaal op de rand, met zijn arm om Wilda heen geslagen. Lena ligt aan de andere kant van het bed, ook helemaal op de rand, met Engla dicht te-gen zich aan en Hampus in het midden. Lena kijkt naar hen. Streelt Engla's mooie, blonde, dunne vlechtjes, laat haar hand in haar nek rusten. Ze voelt Hampus' kleine kleverige voeten die onder het dekbed naar haar benen zoeken. O, kleverige voeten! Wat heeft ze daarnaar verlangd! Wilda slaapt diep ademend met haar rug naar haar moeder gekeerd en met haar neus tegen Roberts borstkas aan gedrukt terwijl ze zijn overhemd stevig vastgeklemd in haar handen houdt. Lena kan haar niet aanraken. Haar arm reikt niet tot aan dat gekwetste, kleine kind, dat tengere lijfje en dat grote en mooi gewelfde achterhoofd. Robert omhelst haar kleine kind, leunt met zijn hoofd op zijn arm en kijkt naar Lena. Ze kijken in elkaars ogen. Glimlachen niet, huilen niet, kijken alleen maar.

'Zo. Wat is er eigenlijk gebeurd?' Robert fluistert vanaf zijn plek.

'Ik weet niet goed waar ik moet beginnen.' Lena fluistert terug terwijl ze Engla's nekharen streelt.

'Begin maar bij het begin.'

'Ik weet niet goed waar dat begint.'

'Toen je bent vertrokken. Ik lig hier nu alleen maar om te luisteren, maar pas op, want morgen ben ik misschien helemaal niet meer in zo'n goed humeur. Dan ben ik misschien ontzettend boos omdat je gewoon bent weggegaan. Dus praat nu maar.'

Robert houdt op met fluisteren en gaat bestudeerd goed liggen met zijn handen achter zijn hoofd. Een beetje te gemaakt mooi, want zo aangenaam kan hij daar naar de kant toe niet liggen met een bil over de rand van het bed en een elleboog tegen de vlijmscherpe tafelrand aan.

Lena gaat op haar zij liggen, legt haar gezicht in haar hand. Kijkt naar haar man, die doet alsof hij lekker ligt. 'Oké. Ik leerde Conny kennen, een nieuwe vent die met het ijs rijdt... Gewoon vrienden... Hij begreep hoe moeilijk ik het had...'

'O, met hem praat je, hè, dus hij begreep hoe moeilijk je het had, maar tegen mij heb je helemaal niets gezegd.'

'Dat heb ik wèl! Ik was hier thuis toch erg duidelijk! Ik zat tijdens het feestje van Hampus toch de hele tijd op de wc te blèren, liep als een wrak rond tussen de kinderen en de konijnenkeutels en had niet eens de puf om de afwasmachine aan te zetten. Hoe duidelijk had ik dan moeten zijn? Had ik schuimbekkend met messen moeten zwaaien, of zo?'

'Maar je hebt niets gezegd!'

'Gezegd en gezegd! Moet ik dan met een megafoon gaan staan schreeuwen of... Is het niet voldoende dat ik een wrak ben?'

'Ja, ja, gelul. Ga door.'

Lena fluistert verder. 'In ieder geval. Conny begreep dat ik iets moest doen. Want dat moest ik! Was ik thuisgebleven dan had ik mezelf erg ongelukkig gemaakt. Misschien had ik het huis in brand gestoken of had ik me van het leven beroofd. Of ik weet niet wat. Ik was gewoon helemaal op, alsof er niets meer in mij was. Niets meer van wie ik was. Alsof dat wat ik leuk vond uit me weggestroomd was en er niets meer van over was. Dus ik vertrok. Om mijn oude ik weer te vinden, als je begrijpt wat ik bedoel.'

'Wat heb je dan bij die Conny gedaan?'

'Geslapen. De eerste vijf dagen heb ik alleen maar geslapen. Dag en nacht. Als een ontlading. Of misschien eerder een oplading. Toen ik wakker werd, was ik weer opgeladen. Wat helemaal op was, was weer aangevuld.'

Robert draait zich om naar Lena. Fluistert.

'En weet je wat ik heb gedaan? Terwijl jij ergens een of andere psychische slaap lag te slapen? Ik was verschrikkelijk ongerust. Ik vroeg me af waar je was en probeerde alle kinderen, die helemaal hysterisch waren, te troosten.'

'Maar Åsa was toch bij jullie? Ze heeft je toch goed geholpen?'

'Ja, maar toch. Ik was ongerust.'

'Ik had een briefje geschreven. Zodat je niet ongerust hoefde te zijn.'

'Ja, maar wat nou briefje, ik zat me af te vragen...'

'Wat vroeg jij je af? Wie je garage moest runnen? Heb je je dat afgevraagd, of heb je je afgevraagd waar ík, Lena, was? Of ik het koud had, verdrietig was of hoe ik me voelde? Of had je medelijden met jezelf?'

'Ach wat, vertel maar verder.' Robert gaat weer op zijn rug liggen en doet alsof hij een interessante vlek op het plafond ziet.

'Ik was het zat helemaal onbelangrijk te zijn, onbelangrijk voor mezelf dus. Ik wil niet gewoon maar een huisvrouw zijn, Robert. Ik wil werken. Iets doen wat leuk is! Iets wat ik ben. Of wat wij zijn. Ik wil dat we... meer samen worden. Snap je?'

'Misschien.'

'Ik heb ook veel aan Het Zonneroosje gedacht. Wie de boerderij zal overnemen. Mama redt dat niet in haar eentje. Dat is gewoon zo.'

'Ja, waarschijnlijk niet. Hoezo, ga jij de boerderij overnemen? Dan heb je én geen tijd voor de kinderen én niet voor iets anders.'

'Nee, dat is ook niet wat ik in gedachten heb. Ik heb een ander idee. Maar het voelt wat vreemd om dat nu te bespreken, ik heb het gevoel dat je boos op me bent, en dat snap ik. We moeten het eerst over ons hebben en wat...'

'Nee, kom op. Zeg wat je wilt zeggen, dan hebben we het later wel over dat andere.'

'Oké. Als ik mag dromen, van wat ik écht wil... dan wil ik dat we het huis en de garage verkopen en...'

'De garage!?'

'Ja, maar luister nu gewoon even naar me. We verkopen alles. Verhuizen naar een van de vleugels van Het Zonneroosje en beginnen een eigen catering, zeg maar. We maken goede, biologische maaltijden die we in het dorp gaan verkopen, aan alle gestreste gezinnen met kinderen en alleenstaanden en zo. Samen met mama kunnen we zowel voor de koeien, de kinderen als het maaltijdenbedrijfje zorgen. Misschien moeten we iemand voor de koeien aannemen, maar daar kunnen we nog over nadenken. De kinderen zouden ons altijd thuis hebben, we werken samen en de boerderij hoeft niet weg...'

'Je maakt een grapje?'

'Nee... Ik ben bloedserieus. Hoe dan ook; zoals we nu bezig zijn kunnen we niet doorgaan. Dat werkt gewoon niet, dat snap je toch ook wel.'

'Ik wil ook niet meer terug naar zoals we het hadden, dat zeg ik ook niet.'

'Wat zeg je dan?'

'Ik word gewoon... zo pisnijdig. Je bent een maand lang weg, komt vervolgens terug en dan wil je alles omgooien! Heb ik het goed begrepen? Nu moeten we verhuizen, mijn garage verkopen en met maaltijden gaan werken? En die Conny, waar is die nu? Is hij gewoon een vriend van je? En als je gewoon alleen maar wat moest slapen, waarom ben je dan niet naar Irene gegaan? Nee, jij moest zo verschrikkelijk interessant doen en met de een of andere ijscoman meegaan. Heb je een hele maand bij hem gewoond? En zijn jullie alleen maar vrienden geweest? Denk je dat ik achterlijk ben, waarom zou hij dat accepteren?' Robert fluistert nog steeds, maar is verontwaardigd.

Lena fluistert terug. 'Maar laat die Conny nu! Ik heb daar maar een paar nachten geslapen, daarna heb ik toch een kamer gehuurd bij die oude mevrouw! Vergeet hem! En ik kon toch niet naar mama gaan, want dan zouden jij en de kinderen komen en nee, ik had hier nooit afstand kunnen nemen. Dat moet je toch begrijpen... Op de een of andere manier moest dat zo gaan. Want we kunnen in ieder geval niet doorgaan met zoals het was.'

'Nee, wie heeft gezegd dat... Hoezo, jij wilt dus scheiden?'

'Nee. Dat wil ik niet. Ik zeg immers dat ik wil dat we samen iets nieuws gaan proberen, maar als we niet veranderen weet ik niet of we getrouwd kunnen doorgaan. Ik... hou van je, Robert... Maar jij moet je nu wat ontzeggen. Wat ik eerder heb gedaan.'

'Maar wie heeft gezegd dat ík wil doorgaan, dat ík niet wil scheiden?'

'Niemand... Hoezo, wil je dat dan?' Lena slikt. Ziet Roberts grote hand met de zwarte vingertoppen op Wilda's rug. Lena wil zijn hand vastpakken. Ze wil dat hij die op haar rug neerlegt. Ze wil niet scheiden. Dat wil ze niet.

Robert fluistert. 'Ik wilde het misschien wel. Op het moment dat je ervandoor ging. Ik voelde als het ware dat ik je niet zo veel miste, toen je weg was. Dat het bijna een beetje... dat het heerlijk was. Ik en de kinderen, dat ging goed. Er was geen gehakketak en de kinderen klampten zich aan mij vast...'

'Maar dat kan toch ook als we samen zijn. Dat kan, Robert!'

'Maak dat de kat wijs. Ik merk al aan de kinderen dat... Maar, zeg toen je vandaag hier kwam... Toen was je als het ware terug, zoals je vroeger was. Degene op... wie ik verliefd ben geworden.'

'Ik weet het... ik weet het. Jij ook. Jij was degene die ik wilde hebben. Zoals je daar stond met de kinderen in hun gekreukelde kleren. Dat was mooi.'

'Hoezo gekreukeld. Ik had ze gestreken!'

Lena glimlacht stiekem. 'Oké, sorry, mijn fout. Maar kan het, denk je? Redden we dit? Ik weet het niet.'

'Ik weet het ook niet...'

Ze blijven stil liggen. De tranen lopen over Roberts wangen. Kleine stukjes verdriet op zijn harde wangen. Ze horen bij elkaar. Ze houden van elkaar. Lena strekt haar hand uit naar Robert, over al haar kinderen heen. Veegt zijn tranen weg. Streelt zijn wang en strijkt met haar vinger over zijn bovenlip, die verrukkelijke zoenlippen. Robert pakt haar hand. Zijn zwarte vingers legt hij als een kom om Lena's kleine hand.

Zo liggen ze. Volkomen roerloos in het schijnsel van de kerstster die voor het raam hangt. Ze liggen hand in hand naar elkaar te kijken. In hun hoofden worden verschillende films afgespeeld. *De familiefilm.* Met kerngezonde kinderen, vrolijk blaffende honden, een gemeenschappelijk huis, een gemeenschappelijk leven: het kerngezin. Samen op Het Zonneroosje, goed eten klaarmaken dat ze in kleine doosjes verpakken, waarmee ze de auto vullen. Lichte zomeravonden met een spelletje croquet in de tuin. *De echtscheidingsfilm.* Met elk een eigen woning, elk eigen weken met kinderen die hun knuffeldieren en pyjama in hun rugzakjes stoppen. Niets gemeenschappelijks, behalve een vorm van bitterheid dan. *De vrijheidsfilm.* Gescheiden, maar gelukkig. Vrij! Vrij om zichzelf te zijn, precies te leven zoals ze willen, zonder heel veel rekening met iemand te hoeven houden die alleen maar chagrijnig of boos is. Robert vrolijk flirtend in zijn goed draaiende garage. Lena gelukkig rondrijdend in haar maaltijdwagen terwijl ze toetert naar de mooie mannen langs de weg. De kinderen weten zeker dat zowel hun moeder als hun vader van ze houdt, ook al houden hun ouders niet van elkaar. Verschillende films. Verschillende levens. Ze omklemmen elkaars handen stevig.

Marie gooit nog een handvol noten in haar mond. Het was een aardig poosje geleden dat ze alcohol had gedronken en in die glögg die ze had gemaakt zat behoorlijk wat alcohol. Het was via haar maag linea recta omhoog haar hersenen in geschoten. Zonder hindernissen. Het was voelbaar in haar lichaam dat het een soort van reiniging had ondergaan, dat ze drie weken lang niet had gedronken. Van misschien wel twintig jaar lang bijna elke avond drinken, had ze nu drie weken lang drooggestaan. Zonder eraan te denken. Zonder een glas te pakken en snel een white russian te mixen. Het was heerlijk om na drie weken rust een beetje stevige boerenglögg te drinken.

Haar hersenen worden heerlijk rood en opgezwollen van de alcohol, openen nieuwe luikjes waar ze in kan kruipen. Een van die luikjes is dat met de wuivende graanvelden rond de boerderij. Al die zinloze grond. Ze had het als een grapje bedacht toen ze vanmorgen buiten stond. Als één grote grap: het organiseren van haar eigen hardrockfestival. Maar nu, met de glögg prikkelend in haar aderen was het misschien helemaal niet zo'n dom idee. Het was leuk! Een leuk idee! Alles in een: muziek, mensen, feest. Alhoewel dat maar voor een heel korte periode is met daartussendoor een paar besprekingen en het regelen van sponsoren en zo. Mijn god, ze hoeft alleen maar een avond in de Rock 'n' chock rond te hangen en ze heeft de halve staf al voor elkaar. En ze hoeft geen opleiding voor advocaat te volgen, ze heeft immers alle kwaliteiten die ervoor nodig zijn. Bijna, in elk geval. Het is te gek. Stel je voor dat ze het gewoon zou doen. Of het in elk geval probeerde. Het ergste wat er kan gebeuren is dat er niemand op het festival komt. Dan moet ze waarschijnlijk maar in haar eentje naar de bands luisteren, en gaat ze failliet. Ach. Natuurlijk komen er mensen. Goede muziek trekt publiek, heel simpel.

Marie trekt de deken recht over haar benen en kraakt nog een grote walnoot. Ze hangt onderuit op de oude degelijke televisiebank, laat Josefin zappen tussen de kanalen en nipt een beetje aan haar nieuwe kop hete glögg.

En de Högbergsgatan dan? Moet ze gaan pendelen? Een bedrijfsauto kan ze regelen! Ze heeft net gelezen dat je een bedrijfsauto met de hele mikmak kunt aftrekken. Een eigen bedrijf... O, mijn hemel, hoe moet Marie al die mappen en bonnetjes op orde houden. Marie, die niet eens haar eigen borsten in bedwang kan houden en die zijn dan ook nog door professionals gemaakt! Maar Mooie Staffan had haar een keer verteld over een maat van hem die een eigen platenmaatschappij had. Deze maat stopte gewoon alle bonnetjes en papieren in een ICA-tas, die hij vervolgens aan zijn boekhouder overhandigde. Hij is waarschijnlijk nu de dikste miljonair; je hoeft niet de saaiste stropdasvent te zijn om een bedrijf te hebben. Een ICA-tas en een betrouwbare koeriersdienst zijn voldoende. Dat moet Marie toch wel uit haar mouw kunnen schudden. Een hardrockfestival. O jee, o jee. Het wordt interessant dat idee voor haar moeder te ontvouwen. Maar het moet aan de kant van Hanssons terrein, zodat het de koeien niet verstoort, in de garage kan wel een tijdelijke pub komen. Er is een heel bos beschikbaar om in te kamperen en als dat niet groot genoeg is, kan er nog altijd overnacht worden op de velden. Geen grote problemen. Die worden opgelost. De poen ook. Sponsoring, sponsoring, sponsoring. Ze kan waarschijnlijk ook wel gaan bedelen om een cultuursubsidie voor dun bevolkte gebieden.

Marie kijkt naar Åsa, die weer uit haar kamer naar beneden is gekomen. Stilletjes en bleek zit ze in een van de stoelen en prikt in haar ris à la Malta. Marie drinkt de laatste glögg uit haar kopje en vult het weer bij uit de karaf die naast de bank staat. Josefins ogen vallen langzaam dicht, als een klein kind is ze bezig in slaap te vallen met haar wang op het grote rozenkussen.

Åsa eet met lange tanden de sinaasappelstukjes uit het rijstdessert naar binnen, maar krijgt acute braakneigingen van de romige smurrie eromheen. Adam kraakt nog een noot. Zijn lange lichaam schudt helemaal als hij de notenkraker dichtdrukt. De bril wipt op van zijn neus en zijn haren schuiven als het ware op. Marie grijnst. Åsa en Adam. Stel je eens voor dat ze samen een kind krijgen. Stel je eens voor dat ze überhaupt neuken! Dat is toch een wonder!

Wat voor kind moet dat worden? Bijziend vermoedelijk en met het rode pruikenkapsel van Adam, haha. Verlegen. Ja, iets anders zou puur een wonder zijn.

Marie bestudeert Åsa, die de stukjes sinaasappel op haar vork prikt. Ze zegt niets. Adam zegt ook niets. Alleen zijn notengekraak is te horen.

Zouden ze geen radslagen om het huis heen moeten maken? Dolgelukkig moeten zijn en over het behang voor de kinderkamer moeten praten? Marie neemt nog een grote slok glögg. 'Hallo, waarom zijn jullie zo down? Ik volg het niet helemaal. Is er iets met de hormonen wat ik heb gemist?'

Adam glimlacht een beetje in zichzelf gekeerd en kraakt al schuddend nog een noot. Åsa kauwt mechanisch op haar uitgezochte sinaasappelschijfjes. En dan glimlacht ze vrolijk met sinaasappel tussen haar tanden. 'Er is niets aan de hand. Ik ben gewoon een beetje moe. Je weet wel, je voelt je niet lekker en zo.' Åsa verstomt, houdt op met glimlachen en gaat verder met de stukjes sinaasappel opeten.

Marie zet haar kopje glögg op de koele houten vloer neer. 'Maar zijn jullie blij met het kind?'

'Ja! Absoluut. Ik ben reuzeblij.' Adam antwoordt met wat te veel noten in zijn mond.

'Jij dan? Åsa? Ben jij blij?' Åsa kijkt op, probeert zo stralend mogelijk te glimlachen. 'Tuurlijk ben ik blij. Hier hebben we toch heel lang op gewacht.'

'Goed. Leuk.'

Åsa kijkt naar haar zus en haar man. Marie ligt op de televisiebank en gaat breeduit liggen. Zoals altijd. Josefin ligt ineengedoken, slapend op een kussen aan een van de uiteinden van de bank. Adam zit in een van de stoelen van de noten te knabbelen. Nu komt het erop aan! Als ze dat mooie kindje dat in haar buik leeft, wil baren en als ze dit allemaal tot een goed einde wil brengen, dan moet ze doen alsof ze blij is. Ze kan net zo goed alles loslaten. Het is niet goed. Het is helemaal fout gegaan. Maar ze is zwanger. Dat had ze in haar ergste nachtmerries niet durven dromen, maar nu staan de zaken er zo voor. Moet ze zitten huilen tot het kind volwassen is of moet ze gewoon maar de feiten van het leven accepteren en er een beetje van proberen te genieten. Åsa kan niet zo goed genieten. Dat is altijd al zo geweest. Ze is goed in werken, goed in inspannen en in verschillende doelen bereiken. Maar genieten... Nee.

Marie kijkt Adam een beetje schalks aan.

'Adam? Heb jij al over namen nagedacht?'

Adam laat bijna de schaal met noten van zijn schoot vallen. Hij is al een maand lang niet meer rechtstreeks aangesproken. 'Voor het kind?'

'Ja!'

'Nee, niet echt. Jij dan?'

'Ik vind Rolf leuk, als het een jongetje wordt.'

'Rolf?'

'Ja, naar papa.'

'Maar is dat niet een erg ouderwetse naam? Word je met zo'n naam niet in de pisgoot ondergeduwd?'

Marie schaterlacht. 'Je kunt ook in de pisgoot ondergeduwd worden als je Koning heet. Verdomme, Roffe is supercool. Tuurlijk moet het kind Roffe heten.'

'Kan hij dan niet Percival heten, naar mijn opa?' Adam grinnikt boven zijn schaal noten.

Marie giert het uit vanaf de bank. 'Ja!! Rolf Percival! Daarna dopen we hem meteen in de goot, dan kan hij daar al vroeg aan wennen.'

Adam en Marie lachen luid. Åsa ook. O jee, wat moet ze lachen. Haar mond loopt van oor tot oor en er komt nog geluid uit ook. Er komen zomaar lachgeluiden uit, het soort lachgeluiden die je in stripbladen ziet, zo'n ballonnetje met 'hahaha'. Adam leunt achterover in zijn stoel. Een beetje rozig. Lachen. Hij heeft gelachen. Dat was lang geleden. Over het kind praten en een beetje lachen. Zo moest het zijn. Een kind en veel gelach. Niet een kind en alsmaar tranen.

'Maar even serieus. Ik vind Tim een mooie naam. Åsa? Wat zeg je daarvan?'

'Zeker, Tim is mooi.'

'Of... misschien Hedda als het een meisje wordt.'

'Ja, Hedda is ook mooi.'

Åsa probeert te glimlachen. Probeert vrolijk te zijn. Haha. Dat ging ongeveer dertig seconden goed. Ja, dan moet ze nog vierentachtig jaar en daarna kan ze als een uitgeputte toneelspeelster inslapen. Verdomme. Het gaat niet. Hier een beetje zitten glimlachen en lachen. Wanneer gaat dat slechte gevoel over? Wanneer kunnen haar maag en haar hart doen alsof, zonder die pijn? Wanneer!? Hoe lang moet ze dit nog volhouden?

Åsa ziet er vreemd uit. Alsof ze op het punt staat een allergische reactie te krijgen, alsof haar hele gezicht gewoon steeds meer opzwelt. Onverwacht bruusk schuift ze het van sinaasappel bevrijde rijstdessert van zich af, veegt haar mond af met haar servet, staat op van tafel en glimlacht stijfjes naar Adam en Marie. 'Ik... ik voel me niet goed. Ik kan net zo goed maar naar bed gaan. Tot morgen.'

'Oké, welterusten.' Marie zwaait een beetje loom vanaf de bank terwijl Åsa met grote passen de eetkamer uit loopt, de trap op, richting de slaapkamer.

Adams rozige wangen zijn weer grauw geworden.

Met een lange blik kijkt Marie Åsa na. 'Wat is er met haar? Weet jij het, Adam? Ze is toch helemaal... ze is niet zichzelf.'

'Ik weet het. Of ik weet niet... wat er is. De waarden en alles zijn goed, maar ik weet het niet.' Adam peutert een beetje in de notenschillen. Hij zou de Åsa-noot willen kraken. Zou wel een notenkraker willen pakken en heel simpel de schil wegbreken, kijken wat daarbinnen zit. Waar ze aan denkt. Wat er eigenlijk in haar omgaat. Het lijkt wel alsof ze het kind niet wil hebben. Zo voelt het. Alsof Adam het heeft bepaald en dat hij haar op een bepaalde manier in de puree heeft gebracht. Terwijl zíj altijd zo graag een kind heeft willen hebben en er altijd zo naar heeft verlangd.

Marie streelt Adams arm een beetje. 'Wat vreemd. Hoe voel jij je dan, Adam?'

'Ik weet niet... Ik moet maar achter haar aan, hè?'

'Ja, ik denk het wel.'

Met wervelende notenschilfers achter zich aan wandelt Adam naar de bovenverdieping. Marie zucht en neemt nog een slok glögg. Ze probeert een noot te kraken, eentje die lastig te kraken is, ze draait hem en probeert het nog een keer. Zo, ja! Ze peutert met haar lange nagels tussen de schil en daar liggen twee kleine noten: een dubbele noot. Dan mag je filippine spelen! Om iets wedden, geeft niet wat. Dat deden Marie en Roffe altijd toen ze klein was. De inzet was altijd een bioscoopje. Degene die de volgende dag als eerste 'filippine' zei, zou door de ander op een bioscoopje getrakteerd worden. Marie zette de wekker altijd op een uur voor melktijd, wekte haar vader met een brullend 'fi-lippiiiiine' als hij gegarandeerd nog sliep. Alleen dan, als Marie had gewonnen, gingen ze naar de bioscoop.

Maar nu liggen Marie en Josefin met hun voeten bij elkaars hoofd op de ingezakte bank in de woonkamer. Zij, een slapen-de puber, de ruisende televisie en een dubbele filippine-noot.

Ze mag wedden. Wedden om wat? Wat zou ze kunnen win-nen?

Marie omklemt zweterig de twee kleine noten in haar hand.

Wat een kerstavond trouwens. Zweeds kampioenschap voor de zenuwen. Robert en Lena die probeerden te ademen en zich normaal te gedragen, hoewel ze elkaar wel leken te willen ver-moorden en zich tegelijkertijd in een kleerkast te willen opslui-ten en als bezetenen te vrijen. Åsa die als een domme koe maar wat wezenloos voor zich uit had zitten staren. Gebeurt het dat ze na al die jaren eindelijk zwanger is en dan kijkt ze gewoon boos, kan ze amper glimlachen! Irene. Die zich voornamelijk heeft zitten verbijten. Marie heeft dat wel gezien en hoe ze heeft zitten huilen op de wc of boven het aanrecht of in een of ander glöggbekertje. De tranen hebben de hele dag als kleine water-ballonnetjes achter haar ogen op de loer gelegen. Er is hier maar één normaal volwassen mens, en dat is Marie. Waarschijnlijk voor het eerst. Kerstavond is anders altijd een verdomd lastig moeten geweest. Iets wat je lijdzaam moest ondergaan om daar-na naar de stad te vertrekken of naar bed te gaan of naar de avondfilm te kijken of naar een kerstfeest te gaan. Maar dit jaar niet. Dit jaar moest Marie helemaal niets. Ze moest alleen maar de oprijlaan met sparrengroen versieren, de koeien melken en een beetje verzorgen en glögg maken. Verder niets. En nu zit ze hier, in de woonkamer, zonder iets. Zonder baan, zonder man, zonder vrienden, zonder het meeste, maar tevredener dan ze in lange tijd is geweest. Ze houdt de kleine filippine-noten in haar hand. Wedden om wat? Waar moet ze om wedden? Marie pro-beert door het raam naar buiten te kijken, maar het is zo donker buiten en alle lichten binnenshuis zorgen ervoor dat ze alleen maar zichzelf ziet. Marie glimlacht naar haar eigen spiegelbeeld. Ze schudt met haar lange manen, schikt haar tieten en zegt hardop tegen haar spiegelbeeld: 'Ik wed dat ik een eigen hardrockfestival kan beginnen, hier op Het Zonneroosje. Als ik dat red, dan win ik respect en een ontzettend leuke baan waar ik mijn eigen baas ben. Als ik verlies... Ja, dan verlies ik waarschijnlijk wat geld en ruggengraat, maar zo erg is dat niet. Erger dan dat kan het nooit worden.

Marie gooit de noten in haar grote open mond, kauwt, maalt en slikt door. Nu heeft ze een weddenschap afgesloten. Met zichzelf, om een hardrockfestival met als inzet haar ruggengraat.

Het bos is zo donker en dicht. Dennen en sparren staan zij aan zij. De harde sneeuwwind fluit en jankt, naarstig op zoek naar een weg tussen de bomen en het huis door. Het Zonneroosje verrijst majestueus aan het einde van de akkers. De berken langs de oprijlaan zwiepen heen en weer boven de schoongeveegde weg. Een paar rode linten zijn losgewaaid en verder gevlogen, het sparrengroen slaat tegen de berkenstammen. Er branden nog een paar lampen in het hoofdgebouw van de boerderij, een paar kerststerren en een kerstkandelaar.

Stil en leeg kijken de vleugels van de boerderij naar de oprijlaan en het terrein. Als twee wachters die over de boerderij waken. Achter de garage liggen de koeien kalm te herkauwen en maken zich niet druk over het feit dat het een late kerstavond is.

Irene ligt met een plaid over haar benen aan Roffes kant van het bed, die zachter is dan haar kant. Roffes gewicht heeft erop gelegen waardoor er een erg knusse kuil is gevormd. Tegenwoordig is het Roffes kant niet meer, maar Irenes kant, waar ze elke nacht slaapt. Nou ja, slaapt... Waar ze in elk geval elke nacht ligt, zich omdraait, staart, de minuten telt en denkt. Ze denkt aan de koeien in de stal, aan alle honderd melkkoeien en de honderd stuks jongvee, die helemaal op haar vertrouwen. Erop vertrouwen dat ze ze twee keer per dag melkt, voert, schoonspoelt, ze volgens de eisprongkalender insemineert, hun ontstoken uiers masseert, met ze praat, ze knuffelt en erop toeziet dat ze gezond en tevreden blijven. De koeien komen tekort. Irene kan het niet. Zij en Roffe konden op het eind nauwelijks zelf de boerderij draaiende houden. In haar eentje heeft ze geen enkele kans. Het is simpelweg afgelopen. De meisjes willen de boerderij niet overnemen en waarom zouden ze ook? Ze hebben hun eigen leven. Het boerenleven is niet het leven waar moderne meisjes van dromen. In het bos zitten met niet veel geld en heel veel verantwoordelijkheid en er niets voor terugkrijgen. Niet voldoende loon in elk geval. Geen loon in geld. Het loon bestaat uit rust, vrede, stilte en frisse lucht. Wie geeft er vandaag de dag nog om zoiets? Het zijn nieuwe tijden nu. Tempo en snelheid is het motto. Tja, het is waarschijnlijk tijd om een geschiedenis ten grave te dragen. Het huis is nu honderdvijftig jaar in de familie geweest en dat moet maar genoeg zijn. Je moet ook niet alles willen.

Irene trekt de plaid over haar schouders, draait zich op haar zij en kijkt door het raam. Ze vermoedt de lampen bij de stal, het witte, verblindende licht van de lantaarns die het halve terrein verlichten. Zacht druppelen er een paar tranen en een beetje snot op het kussen.

De deur van de slaapkamer wordt op een kiertje geopend. Marie steekt haar door de glögg ontspannen gezicht naar binnen. Irene draait zich om, klopt met haar hand op de andere kant van het bed en probeert haar tranen weg te glimlachen. 'Hallo, lieverd.'

'Hallo. Kan ik binnenkomen?'

'Kom maar, ga hier maar liggen.' Irene tilt de deken op zodat Marie eronder kan kruipen. Het is een beetje onwennig om onder een deken te kruipen naast haar moeder. Niet helemaal natuurlijk, maar ze willen het allebei. De wil om onder dezelfde deken te liggen en van elkaar te houden.

Marie gaat aan Irenes kant van het bed liggen, steekt haar lange benen onder de plaid en laat haar hoofd rusten op een van de kussens. 'Heb je gehuild?'

'Ja.'

'Om papa?'

'Niet direct. Of ja, maar ook weer niet.'

'Waar denk je dan aan?'

'De boerderij. We verkopen hem.'

'Wat?'

'We moeten de boerderij verkopen. Dat kan niet anders.'

'Maar...' Marie zoekt in haar hoofd naar iets wat ze kan zeggen. Dat lukt haar vrij slecht. In plaats daarvan vindt ze een heel klein beetje buikpijn, die precies op het moment dat Irene 'de boerderij verkopen' zei, opdook. Alsof er een of ander wezentje in haar maag ligt en haar daar van binnenuit kneep. Hard. Als iemand vijf maanden geleden had gesist 'de boerderij verkopen' had Marie gejuicht en gehoopt dat ze misschien een kleine som geld zou krijgen. Hoera, dat er eindelijk een eind kwam aan dat voortdurende slechte geweten dat ze eigenlijk meer zou moeten helpen, meer in de buurt zou moeten zijn. Maar nu... Geen wave, geen hiep, hiep, hoera, geen hoop op een beetje geld.

Irene streelt Marie over haar wang. Mijn god, het kind ziet er een beetje verdrietig uit! 'Dat is het beste. Ik kan de boerderij niet in mijn eentje runnen, dat is uitgesloten. En jullie meisjes hebben je eigen leven. Ach schat, jij hebt je hier nooit thuis gevoeld. De boerderij zou alleen maar een groot slecht geweten worden, en zoiets moet je niet op je schouders dragen, dat is helemaal niet goed.'

Haar moeder glimlacht flauwtjes, terwijl de tranen zachtjes langs haar slapen stromen, naar haar wangen en verder omlaag naar haar rode kersttrui. Stil kijkt ze weer door het raam met het perfecte uitzicht op de stal en gedeelten van het bos. Je kunt de koeien roepen en tegelijkertijd naar reeën speuren. Als je goed luistert, kun je een beetje geloei vermoeden.

Marie draait zich om naar Irene. 'Ik heb het hier zeker naar mijn zin gehad.'

'Misschien. Maar je hebt altijd weg gewild. Altijd. Åsa en Lena hebben altijd van dieren gehouden. Maar jij, nee, jíj wilde in de stad zijn met zijn tempo en snelheid. Nu kun je een beetje geld krijgen! We kunnen ongetwijfeld een paar miljoen voor de boerderij krijgen.'

'Maar je woont hier toch, mama.'

'Ik kan verhuizen. Misschien kan ik de Knektstugan bij de Larssons huren, of een kleine flat in Uppsala kopen, dan kan ik naar het theater gaan en zo.' Irene probeert er verwachtingsvol uit te zien.

'Maar je houdt helemaal niet van theater. Je bent een keer geweest, maar toen zijn jij en papa allebei in slaap gevallen.'

'Ja... Maar toch.'

'Niet verkopen.'

'Maar Marietje, waarom niet?'

'Misschien wil ik...'

'Jij?'

'Ik heb een idee, maar ik moet er nog wat langer over nadenken.'

'Zeg Marie, als je echt de boerderij wilt hebben zou ik hem subiet aan je geven, maar ik ken je toch. Je zou hier buiten gek worden, en bovendien zou je hier ook nog met mij moeten wonen. Daar zou je echt helemaal gek van worden, zeg niet dat het niet zo is.'

'Dat zou ik niet.'

'Dat zou je wel!'

'Vroeger zou ik misschien gek geworden zijn, maar nu niet meer. Denk ik.'

'Lieverd. Ik heb al gesproken met Brigitta Vogel, je weet wel van de Handelsbank. Ze heeft al toegezegd. Ze zal voor alles zorgen. Ze denkt dat we drie miljoen kunnen krijgen voor de boerderij met het vee en land en alles. Delen we dat, dan kun je iets leuks gaan doen, gaan reizen of zo.'

'Maar ik wil niet reizen, mama. Ik wil landen. Ik wil... nu niet meer reizen. Niet verkopen.'

'Marie. Ik begrijp dat het vreemd voelt, je bent hier immers opgegroeid en er liggen hier vele mooie herinneringen en het is papa. Maar het is het beste zo. Slaap er maar een nachtje over.'

Irene veegt de tranen weg die nu over de wangen van Marie stromen. Marie doet haar ogen dicht. Godverdomme. Godverdomme! Nu ze eindelijk echt iets wil. Gaat dat helemaal naar de kloten. Zie daar: de geschiedenis van haar leven. Als ze iets wil hebben dan krijgt ze het niet. Marie moet gewoon een slaaf zijn, ploeteren voor anderen en niet hier komen en denken dat ze haar kutleven kan veranderen. Niet denken dat ze plotseling thuis op de boerderij kan komen nadat ze daar jarenlang op heeft gespuugd. Vergeet het.

Irene streelt de verweerde wangen van haar dochter. Ja, niet bepaald verweerd door het weer, maar door het feesten: verfeest. Late nachten, veel alcohol, pruimtabak en sigaretten in enorme hoeveelheden. Ze is bruin. Het hele jaar rond, altijd bruin. Eerst was het bruine poeder, daarna de zonnebank en nu was er iets nieuws dat je blijkbaar op je lichaam spoot en waar je zonnebruin van werd. Kleine Marie, met haar grote borsten. Irene fronst instinctief haar voorhoofd als ze naar de plastic borsten kijkt die rechtop vanaf Maries borstkas in de houding staan. Wat moet zíj op de boerderij doen? Ze is niet genoeg ochtendmens om voor de dieren te zorgen, is te lui om al het fysieke werk vol te houden, is te ijdel om niet op elk gewenst moment kleren te kunnen kopen. Irene drukt lichtjes met haar vingers op Maries slaap en begint die zacht te masseren.

Mama's soepele vingers die haar gezichtslijnen volgen. Die lange nagels. Een boerin, moeder met lange, goed gemanicuurde nagels. Irene in een notendop. Mama. Haar kappersgeest heeft ze nog steeds. Marie haalt diep adem. De zwaarte krijgt haar te pakken. De zwaarte van de slaap. De draden in haar hersenen verliezen het bewustzijn en worden stukje bij beetje ontkoppeld. De veilige geur van haar moeders wasmiddel in het kussen. De zwaarte in haar hoofd. Alle geuren: kaarsvet, hyacint, gezouten ham, saffraan, moeders handcrème. De prikkelende glögg die wordt omgezet in duisternis. De duisternis van de nacht.

Een weddenschap afsluiten. Met haar ruggengraat als inzet.

'Åsa?'

Adam staart naar Åsa's rug. Hij streelt haar een beetje. Wat is hij moe van die verdomde rug die hem de hele tijd wordt toegekeerd. Ook als hij oog in oog met Åsa staat dan krijgt hij een rug te zien. Niet meer. Hij kan met haar praten, ze kan antwoorden, maar hij ontmoet alleen maar een rug.

Åsa ademt zwaar in het kussen. Een heel klein kuiltje in het kussen zorgt ervoor dat ze kan ademhalen. Het draait haar voor de ogen. Dit kan zo niet langer. Dit geheim. Ze kan niet lachen. Kan Lena niet omhelzen. Kan Robert niet zien. Verdraagt Adams stuntelige vriendelijkheid niet. Ze is een slecht mens, Adam is dom dat hij het niet ziet, dat hij niet door haar heen kijkt. Åsa is nooit goed geweest in doen alsof. Niet in goede dingen en niet in slechte dingen. Nu in slechte dingen, zonder twijfel. Deze klotezooi die ze in haar buik heeft! Dat rotkind dat zich als het ware heeft vastgebeten en alleen maar... alles kapotmaakt! Kon ze het maar gewoon... op de mestvaalt weggooien... Nee... Niet de baby. Die niet weggooien. Niet dat kleine, tere wezentje dat in haar ligt, groeit en een klein kind wordt...

'Åsa? Je moet met me praten, dit kan zo niet doorg...'

'Ik weet niet wie de vader is.' Åsa draait zich om. Bezweet. Haar haar plakt op haar voorhoofd. Haar gezicht is rood en gezwollen. Koortsig.

'Wat?'

Adam streelt voorzichtig Åsa's bovenbenen, probeert haar blik te vangen. Åsa kijkt alle kanten op. Kijkt naar haar oude computer. Kijkt naar de kerstster. Kijkt naar het donkere raam. Kijkt naar de muur. Kijkt naar haar voeten. Haar hart. O, mijn god. Het doet zo'n pijn. Het gaat niet. Ze kan het niet zeggen. Dit kun je de man van wie je houdt niet aandoen. Dit kun je niet, dit mag je niet, het mag niet. Hoe zou ze het nog een keer kunnen zeggen. De woorden zeggen, met een mes in Adams buik snijden, een handgranaat op zijn hoofd gooien, hem afmaken. Ze gaat hem afmaken. Nu op dit moment. Ze kan niet meer doen alsof. Kan niet een heel leven lang doen alsof. Kan geen vijf minuten langer doen alsof. Liever echte pijn, echt verdriet dan dit afschuwelijke niemandsland.

'Heb je een emmer nodig?' Adam staat snel op, pakt de prullenmand onder het bureau vandaan, zet die naast Åsa neer.

Dan streelt hij Åsa's koortsige voorhoofd met zijn koele, droge hand. Åsa geniet er nog een laatste keer van. Geniet van een laatste keer dat ze een goed mens mag zijn. Iemand die je over het voorhoofd wilt strelen, iemand om wie je geeft. Geniet van een laatste keer dat Adam nog van haar houdt. Een laatste keer. De tranen biggelen niet, ze stromen als een waterval. Åsa droogt ze niet af. Dat heeft geen zin, want dit is niet te drogen. Ze knippert met haar ogen, haalt haar neus een beetje op, probeert te ademen. Probeert...

'Ik weet niet wie de vader is.'

'Wiens vader?' Adam kijkt Åsa niet-begrijpend aan met fronsende wenkbrauwen en met nog steeds dat vriendelijke trekje om zijn mond. Nog steeds. Nog een paar seconden.

'De vader van de baby.'

'De baby?'

'Onze baby.'

'Ja, wat is daarmee?'

O, mijn god. Åsa probeert weer te ademen. Vermengt snot met tranen, wrijft met de mouw van haar kerstjurk in haar gezicht. Het is net als eerst goed gaan zitten en dan op een vogel richten. Op een kleine mus. Met een luchtdrukpistool richten. Geen probleem. Je schiet raak, maar hij sterft niet! Hij is alleen maar gewond. Kijk die kleine mus eens fladderen met zijn vleugels, niet dood, niet levend, alleen maar fladderend op de grond. Dan moet je hem doodslaan. Met een steen doodslaan. Steeds maar weer. Tot hij ophoudt met fladderen. 'Ik weet niet... of jij de vader van onze baby bent.'

Nu hoort hij het. Nu dringt het door. Nu heeft ze voor de laatste keer met de steen geslagen. Nu is hij dood. Adam zegt niets. Hij beweegt zich niet. Maar Åsa ziet het. Ze ziet hoe er iets in hem gebeurt. Hoe binnen in die zeer stille man een storm van bewegingen losbarst die als golven door hem heen gaan. De informatie die hij heeft gekregen loopt door alle aderen heen. Wat ze zei, het onmogelijke, verandert in iets wat wel mogelijk is.

'O, wie is dan de vader misschien?'

Nog steeds even kalm. Vanbuiten, maar een tikkeltje bleker in zijn gezicht. Zijn beide handen op zijn knieën en niet meer strelend over Åsa's trillende bovenbenen.

'Het doet er niet toe. Het was een vergissing. Ik ben je nooit, nooit eerder ontrouw geweest. Nooit. Ik hou van jou het meest van alles. Jij bent het mooiste, het beste, het was een vergissing. Het kind is van jou, hoe dan ook! Het kan niet van iemand anders zijn, het kan...'

Åsa probeert Adams handen vast te pakken, hem te voelen, hem dicht bij haar te krijgen, o nee, het gaat niet. Hij gaat weg. Hij gaat nu. Nu verlaat hij haar. Nu. Adam gooit haar handen van zich af, haalt zijn vingers door zijn rode haar. Steeds maar weer. Blijft ze maar door zijn haar halen. Hij staat op. Kermt. Hij kermt. Huilt niet, schreeuwt niet, maar kermt.

Åsa huilt alleen maar. In paniek. 'Adam! Ga niet bij me weg! Je bent alles voor mij, begrijp je dat? Het kan net zo goed van jou zijn, dat kan! Adam?'

Adam kermt en wankelt door de kamer. 'Wanneer is het gebeurd? Wánnéér!'

'Ja, nu een maand geleden, ruim.'

'Maar met wie dan! Een klant? Wie? Ik snap het niet, je ziet toch niemand. Ik begrijp het niet.'

'Robert.'

'Wie Robert! We kennen toch geen Robert. Robert wie?'

'Lena's Robert. Sorry! Sorry, sorry, sorry! Sorry!'

Klop, klop. Een tactvol kloppen op de deur. Irenes stem voor de deur. 'Hallo? Is alles oké? Hebben jullie hulp nodig?'

Adam kijkt naar Åsa. Zijn bril is beslagen. Was het een normale situatie geweest, dan hadden ze daarom gelachen, over de wasem en dat hij onmogelijk iets kon zien. Maar niet nu. Adam haalt diep adem, zet zijn bril af, poetst hem vlug met zijn trui. Daarna pakt hij zijn jas die over de stoel hangt, opent de deur en loopt weg.

24

Irene klopt hard in de slagroom, kijkt in de kom, giet er nog een scheutje slagroom uit de kan bij. Er hoort veel slagroom in de brij, anders kan het net zo goed worden weggelaten. Rijstebrij eet je alleen rond kerst en dan moet hij zo lekker mogelijk zijn. De brij pruttelt in de grote pan. Irene zet de slagroom op het aanrecht en roert in de pan zodat de brij niet aankoekt op de bodem.

Marie was vanmorgen vroeg opgestaan om de invallers te helpen bij het melken. Zonder enige aanleiding. Ze hoefde niet, niemand had het haar gevraagd, maar toch hoorde Irene haar 's ochtends rondsluipen en 'sst' fluisteren tegen een verwachtingsvol blaffende Otto, en ze zag haar met een zaklantaarn op weg naar de stal gaan.

Zo, de slagroom in de brij. De stijfgeklopte slagroom smelt in de hete brij en verandert in zoet schuim.

Åsa, Marie en Lena zitten rond de keukentafel, die versierd is met hyacinten en kerststerren en met een klein peper- en zoutstel in de vorm van kabouters. Adam is vannacht weggereden, heeft een taxi naar Stockholm genomen. Een taxi! Mijn god, het was waarschijnlijk goedkoper geweest om een autoverkoper wakker te maken, een nieuwe auto te kopen en daarmee naar de hoofdstad te rijden. Robert is vanmorgen vertrokken, met de kinderen. Irene heeft ze brij gegeven voordat ze weggingen. Elke kerst zijn Robert en de kinderen op eerste kerstdag bij zijn ouders thuis geweest. Een traditie. Ook al staat het leven op z'n kop, tradities moet je in ere houden. Irene zet de zware pan op tafel. Ze haalt het deksel eraf, zet de opscheplepel erin en droogt haar handen af aan haar schort met opdruk van veenbessentwijgjes.

Åsa, Lena en Marie. Åsa met ogen die amper zichtbaar zijn. Haar oogleden en de huid onder haar ogen zijn zo opgezwollen, alsof ze tien ronden in een zware bokswedstrijd achter de rug heeft. Marie met donkere wallen onder haar bloeddoorlopen ogen van de glögg. Lena, met rozige wangen en een montere blik, schept vrolijk een paar lepels romige brij op haar bord.

Het voelde goed gisteren, met Robert. Goed. Triest. Melancholisch. Aan iets tussen hen is een eind gekomen, maar tegelijkertijd is er ook iets nieuws begonnen. Iets. Ze hebben de hele nacht alleen maar gelegen met alle kinderen tussen hen in, en hebben elkaars hand vastgehouden. Lena dommelde in, werd af en toe wakker en keek dan naar Robert, zocht zijn hand. Ze keek naar Robert, die zo nu en dan ook sliep, maar soms, wanneer hij wakker was, ontmoetten hun ogen elkaar midden in de nacht. Dan lagen ze alleen maar naar elkaar te kijken in het schijnsel van de kerstster. Maar het mooiste gebeurde misschien wel rond vijf uur in de ochtend. Toen maakte Wilda zich los uit haar veilige plek in Roberts armen, klom over haar broertje en zusje heen en ging dicht tegen Lena aan liggen. Als een wormpje lag ze tegen Lena's buik en borst aan. Ze ademde licht, bijna onhoorbaar. Lena durfde zich bijna niet te verroeren. Ze lag daar gewoon met Wilda in haar armen terwijl ze zo voorzichtig mogelijk haar rug streelde. Vanmorgen, toen alle kinderen naar beneden waren gerend om naar de kinderkerstprogramma's op de televisie te kijken en oma's kerstbrij te eten, verdween de muur tussen Robert en Lena. Nu was het alleen zij tweeën. Ze lagen in de warmte van hun gemeenschappelijke kinderen, hielden elkaars hand vast, schoven dichter naar elkaar toe, en nog wat dichter, tot ze dicht tegen elkaar aan lagen en toen kusten ze elkaar voorzichtig. Robert had naar haar gekeken, met een blik die ze nog niet eerder had gezien. Ernstig, maar tegelijkertijd met iets van een glimlach. Zijn lippen smaakten zoals ze moesten smaken, een beetje naar pruimtabak, aftershave en benzine.

Irene schept Åsa en Marie brij op. Schuift de suiker, kaneel en de melkkan naar ze toe. En de ham, mosterd en het kerstknäckebröd. Åsa kijkt naar haar klodder brij en ziet het druppen in haar melk. Drup, drup, drup, drup. Net regen. Als ze er gisteren de puf voor had gehad dan was ze weggerend. Het bos in en gewoon verdwenen of hoe je dan ook maar verdwijnt. Misschien kun je wel rennen tot je in rook opgaat. Net als bij Tom en Jerry, gewoon rennen tot het poef zegt en je weg bent. Nu had ze daar geen puf meer voor. Adam was de kamer uit gelopen, alleen zijn geur was nog een poosje blijven hangen. Zijn kerstcadeautjes stonden er nog, samen met zijn stevige wandelschoenen en hun reistas met kleren. Hij had niets meegenomen.

In de deuropening had Irene verward gekeken, toen Adam zich langs haar heen drong. Ze had Åsa liefkozend op haar schouder geklopt, ze had haar gestreeld, haar door elkaar geschud, had geprobeerd haar aan het praten te krijgen, haar wat water te laten drinken. Åsa had alleen maar gehuild. Ze had gehuild en geschreeuwd. Marie was wakker geworden. Samen met Irene hadden ze Åsa naar het grote bed gedragen en ze hadden haar ingestopt aan Irenes kant – tegenwoordig niemands kant. Daar mocht Åsa liggen. Marie wilde een ambulance bellen, maar toen had Åsa met haar hoofd kunnen schudden en met haar handen kunnen zwaaien. Geen ambulance, geen ziekenhuis. Gewoon daar liggen, in bed aan haar moeders kant.

Marie was weer naar bed gegaan. Irene was met een kop thee met honing en een paar druppels room gekomen. Met de lepel had ze Åsa gevoerd, die huilde, maar tegelijkertijd haar mond opende. De liefde die ze kon krijgen nam ze in ontvangst. Ze kon niet vertellen. Ook niet aan haar moeder. Een persoon per keer.

's Nachts. Toen Irene was ingeslapen met haar armen kramp-achtig om Åsa heen geslagen, toen had Åsa haar buik omklemd, gestreeld en vastgehouden. Alsof haar buik haar redding was. Het enige lichtpuntje. De baby in haar buik. Haar vertrouwe-ling.

Daar zit hij en krijgt thee wanneer zij thee krijgt. Eet brij wan-neer zij brij eet. Hoe klein hij ook is. Net een klein kikkervisje. Amper meer.

Terwijl ze daar lag, met haar handen op haar buik, en werd verwarmd door het dekbed en de extra schapenvacht die Irene om haar heen had gewikkeld, toen wist ze het. Dat wat er ook gebeurde, wat er ook met Adam, Robert of Lena gebeurde, het kind zou er nog zijn. Het was niet de fout van het kind. Dat zou niet gestraft worden. Het zou geboren worden. Ergens in de herfst zou het geboren worden, wanneer de late zomerzon nog warm is. Het wordt warmer. Kouder dan nu kan het niet wor-den.

'Åsa. Wat is er gisteren eigenlijk gebeurd? Is er iets met het kind?' Marie giet nog wat melk over haar brij, kijkt naar haar zus, die stilletjes huilt boven haar bord. Åsa schudt haar hoofd en trekt haar schouders op. Ze kan niet praten. Als ze haar mond opendoet om te praten gaat ze krijsen. Dus is het zinloos er über-haupt over te praten, aangezien niemand zou kunnen horen waarom ze jankt. Ze kan beter gewoon blijven zitten en de tra-nen laten druppelen.

'Ze vertelt het wel als ze eraan toe is. Laat haar nu maar.' Ire-ne snijdt een paar plakken ham af, smeert rijkelijk boter op een boterham en belegt deze met een paar plakken ham met mos-terd en geeft hem vervolgens aan Åsa. 'Ook al ben je verdrietig lieverd, je moet wel eten. Niet alleen voor jezelf, maar ook voor die kleine in je buik.'

'Ik volg het niet helemaal meer. Is Adam vannacht naar huis gegaan?' Lena kijkt eerst naar Åsa, die alleen maar zit te huilen, en vervolgens naar Marie.

'Ja, ze hebben ruzie gehad en daarna heeft Adam een taxi naar huis genomen.'

'Een taxi! Naar Stockholm?'

'Ja, of waar hij dan ook maar naartoe is gegaan.'

Lena en Marie gluren naar hun zus, die haar tranen in de brij laat druppelen, terwijl ze trillend haar boterham met ham vasthoudt, er een beetje aan ruikt en hem weer op het bord legt. Irene rommelt wat bij het aanrecht, vult de afwasteil en de pannen met water en spuit in dezelfde beweging wat schoonmaakmiddel op het fornuis. Een vertrouwd geluid. Irenes gestommel met haar wasdoeken veenbessenschort voor en de radio die zachtjes op de achtergrond klinkt.

Marie neemt een grote hap van haar kerstknäckebröd en giet nog een beetje koffie in Lena's lege kopje. 'En jij en Robert dan? Hoe is dat gegaan? Is het goed, of...?'

'Ik geloof het wel. Ja. Het voelt goed. We zullen wel zien hoe het verder gaat. Maar het leek wel alsof er iets van de oude liefde terug is, maar dan in een nieuwe verpakking.'

'Kun je dan nu vertellen, wat je heb bedacht toen je weg was?' Marie neemt nog een gulzige hap van haar knäckebröd met ham, een slok koffie en een grote lepel brij. Allemaal tegelijk. Met moeite kan ze alles in haar mond houden. Lastig, maar je wordt ook zo verdomde hongerig als je in de stal hebt gewerkt.

Lichamelijk werk, de kou, het zweet en alle dieren. De trek in eten is bevrijdend. Nadat Irene had gezegd dat ze de boerderij wilde verkopen. Dat kon gewoon niet. Marie heeft een weddenschap afgesloten! Ze wil proberen hier te leven! Ze gaat een festival organiseren! Ze wil hier misschien wel wonen. Want elke ochtend als ze wakker wordt met Otto vrolijk blaffend bij de deur, dan voelt de benauwde, donkere flat in de Högbergsgatan steeds verder weg. Ze kan er nog steeds bij komen, maar het is zo wazig. Niet zo echt meer. Dus heeft ze een beslissing genomen. Ze zal zich bewijzen voor Irene. Ze zal bewijzen dat ze niet meer is zoals vroeger, dat ze er niet op uitgekeken raakt. Dat ze zeker wel om vier uur 's ochtends kan opstaan om te gaan melken en dat ze 's middags het melken ook kan doen, als het moet. Ze zal niet klagen. Alleen maar melken, melken, melken tot de kerst voorbij is en dat Vogelmens van de Handelsbank hier komt voor het opnemen van de vierkante meters.

'Ik was van plan een maaltijdenbedrijf te beginnen. Hier. Op de boerderij. Als dat wat jou betreft akkoord is, mama.' Lena kijkt triomfantelijk naar haar familie. Marie schrokt haar hap eten naar binnen. Åsa kijkt op van haar gedruppel boven de brij. Irene staat als aan de grond genageld met de afwasborstel in haar ene hand en het schuursponsje in de andere.

'Een wát beginnen, zei je?' Irene zet de pan in het afwaswater en droogt haar handen af aan haar schort.

'Een maaltijdbedrijf, jullie weten wel, een beetje zoals een catering. Eten klaarmaken! Vlees en melk hebben we immers al in grote hoeveelheden, biologische eieren kopen we van Agda en Frans, de aardappelen kunnen we zelf verbouwen of halen we bij Gubben, de keuken kan in papa's oude conferentiezalen. Ik heb aan alles gedacht, luister maar! Ik moet een eigen maaltijdwagen hebben, jullie weten wel, zoiets als een ijscowagen, die hier in de buurt gaat rondrijden, maar misschien ook nog wat verder richting Stockholm, daar zijn ze immers gek op alles wat maar een EKO-keurmerk heeft en een beetje exclusief is is. Denk eens aan alle jonge gezinnen met kinderen, alleenstaande moeders en vaders, die rechtstreeks van de wagen hun maaltijden kunnen kopen. Zich misschien wel op eten abonneren! Aan benzine hoeven we geen geld uit te geven. We rijden op gas dat gemaakt is van koeienmest. Het is gewoon een kwestie van alle mest en slachtafval in de silo verzamelen en floep: we hebben gas uit de mest om het hele huis, de grote keuken en alles eromheen te verwarmen. We worden hier thuis net een kleine kringloop. Jij kunt hier blijven wonen, mama. Ik verhuis met de kinderen, en misschien Robert ook, naar een van de vleugels.'

Stilte. Zelfs de poedersneeuw houdt even op tegen het raam aan te dwarrelen. De koolmees houdt stil midden in een wiekslag. Lena leunt achterover. 'Nou, wat vinden jullie ervan?'

Åsa druppelt niet meer in haar brij. Ze zit met open mond te kijken. Marie weet niet zo goed wat ze moet voelen. Zíj wilde hier op de boerderij iets voor zichzelf beginnen, weliswaar niet in de stal, maar toch. Irene heeft haar ongerustheidrimpel boven haar ogen gekregen.

'Maar, lieverd toch. Ja, het klinkt wel goed en zo, maar... dat is toch veel werk. En het geld! Waar haal je het geld vandaan? Ik maak me gewoon wat zorgen, ben bang dat je teleurgesteld wordt, dat het niet zo wordt als je je had voorgesteld. Het is immers een vrij... een erg groot project.'

Lena legt geïrriteerd haar lepel in de brij. 'Tuurlijk is het een groot project! Ik ben het zat om alleen maar kleine projecten te hebben. Dat kleine rotbaantje bij de ICA. Ik wil nu voor één keer iets groots creëren! Ja, en het kan me geen moer schelen wanneer het helemaal misgaat. Dan word ik maar teleurgesteld. Dat is vast niet erger dan het nooit geprobeerd te hebben om vervolgens verbitterd te raken.'

'Maar het geld, schat. Waar haal je dat vandaan? Ga je het van de bank lenen?'

'Misschien. We zullen het huis moeten verkopen en misschien stopt Robert met zijn garage en gaat hij voor mij werken. We moeten maar kijken. Maar ik zat eerlijk gezegd ook aan jou te denken, Åsa. Het is misschien nu niet het juiste moment om dit te bespreken, maar nu we het er toch over hebben... Je hoeft nu niets te zeggen, helemaal niet, maar ik had gedacht... dat jij misschien wel iets zou kunnen investeren. Alleen als je erin gelooft, anders niet. Maar als je denkt dat het iets zou kunnen worden, en...'

'Nu hou je je mond, Lena. Trek Åsa hier niet in mee, je ziet toch hoe ze eraan toe is.' Irene zwaait dreigend met haar vinger naar Lena, zoals je ook doet bij lastige kleine kinderen.

Åsa schraapt haar keel. 'Ik doe wel mee. Je krijgt geld. Geen probleem.'

Nu is iedereen weer stomverbaasd. Irene die net haar handen beschermend op de schouders van Åsa wil leggen, blijft midden in die beweging steken. Marie leunt achterover, knijpt in haar pakje sigaretten en zit alleen maar te staren.

Lena lijkt niet helemaal te begrijpen wat er echt gebeurt. 'Hoezo? Zomaar? Wil je mijn mappen en berekeningen niet zien?'

'Nee. Hoeveel heb je nodig?'

'Eh... Misschien een miljoen, zo ongeveer, maar als we de garage verkopen, is zevenhonderdduizend voldoende.'

'Oké. Ik verkoop het eenkamerappartement in de Grevgatan. Geen probleem.' Åsa praat met Lena, terwijl ze in haar brij staart. Het druppelt niet meer. Maar dat het niet meer regent betekent niet dat het zonnig is.

Irene legt ongerust haar hand op die van Åsa en probeert oogcontact te krijgen. 'Åsa. Ik denk dat je hier wat beter over na moet denken, hè? Het is immers ontzettend veel geld en...'

'Ik heb erover nagedacht. Ze krijgt het geld.'

'Krijgt?' Lena glimlacht gelukzalig van oor tot oor om daarna haar hand voor haar mond te slaan. Het is niet goed. Het is een beetje als iemand die slaapt vragen al zijn geld weg te geven. Åsa is absoluut niet in staat om wat voor besluit dan ook te nemen. Ze is immers nog niet eens in staat een boterham met ham door haar keel te krijgen. Dan moet je misschien ook niet een miljoen weggeven.

'Ja, je krijgt het geld. Is er nog iemand die wat nodig heeft? Ik kan waarschijnlijk wel twee en een half miljoen voor dat appartement krijgen. Zeg het maar. Mama? Marie?'

Het is merkwaardig stil rond de tafel. Åsa schuift haar bord weg. Geld? Wie maakt zich er druk over? Hallo, is er iemand die zich er druk over maakt? Goed, want Åsa doet dat zeer zeker niet. Geld speelt geen rol. Lena in het bijzonder kan al haar geld krijgen. Als ze haar maar niet haat. Liever arm en geliefd, dan rijk en gehaat.

Marie legt haar pakje sigaretten op het malle kerstkabouter-kleed. Pakt er een sigaret uit, krijgt een boze blik van Irene en stopt hem weer terug. Haar zusje is gek geworden. Dat is zonneklaar. Zit hier te grienen boven haar brij en speelt tegelijkertijd de goededoelenloterijshow en strooit met miljoenen. Eigenlijk zouden ze 112 moeten bellen en de spoedafdeling psychiatrie, maar tegelijkertijd, als ze van haar geld af wil... Marie recht haar rug en schuift haar alpentoppen naar voren. 'Ik wil proberen hier een rockfestival op te zetten.'

'Wat? Een festival, hoezo?' Irene leunt tegen het aanrecht en neemt snel een slok van haar nu koude koffie.

'Een hardrockfestival! Op al dat braakliggende land hierom-heen, dat van de buren. Het is gewoon heel veel grond waar niets op verbouwd wordt alleen maar om er een paar miezerige subsidies mee binnen te halen. Dat is toch treurig, of niet? Door een festival zou alles weer kunnen opleven. Een kampeerterrein, muziekpodia, feest! Eén keer per jaar. Het zou supergroot kunnen worden, en ik weet dat ik het voor elkaar kan krijgen!'

'Maar Marie, nu moet je ophouden. Wat haal je je nu in je hoofd? Moeten hier massa's dronken mensen komen om naar harde muziek te luisteren? En de koeien dan? Heb je daar wel aan gedacht? Nee, nu moet je toch echt een beetje kalmeren.'

'Waarom moet ik nu kalmeren? En Lena dan? Moet die nu ook kalmeren? Godverdomme, onze landerijen liggen toch kilometers hiervandaan, daar hebben de dieren godverdomme toch geen last van, dacht je dat ik daar niet aan gedacht had, hè? Het is een leuk idee, godverdomme, doe toch niet zo vervelend. We kunnen er misschien wel een beetje geld mee verdienen.'

'Hardrock en sterkedrank! Je bent hier nu op het platteland, Marie!'

'Ja, en? Waar denk je dat de meeste hardrock en sterkedrank te vinden is? Rond Stureplan, zeker? Nee, precies. En als je...'

Åsa staat op van tafel. Haar stoel schraapt over de houten vloer. 'Ik moet nu naar boven. Moet wat rusten.'

Langzaam als een bejaarde verlaat ze de met kabouters versierde keuken en loopt langzaam de krakende trap op naar boven. Irene, Lena en Marie staren haar na. Wanneer ze haar deur horen dichtslaan, is het alsof ze weer beginnen te ademen. Irene ploft neer op de nu lege stoel van Åsa. Lena maakt opgewekte, maar ook een beetje nerveuze grimassen.

'Mijn hemel, wat is er gebeurd? Ik snap er niets van. Åsa heeft nog nooit eerder iets van haar geld gedeeld. Dus, nee, ik snap het niet. Wat is er vannacht eigenlijk gebeurd? Mama, heeft ze iets tegen jou gezegd?' Lena kijkt ernstig naar Irene, die nerveus haar handen insmeert met haar naar kamperfoelie geurende handcrème.

'Nee, niets... maar ze waren verschrikkelijk aan het ruziën, dat heb ik wel gehoord. Misschien heeft Adam iets gedaan, het moet haast wel zoiets zijn, zo verdrietig als ze is... Maar meisjes, jullie kunnen haar geld niet aannemen, niet nu, dat kan gewoon niet, het is niet goed.'

'Het is misschien een beetje vreemd, maar als ze het nu echt wil...' Lena kijkt naar Marie.

Marie kijkt gekwetst naar Irene. 'Lena kan het geld wel krijgen, want zij mag altijd doen wat ze wil. Of niet? Maar ik, domme Marie met haar domme ideeën, kan wel weg en een beetje gaan reizen. Dat zou iedereen goed uitkomen, hè? Als ik gewoon voor een paar jaar naar Goa vertrok, jee ja, wat een goed idee, dan zijn wij die idioot kwijt.'

'Marietje! Je moet toch begrijpen dat je zoiets niet gewoon maar op tafel kunt gooien. Gun me tijd om na te denken, ik ben niet zo vlug, ik heb te lang op Het Zonneroosje gewoond, weet je. En Lena, jij wilt hier een compleet maaltijdbedrijf opzetten? Ik snap het niet. Meisjes toch? Wat zijn dit voor dromen? Marie, jij kúnt niet op het platteland wonen, dat weet je toch?'

'Ja, maar als ik maar vaak weg kan. Als ik maar iets kan doen waar ik warm voor loop, dan kan ik het ook aan om voor de koeien te zorgen. Als ik daarnaast ook maar met muziek en feest bezig kan zijn. Maar dat zit er voor mij waarschijnlijk niet in. Verkoop de boerderij dan maar, mama! En verhuis maar naar een eenkamerflat aan de rand van Uppsala, ja super, doe dat.'

'Marie, ik bedoel niet dat... Ik geloof vast dat jij zo'n mooi muziekfestival kunt organiseren, maar...' Irene kijkt van haar ene dochter naar haar andere. Marie met haar lange, ruige leeuwenmanen, gekleed in Roffes oude ochtendjas en een niet-brandende sigaret tussen haar vingers. Lena, met haar steile blonde haar, gekleed in Roberts vrijetijdsbroek en een grijze capuchonsweater. Haar dochters. Twee van de drie die op de boerderij willen wonen. Dit had Roffe eens moeten weten. Ze willen hier iets doen, ze willen Het Zonneroosje vasthouden. Misschien kunnen ze hier blij zijn. Niet rijk, niet beroemd, maar gelukkig. Ze moet waarschijnlijk oordopjes kopen voor die arme koeien. 'Maar... Als jullie nu een eigen bedrijfje opstarten, of hoe je dat dan ook maar noemt, wie gaat dan de koeien verzorgen? En de kinderen, wie zorgt er voor hen? Jullie hebben toch geen tijd voor de beesten én de kinderen én jullie bedrijfjes.'

'Als de maaltijdwagen goed loopt, hebben we geld om personeel aan te nemen. En we kunnen helpen met de koeien, dat moet heel gemakkelijk in te passen zijn. Dat komt wel goed. De kinderen... De kinderen daar zorgen ik en Robert natuurlijk voor. Als hij hier werkt in plaats van in de garage, dan winnen we veel. Mama, misschien kun jij daar ook een beetje bij helpen. Met naar de crèche brengen en zo?' Lena neemt haar laatste hap brij, schuift haar bord van zich af. Irene trekt Åsa's bord met onaangeroerde brij naar zich toe, strooit er een beetje suiker en kaneel over. Met haar blik nog steeds op haar moeder gericht, vervolgt Lena: 'Ja, en Josefin wil ook vast wel wat extra geld verdienen, en zij is goed met dieren. Dat komt wel goed. Dat is niet eens een probleem. Als Marie nu ook hier is, dan zijn we met vier volwassenen, dat gaat helemaal goed komen.'

'Maar... hardrock. Je weet dat ik niet naar dat soort muziek kan luisteren.'

'Maar je hoeft ook niet naar het festival te gaan, je kunt toch dat weekend ergens naartoe gaan, of bij Åsa logeren of zoiets... Het festival zelf is maar een paar dagen in de zomer. De rest van het jaar moet ik bands bij elkaar zien te krijgen, de poen regelen en zo. Het levert zeker werk op voor meerdere personen in het dorp. Zoals die vent van Vivian, hij is toch goed in bouwen? Hij kan podia bouwen! Tja, ik heb daar nog niet zoveel over kunnen nadenken, maar ik voel gewoon dat het kan. En dat het in ieder geval leuk gaat worden.'

'Ja, we zullen zien, Marie. We moeten het er nog maar eens over hebben.'

De zon begint door het keukenraam te schijnen. De sneeuw, die de hele boerderij omlijst, schittert. Een goudvinkje pikt gulzig aan het witte, bevroren vet dat Irene buiten voor het raam heeft opgehangen. De zon verwarmt. Schijnt naar binnen op de drie vrouwen rond de tafel, wekt kleine stofwolken in de hoek tot leven en schittert in het afwaswater.

Marie steekt haar sigaret tussen haar lippen. 'Nee, nu moet ik echt mijn ochtendsigaret hebben voordat ik in slaap val. Is Åsa alleen naar boven gegaan om te gaan slapen, of...?'

Irene veegt met haar servet een paar klodders brij van tafel. 'Kleine Åsa. Wat is er met haar aan de hand? Moeten we Adam bellen? Wat zeggen jullie? Hij kan het misschien vertellen, Åsa lijkt daartoe niet...'

'We kunnen Adam niet bellen. Het ligt misschien supergevoelig.' Marie stapt met haar dikke sokken in Roffes grote stevige winterschoenen en trekt een oude muts over haar kroeshaar.

Lena staat weer op, pakt haar bord, zet het in de gootsteen en zegt resoluut: 'Ik bel Adam. Dan weten we het.'

25

Marie trekt haar muts nog wat verder over haar oren. God, wat is het koud. Het moet wel vijftien graden onder nul zijn. Het snot bevriest in haar neus wanneer ze inademt. De nicotine omarmt haar innerlijk, kust de wanden van haar longen en stijgt kriebelend omhoog door haar luchtpijp. Zwaar leunt ze tegen de falu-rode huismuur aan en geeft de zon de gelegenheid om haar koud geworden gezicht te verwarmen.

Ze denkt aan de zomer. Aan wanneer alle sneeuw weggesmolten is, het klein hoefblad uitgebloeid en de berken hun limoengroene kleur hebben vervangen door een iets diepere groene kleur. Wanneer de zee lauw geworden is, de zwaluwen hoog in de lucht zweven en de koeien grazen bij het bos. Dan. Marie doet haar ogen dicht en probeert de ijzige kou te verdrijven. Dan... staat er een groot podium verderop op het koolzaadveld, staan er twee kleinere podia aan de rand van hun land tegen het terrein van Johansson aan en staan er misschien nog een paar dranktenten vlak bij de boerderij. Een camping bij het Svansjö-meer. De harde muziek, de zachte zomer en allemaal aardige mensen. Dat kan. Het kan echt. Misschien krijgt ze wat geld van Åsa als niemand haar in een gesticht opsluit, misschien moet ze zelf wat poen bij elkaar schrapen. Wat kan het ook schelen. Het moet lukken. Misschien niet deze zomer, maar dan de volgende. Of, hoezo niet deze zomer? Waarom niet deze zomer? Ze heeft nog zeven maanden tot juli.

Een van de boerderijkatten strijkt langs Maries been op zoek naar wat warmte in de kou. Marie neemt een laatste trek van haar sigaret, schiet de peuk weg en tilt de kat op.

'Wat zei hij?'

Marie steekt haar hoofd om de deur van Roffes werkkamer waar Lena heeft zitten bellen. Lena antwoordt niet. Ze zit bleekjes voor zich uit te staren. Haar rozige kleur en glinstering in haar ogen zijn verdwenen, uitgewist. Alsof alle kleur uit haar weggestroomd is. Lijkwit zit ze in de verbleekte leren stoel een beetje heen en weer te draaien.

'Mijn god, wat is er?' Marie doet een stap het kantoor in, stopt het gekreukelde pakje sigaretten in haar achterzak.

Lena staart blind voor zich uit. Alsof ze Marie niet ziet. Alsof ze niets ziet. 'Godverdomme, ik vermoord haar.'

Lena stormt recht op Marie af, duwt haar opzij en is in vier grote stappen door de eetkamer heen bij de trap. Nog twee stappen, en ze stampt over de bovenverdieping. Marie hoort haar woedende voetstappen en hoe ze de deur van Åsa's kamer openrukt. Tumult. Er valt iets op de grond. Slaat ze iets kapot? Wat gebeurt er godverdomme? Marie rent haar achterna.

Lena rukt de deur open, slaat in een enkele beweging de computer van de schrijftafel. Schopt ernaar. Gooit de stoel tegen de muur, pakt hem weer op en smijt hem nog een keer tegen de muur. 'Wat heb jij godgloeiende godverdomme gedaan? Godverdomme, akelige trut, je hebt alles kapotgemaakt. Snap je dat? Alles!' Lena werpt zich op het bed, gaat op het stomme, ingestopte lichaam zitten en begint te slaan. Ze slaat met haar vuisten, haar vlakke hand. Stompt, mept, duwt. 'Zeg dan iets! Jij lafaard. Zeg dan iets! Of durf je dat niet, hè?'

'Lena! Wel verdomme! Hou op! Hou op, zeg ik je!'

Marie pakt Lena's armen beet en houdt haar stevig vast. Gelukkig is Marie sterk, ze heeft wel eens een paar dronken motorduivels de tent uit gegooid. Maar een zatlap in bedwang houden is een ding, het in bedwang houden van iemand die door het dolle heen is, iets heel anders. Dat is als het omklemmen van een vaars op de voorjaarswei: onmogelijk. Lena rukt zich los. Marie probeert haar weer vast te pakken. Het lukt niet. Lena stompt op Åsa's hoofd. De persoon onder het dekbed geeft geen kik. Een groot zwijgen.

'Lena! Je slaat haar dood, hou op, godverdomme. Hou op!' Marie werpt zich naar de deur van de kamer, houdt zich vast aan de deurpost en brult naar beneden. 'Mama! Help! Je moet komen!'

Vanuit de keuken klinkt zachtjes de radio en het gekletter van een afwassende mama.

'Mammaaaa! Mammamammamammaaaa!'

'Lieverd, wat is er?'

Irene komt uit de keuken met haar veenbessenschort voor terwijl ze haar handen afdroogt aan een handdoek. Ze kijkt naar Marie die met een verwilderde blik en verfomfaaid haar half over de trapleuning hangt.

'Kom, Lena is helemaal gek geworden!'

Marie schiet de kamer van Åsa weer in. Irene staat nog beneden in de hal.

'Maar wat zeg...'

Snel rent Irene de trap op naar de kamer van Åsa. Ze struikelt over de kapotte computer en de stoel en ziet hoe Marie probeert Lena van het bed af te trekken, terwijl Lena tegen het ingestopte hoofd van Åsa schopt.

'Meisjes toch, wat is er aan de hand?'

Irene grijpt Lena's spartelende benen beet en gooit haar op de grond. Irenes boerenkracht komt goed van pas. Als een stuiterbal veert Lena weer omhoog en zwaait met haar vuisten.

'Lena! Nu hou je op! Hoor je me! Hou op!'

Van elke dag koeien melken word je sterk, dat geeft je een taaie, sterke kracht. Irene trekt aan Lena's armen, pakt haar stevig bij haar haren vast en slaat haar. Een felle klap op haar wang, die meteen helderrood wordt. Lena schrikt op en ontspant. Irene houdt haar nog steeds bij haar haren vast. Ze kijkt haar dochter boos in de ogen, zonder met haar blik te wijken. Die kleine, tengere Irene. Zo sterk als een paard, of twee.

'Lena. Nu kalmeer je. Hoor je dat? Rustig en bedaard. Marie zet die stoel overeind!'

Marie zet de stoel overeind. Irene duwt Lena erop. 'Nu ga je hier zitten en je verroert je niet, anders krijg je met mij te doen, goed begrepen?'

Lena zit rood en bezweet op de stoel, buiten adem.

'Begrepen?' Irene pakt haar weer vast.

'Ja, ja.'

Marie houdt Lena stevig bij haar schouders vast. Ze streelt haar een beetje en drukt haar tegelijkertijd op de stoel, want ze mag niet weer overeind stuiteren. Wat is er eigenlijk gebeurd? Lena zette haar bord op het aanrecht, liep het kantoor in om Adam te bellen, en daarna... misschien drie minuten later, is ze knettergek en staat ze als een Rambo op om haar zus te vermoorden. Ze ademt zwaar, is opgefokt, hijgt.

'Je hoeft me niet vast te houden, ik ben rustig nu.' Lena schudt haar schouders, om Maries handen van zich af te schudden.

Bij het bed zit Irene. Ze tilt voorzichtig het dekbed op. 'Lieverd? Åsa? Hoe is het?'

'Ik hoop dat ze een miskraam heeft gekregen.'

'Lena! Zoiets zeg je niet! Mijn god, je bent een volwassen mens. Al zou je dat niet denken.'

'Is goed.'

Åsa opent haar dekbed, uit haar neus stroomt wat bloed. Ze hijst zich een beetje omhoog. Irene is er snel bij om wat kleine kussentjes achter haar rug te stoppen. Åsa leunt tegen Irene aan, veegt met haar mouwen het bloed weg. 'Hou je maar niet bezig met mij, mama. Omarm Lena maar. Met mij hoef je geen medelijden te hebben. Het is mijn eigen schuld.'

'Wat?' Irene kijkt verbaasd naar Åsa, draait zich om en bekijkt de rood aangelopen, hijgende Lena met een vuurrode wang van de klap. 'Ik weet niet of ik nu moet lachen of moet huilen, maar dit trek ik niet meer. Nu vertellen jullie mij wat er aan de hand is of ik ga naar beneden en ga verder met de afwas. Ik heb vandaag al genoeg gehad. Eerst wordt er geld uitgedeeld en worden er bedrijven gebouwd en festivals georganiseerd, en vervolgens proberen jullie elkaar de hersens in te slaan.'

'Dat met dat geld, geldt nog steeds.' Åsa veegt haar neus weer af, het bloeden wil niet stoppen. Lekker, dat bloed. Lekker, die echte pijn. Lekker, zo'n aframmeling.

'Ja, dat begrijp ik. Je probeert je slechte geweten af te kopen, hè? Nou, dat gaat niet. Vergeet het maar.' Hijgend kijkt Lena woest naar Åsa die naar haar bevende handen op het dekbed staart.

Marie leunt tegen de muur, duwt haar pruimtabak die tijdens het gevecht bijna uit haar mond is gevallen, weer op de juiste plek onder haar lip. 'Hoezo afkopen? Anders mag je mij er wel voor betalen.'

'Ja, maar ze is ook niet met jouw man naar bed geweest.'

'Nee, ik heb ook geen man, dus dat is ook niet zo moei...'

'Maar ik heb er wel een! Had er een in elk geval! Valt het kwartje? Åsa heeft met Robert geneukt! Het is misschien zijn kind. Het is wel duidelijk. Adam en jij hebben het immers ontiegelijk veel jaren geprobeerd, dus neuk je maar met mijn man en word je meteen zwanger. Godverdomme.'

Irene laat haar schouders steeds verder zakken. Alsof ze als een ballon leegloopt. Alsof haar schouders straks haar knieën zullen raken. Met haar handen ondersteunt ze haar gezicht. 'Dit trek ik niet meer, meisjes. Jullie moeten dit zelf maar oplossen. Ik snap niet waar jullie mee bezig zijn, geloof ook niet dat ik het wil weten. Ik heb het gevoel dat ik zo wel genoeg heb gehad. Met de dood van papa. Papa is dood en jullie gaan gewoon door! Vluchten van huis weg zonder daarbij ook maar één seconde aan iemand anders dan jezelf te denken, gaan met de verkeerde man naar bed, zeggen jullie baan op. Bah! Schaam je, is het enige wat ik te zeggen heb. En vervolgens komen jullie hier en moeten er her en der bedrijven gebouwd worden! Of jullie zijn alleen maar chagrijnig, of jullie huilen of zijn aan het vechten. Ik trek het niet meer! Ik trek het gewoon niet meer!'

Irene loopt de kamer uit. Slaat de deur achter zich dicht. De deur van haar slaapkamer gaat open en wordt ook dichtgeslagen. Ze horen onderdrukte snikken. Lena met rode wangen, Åsa met een bloedneus en een zeer verbaasde Marie met schrammen.

Marie pakt een toiletrol van de schrijftafel en gooit die naar Åsa. Met bevende handen rolt Åsa er een paar velletjes papier af die ze tegen haar neus drukt. Lena moet een voltreffer hebben gegeven, het bloed stroomt eruit. Toen Lena boven op haar zat en klappen uitdeelde, lag Åsa helemaal roerloos en stil onder het dekbed de klappen in ontvangst te nemen. Toen de vuistslagen zich in haar lichaam boorden, waardoor ze moest hoesten of van pijn in elkaar kromp, voelde dat goed.

Ze was graag helemaal in elkaar geslagen. Het kon Åsa niets meer schelen, maar die kleine kiem beschermde ze. Ze hield haar armen en een extra kussen voor haar buik. De baby mocht niet sterven. Die was onschuldig. Adam ging er gisteren te snel vandoor. Dat hij gewoon wegliep, dat deed zo'n pijn. Had hij haar maar geslagen, tegen haar geschreeuwd, al haar kleren opgebrand, benzine over haar kamer heen gegoten en hem daarna in de hens gestoken. Geeft niet wat, maar dat had beter gevoeld. Maar toen hij gewoon maar ging... en haar helemaal sprakeloos en alleen achterliet. Toen hij wegging, kwam de paniek. Of de angst. Of wat het ook was. Of is? Nee, was. Het voelt niet net als vannacht. Vannacht had ze het gevoel dat er een maaimachine in haar zat die alleen maar rondjes aan het rijden was met zijn vlijmscherpe klauwen en haar verscheurde, alles in haar kapottrok. Nu is hij verdwenen en is het meer een echt oude tractor die maar rond maalt in haar maagstreek, luidruchtig tandenknarst, langzaam maalt en gromt.

'Je bent dus met Robert naar bed geweest. Heb ik dat goed begrepen?' Marie staat nog steeds tegen de muur geleund, maar die coole houding van haar die ze altijd heeft, is weggeblazen. Tegen de muur staat nu een geschokte vrouw van middelbare leeftijd met plastic borsten en gekleed in een joggingbroek driftig te roken. Binnenshuis, hoewel Irene dat absoluut niet wil.

'Ja. Maar Lena, het was maar één keer. Eén enkele keer. En we hadden gedronken en...'

'Had je gedronken? Maar waarom dan? Had je alles gepland? Je had een eisprong en dus dacht je Robert dronken te kunnen voeren zodat hij je zwanger kon maken. Slim, Åsa! Heel slim. Je bent niet zo dom als je eruitziet. Wees daar maar blij om.'

'Zo was het niet. We waren erg verdrietig, allebei denk ik. Robert over jou... Hij was erg verdrietig over jou, miste je en praatte de hele tijd over jou. Ik was verdrietig, omdat ik maar nooit zwanger werd. Dus had Robert wijn gekocht en toen...'

'Waren jullie in ons bed?'

'Nee.'

'Waar dan wel, godverdomme?' Lena wil weer opstaan en zich weer op haar zus storten. Beelden van haar en Robert in een soort van erotische... Nee! Snel verlaat Marie haar muur om Lena tegen te houden.

Åsa gaat stotterend verder. 'We waren... in de woonkamer.'

'Godverdomme. Op de bank?'

'Nee... Op het vloerkleed. Maar ik ben daarna meteen weggegaan! Robert was in slaap gevallen en ik...'

'O, dan is hij dus klaargekomen. Die rotzak, hij valt altijd meteen in slaap. Zijn handelsmerk. Valt meteen na de lozing in slaap. Godverdomme. Wat een loser. Ja, toch? Nu kunnen we als meiden onder elkaar Roberts seksuele prestaties bespreken, wat leuk!'

Marie houdt Lena nog steeds stevig bij haar schouders vast.

Åsa praat verder met een nieuwe prop papier onder haar neus. 'Lena... Luister nu... Had ik het ongedaan kunnen maken, dan had ik dat... Ik zou er wat dan ook voor willen betalen, wat dan ook willen doen. Maar het is zoals het is. Misschien is het Roberts kind, misschien Adams. Ik heb voor mijn hele leven een blunder gemaakt en ik begrijp dat je me daarom zult haten, maar haat het kind niet. Het is niet de fout van de baby. Het is allemaal mijn...'

'En Roberts.' Marie vult aan. Ze neemt een trek van haar sigaret. 'Je praat de hele tijd over jouw fout. Maar Robert is er toch ook bij geweest? Het is misschien ook Roberts kind. Weet hij ervan?'

Åsa sluit haar ogen. 'Nee.'

Lena sist vanaf haar stoel. 'Je kunt gerust zijn, ik praat wel met hem.'

Voorzichtig frunnikt Åsa een propje papier in een neusgat.

Lena heeft een sigaret van Marie gekregen en zit te roken en te hoesten. 'Ik wil je rotgeld niet hebben.'

Lena kijkt door het raam. Ze ziet de stal. Daarbinnen staat de bijna voltooide keuken waar zij en Robert eten hadden kunnen klaarmaken, waar zij tweeën samen een nieuwe toekomst hadden kunnen opbouwen. Als Åsa die niet van haar afgetroggeld had... De rook prikt in haar keel. Ze hoest en veegt de tranen uit haar ogen. Åsa gooit de toiletrol naar haar toe, maar Lena vangt hem niet op. Dof landt hij op de vloer en rolt onder het bed.

'Ik begrijp het...'

'Hoe kon je zo ontzettend stom zijn? Als je dan zo nodig met mijn man moest neuken, had je toch op z'n minst een condoom kunnen gebruiken! Nu verpest je het voor iedereen! Voor mij, de kinderen en Robert. Voor jou en Adam. Voor mamma. Iedereen!'

'Ik weet het... Sorry.'

Stilte. Alsof het doek is gevallen. Het is helemaal stil. Niemand weet het echt. Of het stuk afgelopen is, of dat er gewoon een kleine pauze is. Geen applaus. Geen gelach. Geen gehuil. Alleen maar stilte. Marie, Åsa en Lena ademen, snelle ademhalingen. Marie pakt haar eigen peuk en die van Lena en drukt ze uit in de kleine kerstster op de schrijftafel. Åsa voelt dat het bloeden gestopt is en haalt het propje papier uit haar neus. Een kleine, kleine rust. Nee, geen grote rust, maar een kleine. Alleen ademhalingen die vanuit verschillende kanten de kamer in piepen.

'Godverdomme.' Lena gaat staan, zet de stoel aan de kant en loopt de kamer uit. Ze loopt de trap af naar beneden, rommelt tussen laarzen en jassen in de hal, vloekt nogmaals, loopt naar buiten, slaat de buitendeur achter zich dicht. Marie ziet haar door het raam, als ze in Roffes oude jagersjas over de akkers het bos inwandelt. Haar benen bewegen zich als trommelstokjes over de bevroren grond.

Marie ploft neer op het bed naast Åsa en pakt Åsa's hand, die net een slappe, koude, natte vis is. Alsof het bloed en het skelet uit Åsa zijn weggetrokken en alleen een koud, in de steek gelaten vel heeft achtergelaten. Zo'n verdrietig, zo'n verschrikkelijk intens verdrietig zusje. Marie schuift dichter naar Åsa toe, kruipt op het bed en gaat heel dicht tegen haar aan liggen, haar neus tegen Åsa's schouder aan. Ze ruikt een beetje aan haar. Haar zusje. Toen Åsa werd geboren was Marie vijf jaar. Ze herinnert zich nauwelijks hoe haar leven vóór Åsa was. Hoe het was om haar niet vlak bij haar in de buurt te hebben. Dat saaie jongere zusje dat helemaal niet het zusje was waarvan Marie gedroomd had. Dat zusje dat absoluut niet wild was, geen zin in spelen had of avontuurlijk was, maar dat alleen maar wilde knutselen en hele kleine pareltjes op een superdun draadje wilde rijgen. Of dat wilde organiseren, doosjes netjes op volgorde wilde zetten in de speelkamer, kleine briefjes wilde schrijven en die op de doosjes wilde lijmen om daarna precies te weten wat er in welk doosje thuishoorde. Zelfs de puberteit kreeg haar niet omver. Toen kocht ze een computer waar ze de meeste tijd achter zat. Ze ging nooit uit om te feesten en ze had nooit heel veel vrienden op haar kamer en maakte nooit herrie. Nee, ze was bijna altijd alleen op haar kamer, maakte weinig herrie en had de muziek altijd zacht staan. Marie niet, die had de muziek altijd op het hoogste volume. En nu ligt ze hier. Haar tamme, goed georganiseerde Åsa, zwanger, misschien van de man van haar zus. Marie kan het niet laten en moet een beetje glimlachen, niet erg – een zwakke glimlach. Ze is dol op haar zus. Misschien nu juist nog meer, nu ze zoiets rampzaligs, op alle fronten zoiets verkeerds, heeft gedaan. Alsof ze een mens is geworden, een echt mens, die soms door passie en gevoelens wordt gestuurd en niet altijd zo verdomde beheerst is. Meer menselijk.

Marie laat haar blik zakken, naar Åsa's nu bijna blauwe neus, rode bovenlip en hangende ogen. Åsa ligt als een dode naar de muur te staren met haar armen langs haar zij en haar haar in een soort verfomfaaid kraaiennest boven op haar hoofd.

'Zal ik je haar een beetje kammen?' Marie streelt de samengeklitte slierten haar van haar zus en haalt haar vingers door de bruine, vette lokken. Åsa haalt bijna onmerkbaar haar schouders op.

'Wacht.' Marie springt uit bed, glipt haar naastgelegen kamer binnen en haalt de grote, zachte haarborstel uit haar toilettas, ziet zichzelf op de terugweg in de spiegel. Goed, Marie. Doe iets goeds nu. Je hebt nu de kans. Ze bekijkt haar door de donkere foundation gebruinde gezicht, de mooie rimpeltjes onder haar ogen, de frons tussen haar wenkbrauwen die ze heeft gekregen van alle lastige klanten in de bar. Ze glimlacht. Haar tanden zijn wit. Fonkelend wit. Dankzij het bleken van haar tanden. Als roker dankt ze God voor tandbleken. Ze is niet jong meer. Ze mag dan wel bruin en rondborstig zijn en een fonkelend gebit hebben, maar daar staat wel een vrouw van middelbare leeftijd. Prima toch. Het is toch prima om middelbaar te zijn. Er zijn er die het erger hebben. Marie loopt de kamer van

Åsa weer in en gaat op de rand van het bed zitten.

'Ga maar op je zij liggen, dan kom ik achter je zitten.'

Zwijgend draait Åsa zich om met haar neus naar de muur. Met haar lange nagels probeert Marie een van Åsa's klitten in de nek te ontwarren. Ze borstelt voorzichtig.

'Åsa. Je moet weten dat ik hoe dan ook van je hou. Misschien nog wel meer. Het is alsof ik nu meer van je hou. Nu je wat menselijk bent. Ik veroordeel je niet. Dat je het maar weet. *Shit happens.* Daar weet ik alles van, ik ben een expert op dat gebied. Ik weet hoe het is om dingen niet met opzet te doen en dat het toch fout gaat.'

Åsa laat haar ogen dichtvallen. Ze voelt Maries lange nagels graaien over haar hoofdhuid. Dan sluit ze haar ogen en ze valt in slaap. Zomaar. Met het bloed en de tranen nog op haar kin. *Shit happens.*

26

Verbijt je. Verbijt je omwille van de kinderen. Verbijt je, Lena! Verbijt je!

'En als papa Beer naar zijn grote bed keek en zag dat er iemand in had gelegen, dan werd hij heel erg boos. Dan zei papa Beer...'

Verbijt je! Niet huilen nu. Niet schreeuwen nu. Wacht. Lees het boek uit. Lees het tot alle beren hun bedden, stoelen en hun brij hebben gezien. Kus alle kinderen. Streel hun wangen. Luister een beetje naar iets wat er vandaag bij oma thuis is gebeurd, misschien hebben ze monopoly gespeeld, misschien hebben ze iets lekkers en krokants gebakken. Omhels ze voor de nacht. Loop de trap af. Verbijt je. Tot iedereen op de bovenverdieping slaapt. Dan hoef je je niet langer meer te verbijten.

Lena liep naar huis. Vanaf Het Zonneroosje, de hele weg naar haar huis in Braby. Het huis waar ze al zo lang niet meer geweest is. Dertig kilometer. Door bossen, over akkers, over landweggetjes. Ze heeft gelopen in woede, in verdriet, in overpeinzingen. Maar vooral in verdriet.

Is dit de straf, omdat ze van huis is gevlucht? Dacht ze zomaar te kunnen vertrekken, zonder aan het eind iets te hoeven betalen? Dacht ze dat een moeder haar kinderen zomaar thuis bij hun vader achter kon laten om even een tijdje alleen te zijn? Nee, nu komt de rekening. En die was hoog. Veel hoger dat ze ooit had kunnen denken. Extra gepeperd.

Robert. Hij had immers geen idee gehad waar Lena was. Of ze überhaupt terug zou komen. Dat hij met iemand... ja, ze heeft het maar te slikken. Maar met haar eigen zus! En misschien heeft hij haar zwanger gemaakt! Het is niet oké!! Ze kan het niet doorslikken, ze kan het alleen maar uitspugen. Uitspugen. Wat had hij godverdomme wel niet gedacht, die geile beer? Was hij volslagen idioot geworden? Of had hij een complete black-out gehad, behalve zijn pik dan uiteraard.

Maar zijzelf dan. Zij had ook net zo goed zwanger kunnen worden. Toen ze met Conny naar bed ging. Toen ze haar man ontrouw was, die ze zelfs heeft voorgelogen, toen ze Conny een 'vriend' noemde. Het had net zo goed Lena kunnen zijn die daar op bed had gelegen en zwanger was geworden. Zij was ook helemaal gek geworden. Maar dat met Conny was alleen... Dat was immers niets!

Dat was gewoon een droom, niet echt. Net een grap, net alsof. Hoe was het geweest toen Robert met Åsa naar bed ging?

Was het uit dankbaarheid voor dat ze hem had geholpen? Voor dat Åsa het beddengoed had opgevouwen, had gestofzuigd, de kinderen van haar zus naar bed had gebracht, kleren voor ze had gekocht, eten had gekookt, de wc had schoongemaakt, de kleerkasten had uitgesopt? Had Robert haar daarom geneukt? Uit dankbaarheid? Of hadden ze man en vrouw gespeeld? Vader en moedertje spelen? Had Åsa een kick gekregen van het bijna moeder zijn? Of had ze gewoon gebruikgemaakt van Robert? Heel koelbloedig. Om zwanger te worden. Of waren ze gewoon dronken geworden en met elkaar naar bed geweest en was het niet meer dan dat? Als een wip op de veerboot naar Finland.

Verbijt je.

'Maar toen zag de kleine beer dat er iemand in het heel kleine bedje lag! Mama, mama, er ligt iemand in mijn bed, schreeuwde de kleine beer.'

Verbijt je, Lena. Lees voor uit het boek. Geef ze een nachtkus. Niet huilen.

Het was koud toen ze naar huis wandelde. Roffes jagersjas was dubbel gevoerd, maar een paar rubberen laarzen was het enige schoeisel dat ze aanhad, dun rubber op de bevroren grond. Maar het bos is veilig. Het is stil en dicht. Het is net een stevige omhelzing. Het vraagt niet. Het geeft alleen maar troost wanneer je daar loopt te brullen. Alle naalden dempen de schreeuw, als een warme deken die over de angst wordt gelegd.

Toen ze door Braby wandelde, voorbij de kleine kerk, de ICA, het bejaardentehuis en ten slotte voor haar eigen huis stond, bedacht ze dat ze geen sleutel had. Alles lag nog bij Gerda. Het was nog maar halfdrie en het zou nog minstens vier uur duren voordat Robert en de kinderen thuiskwamen. En ze zouden niet thuiskomen, maar naar de boerderij gaan omdat ze dachten dat Lena daar was. Tja, dan maar de telefoon bij de buren lenen en naar Robert bellen, uitleggen waar ze geweest was, een beetje koffiedrinken, haar gezicht in de plooi houden, praten over wat een fijne man Robert is die het toch maar heeft klaargespeeld met al die kinderen: 'Ja, niet alle mannen zouden dat kunnen, je mag wel blij zijn dat hij nog niet hertrouwd was toen je thuiskwam', een lange tijd gezellig doen totdat Robert met de pick-up voor het huis kwam aanrijden. Je verbijten. Alle kinderen omhelzen. Kijken naar alle cadeautjes die opa en oma hadden gegeven. Josefin gedag zeggen, die bij een vriendin ging slapen. Loeren naar Robert, die ongerust Lena's plotseling veranderende gelaatskleur probeert af te lezen. Je verbijten. Ontdooide bolognesesaus eten die Åsa heeft gemaakt. Bolognesesaus zonder zout. Net een dode saus, zonder enig leven. Hoe kun je nu geen zout in een bolognesesaus doen? Je verbijten. Afwassen terwijl de kinderen naar *Sesamstraat* kijken. Je verbijten. Roberts vragen beantwoorden met een 'daar hebben we het later over' en dan je verbijten.

'En toen rende Goudlokje het huis van de berenfamilie uit. Ze rende en rende door het bos, tot ze de rode deur van haar eigen huis zag. En sinds die dag is Goudlokje nooit meer bij haar moeder weggelopen.'

'Hallo?'

Åsa roept de woning in. Het is helemaal donker. Haar geroep echoot tussen de muren. Stil zet ze haar tassen op de verwarmde plavuizen vloer en hangt haar jas op. Ze kon niet langer op Het Zonneroosje blijven. Ze heeft vijf uur geslapen. In haar eigen bed, nadat Lena haar een pak slaag had gegeven, Irene psychisch was ingestort en Marie haar haren had geborsteld. Een zwarte slaap. Daarna was ze gaan pakken. Had Adams cadeautjes ingepakt, haar eigen pakjes die ze van Adam had gekregen, Adams kleren, Adams wandelschoenen, Adam. Ze moet naar huis, naar Adam.

Irene lag nog in bed en hield zich schuil op haar kamer toen ze wakker was geworden. Maar Marie stond in de keuken. In de dikke Helly-Hansentrui en de gewatteerde broek, nadat ze hout had gehakt. Ze stond eieren te bakken, drie stuks die Åsa met moeite naar binnen werkte. Het kind, dacht ze. Het kind, het kind, het kind. Het moet voedsel krijgen, moet kunnen groeien. Daarna heeft ze de boerderij verlaten en is ze in haar sportautootje over de met sparrengroen versierde oprijlaan weggereden.

Onderweg naar huis moest ze drie keer stilhouden om over te geven. De kleine sportauto, die ze had gekocht om net het tegenovergestelde te bereiken. Het was wel erg typisch om zwanger te worden als je net een nieuw, peperduur sportautootje had gekocht. Ja, het had gewerkt. Ze werd zwanger. Misschien had ze in plaats daarvan beter een Volvo Combi kunnen kopen. Dan had ze hier nooit met een roodblauwe neus voor een wegrestaurant aan de E4 staan overgeven.

Åsa doet een paar lampen aan, loopt wat rond over het krakende parket, doet enkele kerststerren, de kleine tafellamp en de plafondlamp in de keuken aan.

Twee vuile borden staan op het aanrecht. Een paar sinaasappelschillen liggen op tafel, en een leeg Coca-Colablikje staat ernaast.

'Hallo?'

Åsa kraakt verder. Opent de deur van de slaapkamer, een kant van het bed is onopgemaakt, Adams kant. Ze loopt krakend verder door het gangetje naar de werkkamers. De deur van Adams kamer staat op een kiertje, daarbinnen brandt licht, een blauw schijnsel. Åsa opent de deur voorzichtig. Daarbinnen zit Adam. Of beter gezegd ligt. Op zijn bank, met de rug naar haar toegekeerd, zijn laptop op schoot en een koptelefoon op. Adam. Haar man. Met wie ze getrouwd is. Die ze heeft gekozen. Die haar heeft gekozen. Die ze heeft verraden. Ze staat in de deuropening en wil wel naar hem toe kruipen en zich tegen zijn lange, magere lichaam aan drukken. Zijn geur ruiken. Zijn zorgzaamheid voelen. Zijn liefde. Weg. Het gaat niet. Ze kan erover dromen in de deuropening, maar het gaat niet. Ze heeft dat recht niet. Dat recht heeft ze verspeeld.

Åsa loopt de kamer in, naar Adam toe. Bang dat ze hem laat schrikken. 'Hoi.'

Geen antwoord.

'Hoi!' Åsa verheft haar stem. Adam schrikt op, trekt zijn koptelefoon van zijn hoofd en draait zich om. Zijn rode ogen lichten op in het donker. Dat is bij Adam altijd zo geweest. Zodra hij huilt, verandert de kleur van zijn oogwit van blauwachtig wit naar helder rood.

'Hoi...' Adam draait zich weer om naar zijn laptop. Klikt op pauze en sluit het deksel.

'Wat ben je aan het doen?' Åsa gaat in de stoel tegenover hem zitten, legt haar voeten op de bank en duwt ze onder Adams bovenbeen. Adam tilt zijn been op. Vlug trekt Åsa haar voeten terug. Haar voeten hebben daar niets te zoeken. Hoe kon ze dat vergeten?

'Ik ben op zoek naar appartementen.'

Op hetzelfde moment biggelen de tranen over Åsa's wangen. Ze trekt haar knieën op en verbergt haar mond erachter. 'Ik begrijp...' Nu beslaat haar bril weer door alle tranen. Ze zet hem af en wrijft met de mouw van haar trui licht over de glazen, maar het wordt geen spat beter, alleen nog maar erger van al het zout en de vuiligheid van de trui. 'Adam...'

'Ik heb een driekamerappartement in de Tomtebogatan gevonden. Na kerst is er een bezichtiging.'

O, mijn hemel. Mijn hemel!! Åsa legt haar bril op het grote, zware eikenhouten bureau en snikt onbeheerst. 'Ik laat het kind weghalen, Adam, ik doe wat je maar wilt. Snap je dat? Snap je dat! Ik wil jou hebben. Ga niet weg... Ga niet weg.'

Nu is het Adam die zijn beslagen bril afzet. Zijn rode ogen lichten op in het donker en de tranen druppelen vanaf zijn kin op zijn rode capuchonjack.

'Het doet er niet meer toe. Je kunt het kind houden of een abortus laten plegen, dat maakt geen enkel verschil. Want feit blijft dat je godverdomme met Robert naar bed bent geweest, terwijl jij en ik tegelijkertijd proberen een kind te maken. Dat... gaat mijn verstand te boven. Ik begrijp het niet.'

'Ik hou van je. Ik heb nog nooit zoiets gedaan, ik weet niet waarom het is gebeurd, ik kan het niet uitleggen! Het is een vergissing! Ik kan niet...'

'Als het mijn kind is... Als dat mocht blijken... later als het kind geboren is, dat het mijn... Dan zal ik er uiteraard voor zorgen... Maar het wordt niet jij en ik... Dat gaat niet. Dat je dat maar weet.' Adam haalt een van zijn mouwen over zijn neus en zijn ogen en zet zijn bril weer op.

'Ik hou van je, Adam.'

'Ik hou ook van jou, maar dit kan niet. Ik haat je ook. Ik haat je meer, denk ik.'

Adam legt zijn laptop op de bank, staat op. Åsa weet niet wat ze nog moet aanvoeren, wat ze moet zeggen of doen om te voorkomen wat er op het punt staat te gebeuren. Adam pakt zijn laptoptas, die naast het bureau staat, legt zijn laptop erin, gooit er een paar spelletjes bij, doet zijn sjaal om en zet een muts die op de bank lag, op zijn hoofd.

'Ik slaap vannacht bij mijn ouders.'

En daar gaat hij! Hij gaat gewoon! Moeten ze er niet meer over praten? Proberen eruit te komen? Moet hij niet op haar schelden? Haar slaan? Gek worden? Wat dan ook. Zal hij gewoon weer gaan?

Zoals altijd. Adam schreeuwt niet. Hij weet wat hij voelt en dan gaat hij. Valt er nergens over te praten, dan gebeurt dat ook niet. Åsa schiet omhoog uit haar stoel, slipt over de parketvloer door de kamer, pakt een van de vitrinekasten beet om niet uit te glijden en stormt de kamer uit naar de hal. Adam heeft net zijn grote, groene winterjas aangetrokken. Zonder te vragen, zonder na te denken werpt Åsa zich op hem. Ze houdt zijn lange lichaam krampachtig stevig vast. Kleine, korte Åsa. Ze hangt aan zijn schouders. Zet haar voeten op die van hem.

'Zeg wat ik moet doen! Ik doe wat dan ook. Zeg iets! Ga niet weg! Ga niet weg!'

Adam staat daar. Met zijn rode ogen en zijn groene jas. De vrouw van wie hij houdt, zo intens veel van houdt, hangt innig om hem heen. Hij ziet het immers. Hij ziet hoe ze wat dan ook zou willen doen. Net als hij. Ook hij zou wat dan ook willen doen om ervoor te zorgen dat alles weer normaal zou worden. Maar er valt niets te doen. Hij zou niets liever doen dan dit huilende wrak in zijn armen nemen, haar vochtige nek kussen en in haar oor fluisteren dat alles goed komt. Niets liever dan dat. Maar het gaat niet. Het helpt niets en het is te pijnlijk. Het is zo pijnlijk dat hij breekt als hij nu niet het appartement uit loopt. Alles zou dan loskomen en hij zou haar terugnemen. En dat is niet goed. Dat kan nooit, nooit goed worden. Alleen maar erger.

Adam pakt Åsa's handen beet, draait ze een beetje zodat zij hem los moet laten. En dan gaat hij. Met stromende tranen en een tikkende bom in zijn hart.

'Nee, ze neemt niet op.'

'Åsa ook niet?'

'Nee. Ik maak me zo ongerust. Dit is niet goed, Marie. Dit is echt niet goed.'

Marie stopt haar mobieltje terug in haar zak. Leunt tegen Lillemor 13 en duwt met haar tong haar pruimtabak omhoog. Irene wrijft de spenen van Rosa 25 schoon met een doek. Trekt wat aan de spenen en melkt een paar stralen in een kommetje. Ja, de melk ziet er goed uit. Fijn dat er nog iets werkt in de familie. Met een routineus gebaar bevestigt ze de zuignappen op de spenen, waarna de uiers langzaam geleegd worden.

'Ik bedoel, wat moeten we doen? Ik zie het gewoon niet. Wat moeten we doen? Ik kan hier niet blijven staan en toekijken hoe mijn dochters elkaar haten. Wat Åsa en Robert hebben gedaan... Ja, dat is absoluut niet goed. Dat was dom. Maar Lena is gewoon gevlucht. Robert wist immers niet wanneer en... Nee, hoe ik ook denk, het komt niet goed.'

'Nee, ik weet het ook niet. Ik moet ook aan Adam denken, Arme stakker.'

'Ja, mijn hemel... Nu is hij klaar. Geef je me de spray even aan?'

Irene controleert de uier, spuit wat bacterie remmende oplossing op de spenen en geeft de koe een tik op haar achterste. Op haar dooie akkertje loopt Rosa 25 terug naar de box, terwijl Lillemor 13 op haar plaats gaat staan om gemolken te worden. Irene veegt haar spenen af en melkt een paar stralen. Ja, dat ziet er ook goed uit. Hup, de zuignappen erop.

'We moeten iets doen, Marie. Ik weet niet wat, maar iets. Anders ga ik eraan onderdoor, denk ik.'

Irene duwt een kat weg die langs de koe schuurt. Het is heerlijk om in de stal te zijn, heerlijk om daar met Marie te zijn. Misschien is ze toch niet zo hopeloos als boerin.

Irene lag op haar slaapkamer, in Roffes slaapgoot, naar het plafond te staren en had medelijden met zichzelf. Ja. Ze had gewoon medelijden met zichzelf. Ze vond dat alle anderen zichzelf iets te verwijten hadden. Lena, Åsa, Robert, Marie, Adam konden zichzelf de schuld geven. Verwende kinderen! Marie was gekomen en had op de deur geklopt, een aantal keren. Irene had niet opengedaan. Het kon haar allemaal niets meer schelen. Marie ook niet. Net als al die anderen. Maar toen was Marie binnengekomen met gebakken eieren op een schaaltje en wat hout voor de kachel. Ze had haar uit bed getrokken en had haar gedwongen mee te gaan naar het melken. Marie. Stel je voor: zij tweeën staan nu in de stal te melken.

Marie haalt Vanna 3 en Maj-Ros 8 en drijft ze naar de melkplek, ze stribbelen niet tegen, maar kijken ernaar uit dat hun zware uiers worden verlost van de melk, lichter worden gemaakt. Het is alsof Marie in deze weken lichter is geworden, hier thuis op de boerderij. Alsof iemand haar barstensvolle, loodzware uiers heeft gemolken en haar lichter heeft gemaakt. De flat in de Högbergsgatan wordt steeds waziger. Om Otto daar weer in op te sluiten, voelt als dierenmishandeling, Mariemishandeling. Zo gelukkig als hij hier op de boerderij is. Hem met vliegende pootjes over de akkers en de open plekken in het bos zien zweven, over de koeien zien waken als ze gemolken worden, hem 's nachts zwaar zien slapen. Net als Marie, die nog nooit 's nachts heeft geslapen. Nu slaapt ze. Mensen die verliefd worden zeggen altijd dat ze het lichamelijk voelen wanneer het goed is. Het is misschien niet altijd helemaal logisch, misschien komt het helemaal niet overeen met wat ze in hun hoofd hadden waar ze voor zouden vallen, maar ze voelen het gewoon. Het voelt goed. Net als in Maries lichaam. Ze voelt gewoon dat dit hier goed is. Ze moet hier op de boerderij zijn. Nu. Eerder was het niet goed. Nu is het goed. Het leven is niet altijd logisch. *Shit happens.*

'Mama. Jij blijft hier thuis. Ik regel dit.'

'Wat ga je dan doen?'

'Ik weet het niet, maar dit gaat gewoon niet. Ik probeer Åsa en Lena te vinden.'

Marie banjert in haar melk-overall en strontlaarzen naar de heftruck. Irene blijft achter in de stal en heeft plotseling helemaal niet zo'n medelijden meer met zichzelf.

27

Robert zet de televisie uit. Trekt een beetje aan zijn witte joggingbroek, legt de afstandsbediening op tafel en gaat rechtop op de bank zitten. Lena staat midden in de kamer. De woonkamer die ze in een complete chaos achterliet met stapels was langs de wanden, konijnenkeutels als bruine randen langs de plinten en de angst die als behang om alles heen zat.

De woonkamer, waar nu maar twee kleine stapeltjes was in een van de stoelen liggen en die nu geen enkel spoor van konijnenkeutels vertoont. Robert, die zelf de bolognesesaus ontdooide, pasta kookte en een paar wortels raspte. Robert. Die erop toezag dat de kinderen hun tanden poetsten terwijl Lena wat met Josefin zat te praten. Robert, die het had klaargespeeld, minder was gaan werken, de stapels was kleiner maakte en zelfs een paar kerststerren had opgehangen. Robert, die inderdaad was veranderd. Wel onder bedreiging van een pistool, maar toch. Hij had het ook kunnen opgeven. Maar hij koos voor het leven. Een nieuw leven. Het is niet gemakkelijk om te veranderen. Het biedt weerstand. Je wilt niet.

'O. Waar is Åsa dan?'

Robert snapt het precies. Hij is niet helemaal dom. Niet op die manier in elk geval. Hij snapt wanneer het zinloos is om de onwetende te spelen, te ontkennen of zijn kop in het zand te steken. Wanneer het beter is om eerlijk te zijn, hoewel je je liever in allerlei bochten zou willen wringen. Waar zal hij zijn handen laten? Eerst probeert hij ze achter zijn hoofd te leggen, maar dat voelt niet goed. Misschien op zijn buik. Nee. Hij legt ze gewoon recht langs zijn lichaam. Hij probeert Lena in de ogen te kijken, maar dat is lastig, alsof hij verblind wordt.

'Ze was niets. Ze was een vergissing. Je was er immers vandoor gegaan, ik wist niet waar of wanneer je...'

'Maar met mijn zus! Had je niet iemand uit het dorp kunnen pakken, geeft niet wie! Tanja geilt al sinds de jaren tachtig op je, waarom heb je haar niet genomen, of wie dan ook, maar niet mijn zus. Nee, je moest zo nodig met mijn zus neuken. Mijn god, goed gedaan. Slim. Kun je de Nobelprijs in seks krijgen? Dan word je misschien straks opgebeld.'

'Goed, het was dan misschien niet zo slim, maar godverdomme. Het was een vergissing. Of het nu Åsa of Tanja was... Ach, wat maakt het uit, het was fout, wat wil je dat ik zeg? Godverdomme, je had mij verlaten! Ik was immers helemaal alleen! En jij dan? Jij en die Conny? Hoe kan ik weten wat jullie hebben gedaan? Hè? Wil je dat ik geloof dat jullie alleen maar vrienden zijn geweest? Dat hij het helemaal oké vond om jou de hele dag door slapend in zijn klotebed te hebben, zonder daar iets voor terug te willen hebben, hè?'

'We hebben het nu niet over Conny, we hebben het over...'

'Nee, nu heb ik het over Conny, heb je met hem geneukt? Eerlijk zeggen! Ik erken het in elk geval!'

'Ja! Misschien heb ik dat wel gedaan. Maar dat was ook een vergissing, het was compleet waardeloos en het was maar één keer!'

'Godverdomme! Dan ben je toch geen haar beter! Jij bent godverdomme ook ontrouw geweest!'

'Dat is niet hetzelfde!'

'Hoezo niet hetzelfde? Hoe denk je dat het voor mij voelt, hè? Dat je gewoon vertrokken was, een week lang bij een of andere klote-ijscogek hebt geslapen, met hem hebt geneukt. Godverdomme! Dat doet pijn! Godverdomde veel pijn!'

Lena kijkt naar Robert. Hij heeft gelijk. Ze heeft hem in de steek gelaten. Zij was ontrouw. Ook. Er is niet één hufter in de familie. Het zijn er twee. Twee hufters. Maar het staat haar tegen. Het staat haar tegen om het te zeggen. Om het te erkennen. Ze zou het kunnen... Maar dat gaat niet. 'Er is alleen één verschil. Åsa werd zwanger.'

'O...'

Robert legt zijn handen op zijn buik en ziet er plotseling onzeker uit. Lena staat roerloos op het vloerkleed. Als een leeuw die een ree hypnotiseert zodat het niet zal vluchten.

'Misschien van jou.'

'Van mij? Ze is godverdomme getrouwd met Adam.'

'Ja, maar ze heeft met jou geneukt. En ze weet niet wie de vader is. Jij of Adam. Fantastisch! Prima! Eens kijken, onze kinderen worden zowel broertjes en zusjes als neefjes en nichtjes van Åsa's kind. O, maar dat is praktisch. Erg eenvoudig voor al die familie-etentjes.'

'Wat zeg je daar godverdomme? Wat sta je daar godverdomme te verkondigen! Dat ik de vader van Åsa's kind ben? Maar...'

'Maar wat? Hoeveel condooms hebben jullie gebruikt? Of dacht je dat ze de pil slikte, en dat ze misschien daarom nooit zwanger werd? Sukkel! Je kunt je afvragen of je veertig of veertien bent, je weet toch godverdomme wel hoe kinderen worden gemaakt?'

Lena haalt schokkerig adem. Zij en Conny hebben ook geen condooms gebruikt. Ze is godverdomme zelf ook gewoon veertien. Wat kan het ook schelen. Nu op dit moment gaat het niet om haar. Robert wordt stil. Hij slikt. Slikt nog een keer. Staat op. Gaat weer zitten. Wrijft paniekerig met zijn grote handen over zijn haar. Verdomme. Dat kan niet. Dat mag niet zo zijn. Voor niemand van hen. Dat is slecht voor iedereen. Een kind. Nee. Van Åsa. Nee, nee. Hij is ook zo'n sufferd. Lena heeft gelijk. Hij is de achterlijkste idioot van het dorp. Lena ademt. In en uit. Uit en in. Vrij rustig toch. Robert ziet krijtwit.

'Dat kun je niet menen...' Robert kijkt naar haar op. Met smekende ogen. Alsof Lena God is. Alsof zij het bepaalt. Alsof zij de macht heeft om de hele gebeurtenis terug te draaien en ervoor kan zorgen dat alles ongedaan wordt gemaakt. 'Ach. Ik wil alleen maar zeggen... Lena. Jij bent gewoon vertrokken. Je was mijn vrouw. Moeder van de kinderen. Tuurlijk heb ik gemerkt dat je je niet goed voelde en... maar ik had het druk. Dat dacht ik in elk geval. En toen verdween je gewoon en ik wist niets. Ik stond hier maar. En toen kwam Åsa. Ze was echt, echt nuttig, op de goede manier als je dat begrijpt. Ze was heel lief met de kinderen en bracht alles weer op orde... Ja... Je zou trots op haar moeten zijn! De avond voordat ze naar huis zou gaan, toen hebben we wijn gedronken en we waren waarschijnlijk allebei verdrietig, op onze manier. Je kent me toch! Godverdomme! Ik hou van jou, jij bent immers gewoon vertrokken. En Åsa was ook verdrietig en toen gebeurde het gewoon. Ik dacht niet... dat ze... Godverdomme. Ik snap... dat ik alles kapot heb gemaakt. Sorry. Sorry.'

Robert gaat languit op de bank liggen met zijn handen voor zijn gezicht. Lena gaat boven op de stapeltjes was in de stoel zitten. Robert huilt stilletjes. Hij ligt languit op de bank in zijn witte joggingbroek, de lichtblauwe sweater die hij van Lena heeft gekregen, de dikke sokken die Irene heeft gebreid, en huilt. Met zijn handen voor zijn gezicht. Zijn grote handen. Lena ziet de tranen. Hoe ze over zijn wangen stromen, omlaag zijn hals in, verder op zijn schouders en hoe ze hele kleine plasjes op de bank maken. Zijn borst gaat omhoog en omlaag. Lena kijkt door het raam naar het erf, naar het konijnenhok met het degelijke nieuwe deurtje met sluitbaar haakje, dat Åsa heeft geregeld. Ze kijkt naar het huis. De stapels was zijn weg. Robert. Het erf. Roberts oude schroot dat in onhandige hopen op het gazon ligt en nu bedekt is met een laagje sneeuw, net kleine iglo's. Robert, die altijd van haar heeft gehouden. Daar heeft ze nooit aan getwijfeld, ook al is hij in bepaalde opzichten blind geweest, maar van haar gehouden, dat heeft hij. Dan smeert ze 'm. Zodat hij ophoudt blind te zijn en zijn ogen opent en de vuile was en de kinderen onder ogen krijgt. En hij weet niet waar ze naartoe is, waarom of voor hoe lang. Terwijl hij hier thuis is en zich ongerust maakt, gaat zij met Conny naar bed. Mijn hemel. Ze is met hem naar bed geweest! Ze is 'm gewoon gesmeerd. Belde nooit, ging met een ander naar bed, genoot er zelfs van. Åsa. Åsa komt hier bij Robert. Als een engel. Een zachte, mooie engel is ze. En ze helpt met alles, is een link naar haar, naar Lena. Een beetje wijn, beetje verdriet en dan... dan vrijen ze samen. Precies hier. Op het vloerkleed. Lena onderdrukt een braakreflex en staart vol haat naar het vloerkleed. Het is nog lelijk ook. Akelig rotkleed.

Godverdomme, wat is het toch lelijk! Net een grote beroerde mosterdvlek. Net kattenbraaksel. Net diarree van een kind. Roberts moeder heeft het gekocht in een of andere kutuitverkoop en kwam ermee aanzetten. Als een straf. Een lelijk, mosterdgeel neukkleed. Als het kleed daar niet had gelegen en er niet zo zacht had uitgezien dan was het misschien niet...

Lena staat op uit de stoel. Trekt aan het vloerkleed en sleept het de woonkamer uit, door de hal, opent de buitendeur, en trekt het achter zich aan de pikzwarte tuin in. Het rammelt, rinkelt en bonkt door het speelgoed, de stoelen en de schoenen die door het kleed zijn meegetrokken op weg naar buiten. Op kousenvoeten stampt ze verder met het onwillige vloerkleed achter zich aan, enorme stofwolken achterlatend. Met een rood behuild gezicht staat Robert op van de bank, gaat voor het raam staan en ziet zijn vrouw tegen hun woonkamerkleed schoppen. Dat goudgele, aardige vloerkleed dat ze van zijn moeder hadden gekregen.

Terwijl de sneeuw om haar heen dwarrelt, schopt, schreeuwt en spuugt ze naar dat rottige vloerkleed. Ze rent terug het huis in, rommelt in de jaszakken en dendert weer naar buiten op kousenvoeten, gaat naast het vloerkleed staan. Wat is ze aan het doen? Robert droogt zijn ogen, probeert het brandende zout dat zijn zicht vertroebelt weg te krijgen. Lena zit op haar hurken met iets te friemelen. Nu spuugt ze weer, stormt de hal in, pakt een zak oude kranten, sleept die met zich mee naar buiten de sneeuw in en strooit alle kranten over het vloerkleed. Gaat weer op haar hurken zitten en steekt een lucifer aan. De droge kranten reageren meteen. De vlammen beginnen te sissen. Het kattenpisgele vloerkleed begint te knetteren. Binnen een paar minuten brandt de hele boel. In de huizen rondom gaan lichten aan. Nieuwsgierige blikken turen vanachter de gebloemde gordijnen. O, Lena is terug. En nu steekt ze ook iets in de brand. Ja, ja. Ze is gek. Ja, dat hadden ze al begrepen toen ze de kinderen in de steek had gelaten, maar hier is het bewijs.

Robert probeert de brok in zijn keel weg te slikken.

Alsof er een tekenfilm in zijn hoofd wordt afgedraaid. Åsa. Adam. Lena. Die verdomde Conny, wie hij dan ook is. De kinderen. Åsa. Adam. Lena. Conny. De kinderen. Het kind. Åsa's kind. Mijn god. Hoe kon hij zo verschrikkelijk dom zijn. Hij had gedacht dat Åsa onvruchtbaar was. Of... hij had helemaal niet gedacht. Geen moment gedacht aan kinderen, aan hoe kinderen gemaakt worden. Hij had alleen maar gedacht dat hij eens een heerlijk moment wilde hebben. Was dat ook wat Lena had gedacht? Robert schrikt op. Lena heeft gelijk, je zou denken dat hij veertien is. Een onontwikkelde tiener. Hoewel, nee, trouwens, dat is niet eerlijk ten opzichte van tieners. Tieners gebruiken immers condooms, zij weten wat ervan kan komen... Er kunnen kinderen van komen.

Robert gaat in de stoel zitten. Kijkt naar het vloerkleedvuur en laat de tranen stromen. Het is afgelopen.

Marie schakelt naar zijn vijf. Geeft gas tot honderddertig kilometer per uur. Deze route kent ze op haar duimpje. Ze weet precies waar de bochten zitten en waar de ergste gladheid zich altijd gaat nestelen. De op vier wielen aangedreven oude Volvo slingert tussen de nachtzwarte akkers en bossen door. De vollemaan schijnt als een groot spotlight boven de velden.

Zaadcellen en eitjes. Mannen en vrouwen. Godverdomme. Marie toetert naar een paar reeën die provocerend angstig op een akker langs de weg wezenloos staan te staren. Marie toetert zodat ze peentjes schijten. Schrikachtige sukkels!

Drie abortussen heeft ze gehad. Drie kinderen zou ze hebben gehad. Eerst een kleine mulattenbaby. Van Roy. Danser. Compleet zwarte huid, niet donkerbruin, maar pikzwart. Zo mooi. Een mooi lichaam aan de buitenkant, maar vanbinnen goed volgestopt met drugs. New York 1986. Roy was zalig, New York was zalig. Zwanger raken was vreselijk. Zonder enige twijfel: abortus.

1991. Larsa. Bassist van Death Brain. Hing in de bar met zijn lange, blonde haren. Was daarna jarenlang bij Marie. Marie vond dat ze op een redelijk serieus niveau, of een redelijk niet-serieus niveau, bezig waren. Ze zagen elkaar een paar keer in de week. Hadden *lovely* seks, maar beslist geen familie-etentjes. Alleen zij tweeën. Konden samen goed feesten, gingen veel naar concerten, tijdens een vakantie was Marie Death Brains privébarkeepster. Was mee op hun toernee door Finland, waar ze vreemd genoeg echt groot waren. En daar... in een klein familiehotel in Åbo, slaagde een zaadcelletje erin om alle pillen te slim af te zijn en langs alle hindernissen te glippen, midden in een eitje te prikken en aan een behoorlijk degelijk project te beginnen. Larsa werd zo blij. Marie werd zo bang. Larsa wilde Maries ouders ontmoeten, naar kinderwagens kijken, praten met de buik. Marie wilde alleen maar weg. Ze probeerde het. Ze probeerde twee maanden lang een aanstaand gezin te spelen. Ja, en toen op een nacht nam Marie een taxi naar het ziekenhuis en de volgende ochtend liet ze abortus plegen. Larsa heeft ze sindsdien niet meer gezien. Het derde kind... 2000. De pil had weer zijn werk niet gedaan. Waarschijnlijk was het kind van Mooie Staffan of van Torkel. Die mooie jonge rocker met zijn afschuwelijke naam, die met zijn ruige bakkebaarden minstens vijfentwintig jaar leek, maar nog maar zeventien bleek te zijn. Abortus was zonder twijfel het beste alternatief.

Åsa. Åsa kan geen abortus laten doen. Zij kan niet gewoon een taxi nemen naar het ziekenhuis en in de rij gaan staan. Marie heeft nooit kinderen willen hebben. Nooit. Kinderen, dat woord komt niet in haar vocabulaire voor. Ze heeft geen slecht geweten na de abortussen en 's nachts geen eenzame gedachten over hoe oud de prille leventjes nu geweest zouden zijn, als niet... Nee, helemaal niets. Eén groot niets. Ze had zich beschermd, maar raakte zwanger en dan moet je de rotzooi opruimen, of de rotzooi in een bloempot stoppen en hopen dat er iets moois opgroeit. Åsa. Haar jonge zus. Lena. Haar jongste zusje. Marie rijdt langs het bordje Braby, nadert snel het kleine vervallen huis met het rommelige erf. Het ruikt... naar vuur. Marie draait haar raampje naar beneden, steekt haar neus in de richting van de tuintjes voor de huizen. Jazeker, verdomme, het brandt. In het donker vermoedt ze de rook die haar kant op komt waaien. Vanaf Lena's huis schijnt licht. Alsof het brandt. Godverdomme! Marie geeft gas in de dertigkilometerzone, draait schreeuwend het erf op en ziet Lena op kousenvoeten naar een behoorlijk vuur midden op het gazon staren. Voor het raam vermoedt ze Robert.

'Lena! Wat ben je aan het doen?'

Marie rent naar haar zusje. Omhelst haar, stevig. Dat kleine naar rook stinkende mensje, haar gekwetste zusje. Lena omhelst haar ook. De vlammen dansen omhoog naar de decemberlucht, die vol sneeuw zit. Krantenschilfertjes en tapijtpluisjes zweven vrij rond. Marie en Lena. Ze houden elkaar stevig vast.

Lena schreeuwt door haar tranen en de rook heen. 'Ik ga hem vergeven. Godverdomme. Het kan niet anders. Iets anders kan niet. Ik voel het. Ik hou van hem. Godverdomme. Het had net zo goed ik kunnen zijn die zwanger was geworden. Met iemand anders.'

'Iemand anders?'

'Ja, ik was immers bij een vent. Toen ik weg was.'

'Oké...'

'Robert had pech. Met mijn zus... Maar ik verbrand het vloer-kleed.'

'Vloerkleed?'

'Waarop ze geneukt hebben. Als ik het had gekund, dan had ik het bed van Conny ook verbrand.'

'Oké... Goed... Goed gedacht. Brand je ook voor Åsa?'

'Ik weet het niet.'

'Je moet ook voor haar branden. Je moet haar vergeven.'

'Ik weet het.'

'Je kent Åsa toch. Ze is in staat om zich hiervoor van kant te maken. Begrijp je dat dan niet? Zij is immers helemaal niet zo. Ik ben toch de slet van de familie. Niet Åsa. Vergeef haar! Anders zul jij ook je hele leven ongelukkig zijn. Het is misschien Roberts kind niet! En als het dat wel is... wat doet het er dan ook toe.'

'Natuurlijk doet dat ertoe.'

'Nee, dat vind ik niet. Gebeurd is gebeurd. En het is verve-lend genoeg. Maar het is niet de fout van het kind. Het kind heeft toch niets gedaan. Dit is de enige kans voor je kinderen om een neefje of nichtje te krijgen.'

'Of een halfbroertje of halfzusje.'

'Neef, nicht, halfbroer, halfzus wat maakt het ook uit! Schijt aan wat iedereen hier in het dorp vindt of denkt! Schijt aan wat je moet vinden! Denk gewoon. Denk gewoon met je hart. Kom op nou, daar ben je anders zo goed in. Je houdt van Robert. Je houdt van Åsa. *Shit happens.*'

'Mag ik nog wat nadenken over Åsa?'

'Ja, maar alleen maar een beetje.'

'Jakkes, ik weet het niet...'

'Tja, ik weet over dit soort dingen niet zoveel, maar Åsa kan vast en zeker wel dokken voor een verdomd goede psycholoog met wie jullie drieën kunnen praten. Een relatietherapeut of een triotherapeut. Het zal moeilijk worden, maar dat moet dan maar. Beter een tijdje moeilijk en later goed, dan de hele tijd moeilijk, en nooit goed. Toch?'

'Tja... als je het zo bekijkt...'

Marie slaat haar armen om Lena heen, ze staren allebei in het hete vuur en de omhoogwervelende schilfertjes. Marie denkt na. Om het goede te doen. Om exact te durven doen wat je zelf wilt en niet denken aan wat anderen top vinden. Gewoon zelf kiezen, volgens je eigen kompas.

'Wacht even!' Marie laat Lena los en rent terug naar de auto. Ze rommelt even in de kofferbak, haalt een paar enorme winterlaarzen tevoorschijn, opent het bestuurdersportier, leunt naar binnen en vindt iets anders. 'Hier!' Marie zet Roffes winterlaarzen voor Lena neer zodat ze erin kan stappen. Dankbaar stopt Lena haar kleumende voeten in de zachte leren bootees. Marie gooit iets in het vuur.

'Wat was dat?'

'Mijn huissleutels.'

'Jouw huissleutels?'

'Ja... Ik kap ermee. Ik kap met het Stockholmleven. Ik verhuis naar huis.'

'Naar huis?'

'Jep, naar huis, naar de boerderij.'

'Samen met mama? Jij? Maak je een geintje, of wat?'

'Nee. Wat zeg je ervan, zus. Zullen we samen een bedrijf starten?'

'Maar...'

Lena staart in het vuur. 'Heb je je huissleutels erin gegooid?'

'O, ik heb reservesleutels, dat snap je toch wel. Het is alleen maar symbolisch.' Marie glimlacht. 'Maar wil je het? Zullen we het doen? Zullen we eten en muziek op de boerderij maken?'

'Ik moet met Robert praten.'

'Doe dat. Ik wacht in de auto.'

'Nu? Ik sta hier het neukkleed te verbranden.'

'Mama gaat de boerderij verkopen, Åsa wil niet meer leven. Het heeft haast. Naar binnen en met Robert praten, nu, ik hou het neukkleed wel in de gaten.'

Lena klost zwaar naar het huis, draait zich om, kijkt naar Marie, die met een ernstig gezicht vanaf het vuur zwaait. Het vuur verwarmt heerlijk. Marie strekt haar handen naar het vuur en laat ze door de hitte ontdooien. Haar sleutelring ligt midden op het brandende kleed en smelt langzaam, het voelt alsof er een groot juk brandt. Op haar rug lag een enorme steen te schuren zonder dat ze het wist. Een steen met dromen... Dromen over wat? Dromen over niets. Een steen vol tijdverdrijf. Met late nachten die niet meer leuk waren, drankjes die niet meer spannend waren om uit te delen, kerels die niet gewenst waren, een krappe en eenzame flat, een dominante baas, nul komma nul vooruitzichten en een slecht salaris. Dat alles gaat daar op het neukkleed in vlammen op. Verdwijnt in de rook naar de hemel.

Marie steekt een sigaret op, neemt een diepe knetterende trek en blaast rookkringen omhoog naar de sneeuwvlokken.

De Volvo vliegt over de E4. Marie rookt koortsachtig en prutst met de radiostations tijdens het rijden. Een vrij levensgevaarlijke bezigheid. Lena zit naast haar. Leunt met haar hoofd tegen het koele raam. Doet haar ogen dicht. Maar kijkt toch. Kijkt achteruit.

Probeert de fijne momenten met Åsa te vinden. Probeert die kleine lelietjes-van-dalen die je niet wilt missen, die hemels ruiken en enorm schattig zijn, tevoorschijn te halen. Lena acht jaar: huilt omdat de katten haar hele postzegelalbum hebben ondergepiest. De kattenpis heeft als postzegellijm alle bladzijden van het album aan elkaar geplakt, om het over de stank maar niet te hebben. Lena huilt. Dagenlang. Wat heeft ze verzameld en ge-spaard en die kleurrijke postzegels in de juiste volgorde gezet. Nu weet ze het weer. Hoe Åsa haar postzegelalbum aan haar gaf. Dat grote, met een hele bladzijde met alleen maar roze postze-gels, en twee tegenover elkaar liggende bladzijden met louter dierenmotieven op de zegeltjes. Lena kreeg het van Åsa. En hield op met huilen. Een lelietje-van-dalen.

Lena is zwanger van Josefin. Ze is misselijk, verdrietig, moe en heeft pijn. Åsa neemt haar dienst over op de boerderij. Zon-der te morren of een tegenprestatie te vragen. Staat 's ochtends op en zorgt voor de koeien, terwijl Lena blijft liggen in haar warme bed met de emmer ernaast. Een lelietje-van-dalen.

Åsa gaat net met een jongen, Greger. Ze zullen voor de eer-ste keer seks hebben. Een beetje in verlegenheid gebracht en wat ongemakkelijk vraagt ze Lena, haar ervarener jongere zus, om advies. Het moet moeilijk voor haar zijn geweest om haar jonge zus seksadvies te vragen! Kleine Åsa, die zodra ze op de televisie kussende filmsterren zag, naar haar kamer stormde, moet in verlegenheid zijn gebracht. Åsa kreeg twee condooms van Lena die haar adviseerde niet te doen alsof het heerlijk was wanneer de kerel waardeloos was. Ze hoopte voor haar dat het goed ging. Een lelietje-van-dalen.

Robert en Lena hebben een financiële crisis in 2003. Roberts boekhouding is een complete puinhoop, Lena kan geen enkel tijdelijk baantje krijgen en Josefin heeft een nieuwe winterjas no-dig. Åsa leent hun geld. Dat ze later niet terug wil hebben. Een lelietje-van-dalen.

Lena gaat weg bij Robert. Robert blijft alleen achter met de kinderen, zijn bedrijf, het huis en de overal schijtende konijnen. Åsa komt bij hen, maakt schoon, kookt eten, koopt kleren, tim-mert een nieuw deurtje voor het konijnenhok. Een lelietje-van-dalen.

Åsa en Robert gaan met elkaar naar bed. Kussen elkaar, trek-ken elkaars kleren uit, strelen elkaars lichamen, rukken broeken en onderbroeken van elkaars lijf, Robert in Åsa. Åsa met Robert in zich. Dronken, giechelig, naakt, opgewonden. Lena's man en Lena's zus, samen in extase.

Zo ver af van een lelietje-van-dalen als maar mogelijk is. Een stuifzwam. Een heel voetbalveld vol distels. Distels die branden. Giftige distels die branden.

Robert. Marie stond te roken bij het neukkleedvuur. Robert zat te huilen in de stoel. Ze had zo'n mooi gevoel in haar hele lichaam toen ze het trapje opliep en haar hart vol vergeving was. Een gevoel van te willen vergeven, vanbinnen geen brandende distels willen voelen, maar vergeven. Vergeven, vergeven, vergeven. Het kleed opbranden en vergeven. Ze schopte Roffes winterlaarzen uit, sloop op haar natte sokken naar binnen, keek naar Robert in de stoel, zijn witte joggingbroek, rode neus, rode wangen en rode ogen. Het snot liep uit zijn neus. Om dan naar hem toe te gaan, zich vooover te buigen, haar hoofd op zijn schoot te leggen en Robert zijn excuses, zijn spijt, zijn liefdesbetuigingen te horen fluisteren. Zijn ademhaling, warm, zoet, en verdrietig. Om dan daarna met haar hoofd op zijn schoot, te kunnen zeggen dat het is vergeven. Wat kan het ook schelen. Ik hou van je. Ik wil niet dat we bij elkaar vandaan zijn. Ik wil bij jou en bij onze kinderen zijn. Het had ook bij mij kunnen zijn waar alles fout was gegaan. Soms doe je dingen fout. Robert, ik hou van je! Om vervolgens in zijn armen te kruipen en hem voor het eerst in anderhalve maand nee, in twee jaar! te omhelzen. En voelen dat het liefde is. Zijn geur ruiken, zijn warmte voelen, zijn door het huilen gezwollen oogleden kussen. Het alleen maar goed willen hebben. Geen bitterheid of wraakgevoelens voelen. Alleen maar in het licht van het brandende vloerkleed zitten en vergeven.

Zijn opluchting kussen. Zijn verbaasde opluchting. Nooit had hij gedacht dat ze hem zou vergeven. Een lelietje-van-dalen. Daar op dat moment, in de stoel, een lelietje-van-dalen.

Nee, het zal niet gemakkelijk worden. Maar het komt goed.

Åsa. Waarom voelt het moeilijker met haar? Waarom voelt het alsof alles haar schuld is. Alsof zij Robert heeft verleid en ervoor heeft gezorgd dat ze zwanger werd. Alsof zij slecht is. Åsa heeft waarschijnlijk nooit eerder flessen wijn naar binnen gegoten en daarna andere mannen geneukt. Dat is niet haar stijl. Denk aan de lelietjes-van-dalen, Lena! Richt je op het goede! Zodra je de focus verliest, rij je met de sneltrein naar het gat van de wraak. *Don't go there*. Heb je eenmaal de deur geopend dan is er een reuzenkracht voor nodig om die weer dicht te krijgen.

'Hoe voelt het?'

Marie gooit haar peuk door het raampje en laat het een beetje doorwaaien. De Volvo stinkt naar rook en dennengeur, Lena probeert door haar mond te ademen.

'Goed voelt het niet. Ik denk aan Åsa. Ik weet niet hoe ik moet kunnen...'

'Ik begrijp het. Probeer niet aan jezelf te denken. Zie jezelf niet voor je, zie in plaats daarvan Åsa. Hoe ze zich op dit moment voelt. Hoeveel spijt ze heeft, in wat voor kutsituatie ze zichzelf heeft gebracht. Dat ze het kind wil laten weghalen, maar het toch wil houden. Al dat soort dingen.'

Met een routineuze beweging rijdt Marie de busstrook op en draait de Rörstrandsgatan in, parkeert op een lege invalidenparkeerplaats en trekt de handrem aan. De Volvo ruikt naar sigarettenrook en stress – een briesende stier in een erg stille straat in de stad. Alle auto's staan zwijgend en netjes geparkeerd. Marie en Lena zien Åsa's sportwagentje een eindje verderop staan. De stad slaapt in deze nacht van eerste op tweede kerstdag. Zachtjes valt de sneeuw. Donkere ramen, op de verplichte kerststerren en kerstkandelaren na, en bij een paar wakkere stakkers waar de lichten nog branden. Marie loert naar boven naar het appartement van Åsa en Adam. Donker, een zwak licht uit de keuken, maar verder donker.

Marie kijkt vragend naar haar jongste zus om te controleren

of ze er klaar voor is. Lena volgt met haar ogen het hoge skelet van het huis, blijft steken bij de flat van Åsa en trekt haar capuchon over haar hoofd.

'Kom, we gaan.'

Lena en Marie gaan naar boven in de krappe, kleine lift.

'Mijn god, het is jaren geleden dat ik hier op bezoek ben geweest.' Lena kijkt naar de flats waar ze langzaam voorbijknarsen.

Liefdevol slaat Marie haar arm om de schouders van haar zus. 'Ja, dan wordt het verdomme wel weer eens tijd.'

De lift schokt een beetje en houdt stil op de vijfde verdieping. Marie trekt de harmonicadeur open en pakt Lena's hand. Kijkt naar haar. Haar gezicht is erg zwart en ze stinkt naar rook – sigarettenrook en brandrook. Ze draagt nog steeds Roffes laarzen als een stel leren spatels. Jas aan met de capuchon over haar haren getrokken. Marie bestudeert zichzelf. De melkoverall heeft ze niet meer uit kunnen trekken. Met inzetstukken zodat er plek is voor haar borsten. Op de rug in grote letters ARLA, de naam van de melkproducent. Een gezellige boerderijgeur van koeien en zoete melk. Wel een beetje apart in het trappenhuis in de Rörstrandsgatan: een pyromaan en een boer op de vlucht. Marie moet een beetje grijnzen. Lena slikt.

'Denk aan Åsa nu. Verplaats je in haar positie. En dan kun je nog denken aan mama, aan de boerderij, aan jouw bedrijfje. Denk aan al het andere, niet alleen aan jezelf en het verraad dat je is overkomen. Oké?'

Lena knikt. Wrijft in haar ogen met haar zwarte vingers, waardoor ze er ontzettend vermoeid en uitgeput uitziet met die pikzwarte strepen onder haar ogen.

Marie klopt op de hoge dubbele deuren. Wacht totdat iemand in het appartement in beweging komt. Geen reactie. Marie drukt op de luide deurbel. Geen reactie. Ongerust kijken ze elkaar aan. Marie klopt harder op de deur en Lena drukt op de bel... Geen reactie. Niet van Åsa in elk geval, maar de dubbele deur er recht tegenover wordt voorzichtig geopend. Een man in glimmende boxershorts met Snoopy-print staat in de deuropening. Zijn lange haar ligt in een verwarde staart op zijn rug. Lena, met haar capuchon op en haar zwarte wallen onder haar dikke ogen, draait zich om. De man doet een stap terug, maar houdt de deur nog een klein stukje open.

Marie stapt naar voren. 'Sorry, dat we midden in de nacht storen, maar we zijn op zoek naar onze zus, die hier woont, Åsa.'

'Ja, ik weet wie Åsa is.' De man wrijft vermoeid in zijn ogen, gaapt en probeert zijn blote bovenlijf te verbergen door zijn armen gekruist voor zijn borst te houden.

Marie knoopt de bovenste knoop van haar overall los. 'Ja, ze zou nu eigenlijk thuis moeten zijn, maar dat is ze niet. Hebt u haar gezien, of iets gehoord?'

'Tja, ik heb haar man gisternacht gezien... toen ik thuiskwam, en hij ook... geloof ik. Maar Åsa, nee... Wat ruikt het hier naar rook, trouwens. Een brandlucht? Ruiken jullie het ook?'

De man gaapt en snuift met zijn gehaktbalneus. Marie snuffelt aan haar overall. 'Dat zijn wij die zo ruiken... We hebben wat bladeren verbrand...'

'O... bladeren?'

De man gluurt naar de zussen, glimlacht wat cryptisch en schudt met zijn haar. Hij kan niet echt goed besluiten of dit nu een 112-situatie is. 'Ze doet de deur niet open, hoewel ze thuis zou moeten zijn? Heb ik het goed begrepen?'

'Ja, zo ongeveer.'

Lena bonst nog een keer op de deur.

'Ja, ik heb hier een reservesleutel van ze, voor het geval ze die van hen zouden vergeten of zichzelf zouden buitensluiten of iets dergelijks, maar ik weet niet...'

'Het is goed, we zijn immers haar zussen.' Marie glimlacht breed en wijst naar zichzelf en Lena. De langharige buurman kijkt naar hen en begint te lachen. Trekt zijn wenkbrauwen omhoog en gluurt naar Maries melk-overall. 'Aha, jij bent dus haar zus.'

Marie gooit haar kroezige brandluchtharen naar achteren en grijnst. 'Yes.'

'Ben je... ben je boerin?'

'Ja. Zo zou je dat kunnen noemen.'

'Cool. Mooie outfit. Boerin... Wow.'

'Kunnen we de sleutel lenen?'

'Ja, tuurlijk, tuurlijk.'

De man slentert zijn appartement weer in, rommelt wat in de keuken, bedenkt zich, wandelt de hal weer in, nu met een oude badstoffen ochtendjas aan en zoekt in zakken en kleine kastjes. Op de rug van zijn ochtendjas zit een grote, stoffen versiering vastgenaaid met de tekst DEEP PURPLE. In een klein trommeltje op de hoedenplank vindt hij ten slotte de sleutel. Trots overhandigt hij die aan Marie. 'Tata! Gooi hem later maar weer door mijn brievenbus. Welterusten.' De langharige man doet voorzichtig de deur achter zich dicht.

Marie staat met de sleutel in haar hand. 'Oké. Zullen we naar binnen?'

'Ik denk dat het beter is dat ik alleen naar binnen ga. Åsa en ik moeten praten, alleen wij tweeën.'

'Maar...'

'Wacht zolang hierbuiten. Ik kom gauw terug.' Lena steekt de sleutel in het slot, draait hem om en stapt de donkere hal in.

Marie gaat op de koele marmeren vloer zitten en stopt een portie pruimtabak in haar mond.

Het appartement is gehuld in duisternis en stilte. Lena sluipt door de vertrekken die naast elkaar liggen. Weinig meubels. Bloemen, kleden en een of andere eenzame bank. Lena roept.

'Åsa? Hallo, is er iemand thuis? Åsa?'

Lena blijft staan. Midden in de donkere woonkamer. Slechts een paar kerststerren van het huis aan de overkant en de vage volle maan verlichten het geheel een beetje. Terwijl ze daar staat, krijgt ze het helemaal koud. Stel je voor... Stel je voor dat Åsa... Stel je voor dat ze zich... van het leven heeft beroofd. O, mijn god! Kleine, kleine Åsa. Kleine Åsa met haar grote hart, die nooit iemand kwaad wil doen, die nooit... Godverdomme! Lena weet niet wat ze moet doen, waar ze moet zoeken, wat ze wel niet zal vinden. De badkamer! In het bad gaan liggen om haar... Nee! Lena stormt naar de badkamer, tast naar het lichtknopje, vindt het niet, vindt het wel, doet het licht aan, kijkt, slikt, niemand. Met bevende handen opent ze het badkamerkastje, geen vreemde lege pillenpotjes, alle scheermesjes liggen nog op zijn plek.

Haar hart. Dat bonkt. Ze mag niet dood zijn. Dat mag gewoon niet. Verder maakt het niet uit, maar dat niet. Lena draait zich om, loopt weer het gangetje in, zet de deur van Adams werkkamer op een kier – leeg. Opent de deur van Åsa's kantoor, een zwak blauw licht. In de stoel. Daar ligt ze met haar ogen dicht en haar mond halfopen. Een deken over haar benen, de laptop op schoot en een grote koptelefoon op haar hoofd. Lena gooit de deur open, is in één stap bij de stoel en pakt Åsa's gezicht beet. Is ze warm? Klopt haar pols nog? 'Åsa, Åsa!'

'Aaaaaah!' Met een schreeuw wordt Åsa wakker. Iemand met een capuchon op en zwarte vegen onder haar ogen, houdt haar hoofd vast. Een gek! Een gek die heeft ingebroken.

'Je leeft!' De jas-met-capuchon-gek schreeuwt.

Åsa schreeuwt terug. De laptop valt met een behoorlijke klap op de grond. De jas-met-capuchon-gek pakt braaf de laptop op, legt hem op het bureau en nu ziet Åsa het. Het is Lena, daar in de capuchon. Lena, stinkend naar brand en sigarettenrook en met zwarte roet onder haar ogen. Åsa zet haar koptelefoon af. 'Lena? Hoe ben jij binnengekomen?'

'Ik heb een sleutel van jullie buurman geleend...'

'O... Tobias.'

Stilte. Lena trekt haar capuchon af. Wrijft in haar gezicht, waardoor haar hele gezicht een donkergrijze teint krijgt. Åsa legt de deken weer terug over haar benen en begint te friemelen aan de franjes. Lena kijkt naar de grond.

'We hebben geklopt... maar je hoorde het niet.'

'Nee... Ik had mijn koptelefoon op, was naar een film aan het kijken, maar ben waarschijnlijk in slaap gevallen...'

Stilte.

Lena gaat zitten op de oude windsorstoel recht tegenover Åsa. Kijkt de kamer rond: het grote bureau, een groot aantal computers, printers of wat het nu ook maar zijn, boekenplanken, stapels boeken, stapels kranten, de stille donkere Rörstrandsgatan voor het raam. Åsa ligt als een kleine worm in de grote stoel, mager en bleek, haar haar achter haar oren en de bril op het puntje van haar neus. Haar zus. Nee, als ze geen zussen waren geweest dan hadden ze elkaar nooit gekend. Zo is het. Ze zijn zo verschillend. Er zou als het ware geen enkele plek zijn geweest waar ze elkaar hadden kunnen ontmoeten; geen enkele gemeenschappelijke vrijetijdsbesteding om te delen. Niets. Maar nu is Åsa haar oudere zus. En ze houdt van haar. Ze zou wat dan ook voor haar doen. Ja, zeker weten. Als het moest. Als het echt moest. Nu kwijnt Åsa weg in haar stoel. Nu is ze zwanger. Misschien van haar man, misschien van Lena's man. Nu moet het. Dit is zo'n moment. Dat het erom gaat. Dat het erom gaat te proberen Jezus te zijn.

'Ja, ik wilde alleen... we moeten praten.'

'Ik weet het.'

'Je bent zwanger. Misschien van Robert.'

'Ja.'

'Misschien van Adam.'

'Ja.'

'Wat jij en Robert hebben gedaan... dat was gewoon eenmalig? Jij bent niet... Je wilt niets méér met hem?'

'Absoluut niet. Robert is jouw man. Wat we hebben gedaan... Dat was...'

'Ik weet het. Robert heeft het verteld. Ik heb geprobeerd verder te denken. Hoe we verder moeten gaan. Dat ik niet wil... Ik wil niet dat je ongelukkig bent. Ik weet hoe je naar dit kind hebt verlangd... ik probeer het te zien als... als met de koeien. Hoe we hun eisprongkalender bijhouden en als ze tochtig zijn, dat we ze dan insemineren. Heel simpel. Welke stier de vader is dat weten we niet echt. We hebben immers sperma van meerdere stieren. Nu had jij toevallig een eisprong. En ben je zwanger geworden... En dit kind. Is immers van jou. Wie de vader is... moet blijken. Is het Adam, dan is het goed. Is het Robert, dan... dan zij dat zo.'

'Robert is jouw man, Lena. Dus, als nu mocht blijken dat het Roberts kind is dan hoeft hij niet...'

'Tuurlijk moet hij! Het is immers zijn kind! We zullen je helpen om... Jij hebt het neefje of nichtje van mijn kinderen in jouw buik. Als het van Robert is dan moeten we hem heel simpel als een stier bekijken, die gewoon zijn werk heeft gedaan... Jou gelukkig heeft gemaakt.'

'Of ons allemaal ongelukkig.'

'Nee... Als we het zo gaan bekijken, dan is het afgelopen. Robert en ik hebben gepraat, voordat ik hiernaartoe kwam... hij was geschokt. Maar ik denk... Als het zijn kind is... dat hoeft immers niet zo te zijn. Maar als, als het zo is, dan lossen we het op. We spelen dit op de een of andere manier klaar. Ik zeg niet dat het gemakkelijk wordt, maar we kunnen er de ogen ook niet voor sluiten. We kunnen net zo goed open kaart spelen.'

'Ja, dat klopt. Red je dat, denk je?'

'Misschien. We zullen zien.'

'En Robert dan?'

'Misschien. Maar het zal niet gemakkelijk worden. Voor jou ook niet. Jij bent Adam kwijt. Toch?'

'Ik weet het niet. Hij belde een tijdje geleden, maar het is moeilijk... Hij is zo verdrietig. Ik ook.' Åsa brengt haar hand naar haar mond en drukt hem tegen haar lippen. De tranen borrelen tevoorschijn en het snot drupt op de knokkels.

Lena legt haar hand op Åsa's knie. 'Ik denk daar ook aan. Dat je misschien Adam kwijt bent. Jullie hadden het toch goed samen, klopt toch?'

'Ja. Het was misschien wel een beetje zwaar, nu we probeerden... Niet erg gemakkelijk... maar het was goed verder. Voordat... Maar ik weet het niet. Ik hou van hem. Maar... het is zwaar geweest.'

'Weet je... dat ik het bijna net goed voor je vond. Dat je niet zwanger werd. Jij had zoveel geld en was zo succesvol en dan ik... Die nauwelijks een cent verdiende met mijn kutbaantjes. Toen kon ik het gevoel hebben dat het net goed was voor je dat je nooit kinderen zou krijgen, ik werd vergeleken met jou als het ware een beetje beter. Aangezien ik er vier had. Ik kon niet veel, maar kinderen krijgen – dat lukte me wel. Dus is dit waarschijnlijk de straf. Voor dat ik zo heb gedacht. God ziet blijkbaar alles.'

'En ik... vond soms dat je zo slordig was met je kinderen. Dat je ze niet echt waard was. Ik was zo jaloers, Lena. Snap je dat? Jij zat maar te klagen met vier mooie kinderen en daar zat ik met mijn holle buik. Sorry.'

'Ja, ik snap het.'

'We moeten het stap voor stap doen.'

'Ja, zo moet het.'

'Wat dat geld betreft. Je kunt dat krijgen als je wilt. Ik meende het. Ik verkoop de flat, jij krijgt het geld en...'

'Maar...'

'Nee, geen gemaar. Neem het geld nu maar gewoon aan. Ik wil het. Ik had het toch gewild. Ook als... ook als dit niet was gebeurd.'

'Oké. Dan neem ik het aan.'

'Goed.'

'Marie verhuist ook naar de boerderij.'

'Wat?'

'Ja. Dus we doen dit een beetje samen. Hoewel ieder met zijn eigen project.'

'Leuk.'

'Wat ga jij nu doen?'

'Ik weet niet. Ik krijg een kind.'

'Blijf je hier wonen of...'

'Ik weet het niet. Moet maar kijken. Jullie moeten het maar zeggen als jullie hulp nodig hebben met de boerderij, nu jullie hem gaan overnemen. Ik ben er, ik kan immers melken als het nodig is. Of websites bouwen en zo. Als je het verdraagt om mij daar rond te zien lopen.'

'Goed om te weten.'

Stilte. Er is slechts een vaag fluitend geluid van buiten te horen, de sneeuw en de wind die langs de ramen gieren. Lena knipt het kleine lampje aan op het bijzettafeltje naast de bank. Ze kijkt naar de stapel dvd's die op de grond ligt.

'Waar keek je naar?'

'Wat?'

'Welke film?'

'Ik heb die box met *Lost*. Die kijk ik nu maar helemaal af, alle afleveringen. Een beetje als therapie. Nou ja, misschien geen therapie, maar dan hoef ik in elk geval niet te denken.'

'*Lost*. Ik heb deze herfst ontzettend veel afleveringen gemist. Ik was te moe. Had alleen maar de puf naar *The Bold and the Beautiful* te kijken.'

'Wil je kijken? Ik heb twee koptelefoons.'

'Oké.'

Lena trekt haar stoel naar voren, zet de koptelefoon op. Denkt heel even aan Marie, die daarbuiten op de trap in slaap moet zijn gevallen of gek zijn geworden, maar ze wil de magie niet verstoren. De heersende rust niet verstoren. Åsa klikt op de dvd, zet de koptelefoon op en leunt achterover in de stoel, legt de plaid netjes over haar knieën.

Buikpijn. Het zeurt. Bij Åsa. En bij Lena. Pijn als in probleem.

Pijn als in verraad. Pijn als in verdriet. Maar is ook zacht. Zacht als in vergeving. Zacht als in zusterschap. Zacht als in liefde. Als in dat het alleen maar beter kan worden. Als in midden in de nacht samen naar *Lost* zitten kijken. Lena legt haar hand op de hand van Åsa, streelt hem een beetje, trekt hem vervolgens terug naar haar eigen knie. Misschien kan het. Misschien kunnen ze dit samen doorstaan. Misschien. Het is te hopen.

Marie kijkt op haar horloge. Halfvier bijna. Wat doen ze daarbinnen eigenlijk? Kuchend spuugt ze haar derde portie pruimtabak in het verkreukelde propje papier en duwt hem in de zak van haar overall, waar zelfs een thermometer voor koeienkonten rondslingert. Ze heeft zin in een sigaret. Zo verdomde veel zin. Maar volstrekt geen zin om naar buiten te gaan om bij twaalf graden vorst en een snijdende wind een sigaret te roken. O, kutverdomme, iedereen slaapt nu, niemand merkt iets. En als ze iets zouden merken, wat zouden ze dan doen, haar door haar hoofd knallen, of haar vragen de sigaret uit te drukken? Marie haalt haar pakje sigaretten tevoorschijn uit het borstzakje van de overall, stopt de sigaret in haar mondhoek en steekt hem aan. Een diepe trek. O god, wat heerlijk. Hoe kunnen mensen stoppen met roken? Hoe gaat zoiets puur praktisch gezien? Wat doen ze in plaats van die kruidige rook in de longen te zuigen? Nemen ze een Snickers? Hoe vullen ze dezelfde behoefte? Marie neemt nog een trekje. Strekt haar benen op de koele, bijna ijskoude, marmeren vloer. Wiebelt een beetje verveeld met haar voeten. De gevoerde laarzen piepen een beetje rubberachtig op het marmer. Marie begint een beetje te grijnzen als ze de mest en oude hooiresten onder de zolen ziet. Ja, ja. Dit had ze een paar maanden geleden ook niet gedacht. Dat ze meteen na kerst haar vaders oude stinkende melk-overall en strontlaarzen aan zou hebben en het naar haar zin zou hebben. Op dit tijdstip van de dag, exact vanavond, de avond van eerste kerstdag, is het altijd een gekkenhuis in Rock 'n' chock. Met alle mensen die het gelukt is de kerst te overleven. Die een heel etmaal lang het familiemasker hebben zitten ophouden, mierzoete glögg hebben gedronken en ham hebben gegeten. Eindelijk. Eindelijk mogen ze zichzelf zijn. Mogen ze zich zat drinken, luisteren naar retegoede muziek, dansen, misschien een beetje vrijen. Marie voelt het een beetje trekken in haar buik. Het kan leuk zijn in de bar. Wanneer het op zijn drukst is en je de automatische piloot kunt inschakelen. De drankjes zweven dan gewoon over de bar als gelukkige ufo's, je lacht, zweet, flirt, krijgt fooien, neemt een drankje, een sigaret, bekvecht met de stamgasten.

Ze voelt pijn. Het slechte salaris. Die waardeloze baas. De andere barkeepers die ermee stoppen, voor ingenieur gaan studeren en kinderen nemen. Dat gevoel van het einde. Dat dit het is. Dat het niet verder zal gaan. Lijfeigene. Je staat daar in de bar en dat is het dan. Niet meer en niet minder. Maar het ging. Ze kon zich losscheuren. Ze kon weggaan van de bar. Het was gewoon een kwestie van de deur opendoen en weglopen. Of tja, gewoon was het waarschijnlijk ook niet helemaal. Godverdomme, wat heeft ze eerst aan dat slot moeten prutsen.

Ze ziet wel wat er gebeurt. Wat er ook gebeurt, ze heeft het geprobeerd. Zonder te proberen, sterf je.

Marie strekt haar benen weer, drukt haar peuk uit in het kleine met pruimtabak besmeurde propje papier, maar godverdomme, nu moeten ze komen! Wat zijn ze daarbinnen aan het doen? Anderhalf uur!? Of je bent het met elkaar eens, of je bent dat niet. En dan ga je en roep je naar je zus, wier kont eraf vriest in het trappenhuis. Marie drukt op de bel. Geen reactie. Marie bonst op de deur. Geen reactie. Marie belt zowel Åsa's als Lena's mobieltje. Geen reactie. Marie bonst op de deur en steekt een nieuwe sigaret op terwijl ze tegelijkertijd op de bel drukt en de mobiele telefoons van haar zussen laat overgaan.

'Wat is er nu dan?' De langharige buurman zet zijn deur op een kier. In zijn lichtblauwe, oude ochtendjas, zijn haar in een staart boven op zijn hoofd en een paar pantoffels in de vorm van... in de vorm van elektrische gitaren...

Marie stopt midden in het gebons, met de sigaret in haar mondhoek. 'Oei. Sorry. Heb ik je nu weer wakker gemaakt?'

'Nee, ik was al wakker, en had geen zin om weer in slaap te vallen. Zijn je beide zussen nu verdwenen?'

'Dus...'

Marie begint te lachen. In verlegenheid gebracht. 'Ja... ik begrijp dat het wat vreemd lijkt.'

'Ja, dat kun je wel zeggen.'

'Mijn twee zussen praten daarbinnen met elkaar. Serieus praten. Maar nu vind ik dat ze klaar moeten zijn. Maar ze horen me niet.'

'Dat lijkt een beetje verdacht.' De buurman grijnst. 'Eerst deed je ene zus niet open. En nu opent geen van beiden. Wat is daar in die flat eigenlijk?'

'Iets wat honger heeft misschien?'

'Op zijn minst.'

Marie hoort muziek vanuit de flat van de man. Ze fleurt op. '"Run to the Hills" van *Number of the Beast*!'

'Exact. Goede plaat, hoewel niet Maidens beste.'

'Nee, dat is overduidelijk *Killers*.'

'Vind je? Nee, ik ben meer voor *Piece of Mind*.'

'*Piece of Mind*? Wat? Dat is een grapje zeker? Je kunt die toch niet top vinden?'

'Zeg, wat ben je eigenlijk voor iets? Een boer midden in de stad, die een brandlucht om zich heen heeft hangen en van Maiden houdt.'

'Tja, ik hou niet echt van Maiden. Sabbath is meer mijn favoriet.'

'Weet je wat. Kom binnen en wacht hier bij mij in plaats van op de gang, dan kunnen we een beetje naar muziek luisteren en praten. Gooi maar een briefje door de bus bij je zussen. Wil je thee, of een boterham of iets anders?'

'Echt, een boterham zou fijn zijn.'

'Ik heb alleen nog maar knäckebröd en kaviaar...'

'Dat klinkt als een droom.'

'Ja, nou, kom dan binnen, dan vervul ik je dromen.'

De langharige buurman doet zijn deur open en schuifelt op zijn gitaarpantoffels naar de koelkast. Marie trekt haar smerige rubberlaarzen uit, knoopt het bovenstuk van haar overall open en schudt een beetje met haar haar.

'Een boterham is goed, dat met die dromen regel ik zelf wel. Maar bedankt.'

Dankwoord

Agi (lieverd!): bedankt dat je geduldig hebt geluisterd naar de zielige problemen van alle karakters in het boek en me hebt geholpen bij het oplossen ervan. En bedankt dat je naderhand het hele boek met je allerfijnste vijl hebt geslepen en over elk woord hebt nagedacht! Je bent de slimste, de kalmste en de beste (alom)! Jij hebt echt samen met mij het boek tot stand gebracht.

Åsa Selling en Ulrika Åkerlund, mijn Bonniers-vrienden: zonder jullie – geen boek. En als er toch een boek van was gekomen, had het vol gestaan met spelfouten, herhalingen en soms erg onlogische handelingen. Maar jullie helpen mij daar zo verschrikkelijk tactvol en voorzichtig (maar volhardend als het nodig is!) mee.

Erik Ahrnbom: bedankt dat je met mij de hele basisplot hebt zitten verzinnen en bovendien op het lumineuze idee kwam om van Åsa, Lena en Marie zussen te maken, geen vriendinnen zoals ik eerst van plan was... (ps Erik heeft ook samen met mij het filmscript van *Linas kvällsbok* geschreven, officieel heeft hij daar te weinig credits voor gekregen, hier komt achteraf nog een beetje. Bedankt Erik – Jippie, wat is het heerlijk om met jou te werken!)

Lotten Sunna en Rebecka Ahlgren Aldén: jullie hebben zo levendig over al jullie hardrockcafé-ervaringen verteld, zodat het daarna puur genot was om over Marie te schrijven.

Emi Gunér en Nicklas Mattson: bedankt dat jullie (in tegenstelling tot mij) bijna alles weten van de meeste moeilijke computernetwerken ter wereld. En bovendien jullie kennis met mij deelden!

Linda Öberg: bedankt dat je 's werelds beste omslagontwerper bent (ja, je bent verder ook goed natuurlijk!).

Jenny op de melkveehouderij in Almunge: jij liet me jouw eisprongkalender zien, al jouw mooie koeien, de hele boerderij en probeerde me zelfs een paar jonge katjes mee te geven, maar daar lag mijn grens.

Mijn buurvrouw en vriendin Anette Rosvall die vond dat Marie op het eind ook een beetje liefde waard was, wat een uitstekende gedachte was die ik meteen stal.

Mijn collega-schrijvers, jullie weten wie jullie zijn, jullie zijn er zodra ik me iets afvraag, hoe klein dat ook is, een schop onder mijn kont moet hebben, een peptalk of een algemeen advies nodig heb.

De allerbeste schoonmoeder Britt, die op de kinderen past zodra ik met mijn ogen knipper (en Saga's persoonlijke oppas Emma Rossander moet ik ook bedanken, 's werelds fijnste kleine en grote Saga-maatje).

En dan mama Kerstin en papa Janne uiteraard, die mij hebben verwekt en er altijd voor me zijn; dat was en is mooi gedaan van jullie, bedankt, bedankt lieverds!

Bedankt ook al mijn lieve vrienden! Puur in het algemeen dan. Jullie maken mijn wereld zo stralend, goed en warm!

Kus, Kus

Emma